MI OTRA VIDA

MI OTRA VIDA

Allison Winn Scotch

Traducción de Rosa Martí

VERGARA
GRUPO ZETA

Barcelona • Bogotá • Buenos Aires • Caracas • Madrid • México D.F. • Montevideo • Quito • Santiago de Chile

Título original: *Time of my life*

Traducción: Rosa Martí

1.ª edición: marzo 2010

© 2008 by Allison Winn Scotch
© Ediciones B, S. A., 2010
    para el sello Vergara
    Bailén, 84 - 08009 Barcelona (España)
    www.edicionesb.com
    www.edicionesb.com.mx
Publicado por acuerdo con Shaye Areheart Books,
un sello de Crown Publishing, una división
de Random House, Inc.

ISBN: 978-84-666-4013-8

Impreso por World Color Querétaro, S.A. de C.V.

Para Adam, a quien cuento mis historias.
Y para Campbell y Amelia, que tienen
respuesta a muchas incógnitas de la vida.

Ahora, a por la otra vida. Aquella en la
que no existe el error.

LOU LIPSITZ

1

¡Ding! ¡Ding! ¡Ding! ¡Ding! ¡Ding! ¡Ding! ¡Ding! ¡Ding! ¡Ding!

Algo en mi oído izquierdo detecta que mi coche me intenta advertir de que hay una puerta abierta. Siento que el cerebro registra el mensaje y lo ignora de inmediato. Continúa el soniquete, al que me hago inmune, como cuando alguien te pellizca en el brazo repetidamente hasta que ya no notas nada.

Mis manos recorren la fría madera del volante, luego bajan a la suave piel del asiento y se ponen a dar golpecitos en la parte de atrás de mis sudorosos muslos. El folleto publicitario de este coche (donde salía una pareja tan parecida a Barbie y Ken que incluso mi hija la señaló y dijo: «Barbie», hecho que mi marido y yo aplaudimos con gran regocijo —tanto que la gente que estaba en el concesionario se giró en redondo por si nos había tocado un coche o algo— porque, hasta la fecha, el vocabulario de mi hija constaba de unas diecisiete palabras, y «Barbie» marcaba todo un hito) te hacía pensar que, con la compra del coche, también adquirías ese tipo de vida. Como si los fines de semana condujéramos por montañas con ríos de agua cristalina o nos fuéramos de pícnic a un verde prado cubierto de rocío, con el sol poniéndose a nuestras espaldas sobre un campo de girasoles.

¡Ding! ¡Ding! ¡Ding! ¡Ding! ¡Ding! ¡Ding!

Mamá.

Más.

Perro.

Papá.

No.

Sí.

Beso.

Leche.

Pelota.

Aúpa.

Globo.

Hola.

Biberón.

Agua.

Adiós.

Abajo.

Dormir.

Repaso mentalmente la lista de palabras de Katie. Me las sé de memoria, por supuesto, porque era la clase de madre que sabía esas cosas. La típica madre que religiosamente anotaba cada progreso: «Cuatro meses y tres semanas. ¡Katie se ha dado la vuelta ella sola! Y mucho antes de lo normal, que son seis meses»; que le dio el pecho hasta cumplido exactamente el año, según recomienda la Academia Americana de Pediatría: «¡Qué pena dejar de hacerlo!», contaba a mis amigas con la frente arrugada para recalcar mi total sinceridad; la madre que, como he mencionado, se sabía al dedillo el vocabulario de Katie para asegurarse de que iba por el buen camino para desarrollar plenamente su potencial. Diecisiete palabras, todo un logro comparado con otros niños de dieciocho meses.

Y ahora, además, teníamos «Barbie».

¡Ding! ¡Ding! ¡Ding! ¡Ding! ¡Ding! ¡Ding! ¡Plaf!

Mis ojos se mueven rápidamente hacia la esquina superior del parabrisas, hacia el lugar donde un mohoso excremento de pájaro se desliza lentamente. «Genial —pensé—. Lo que me faltaba. En el folleto nunca sale mierda de pájaro.» Inspiro y trato de liberar el estrés, tal y como me enseñaba a hacer mi monitor de Pilates cada lunes, miércoles y viernes por la mañana de 10:00 a 11:00, después de que llegara la niñera y justo antes de que yo fuera al supermercado a comprar los ingredientes para la comida. Siento que el aire me llena el pecho y lo expande como un globo de helio.

Cuento hasta cinco conteniendo las arcadas. Cuesta despejar la mente cuando del asiento trasero te llega un pestazo a leche agria. Ayer, cuando volvíamos a casa después de jugar con otros niños, Katie se tiró el biberón por encima sin razón aparente; y, como yo ya estaba cansada de fingir lo mucho que me gustaban los demás críos en aquella interminable y aburridísima tarde en que todas las madres parloteaban sobre pañales, problemas con la canguro y solicitudes de matrícula en guarderías potenciales, opté por no limpiarle la silla del cochecito. «¡A la mierda!», me dije a mí misma mientras sacaba a mi hija con sus pringosos rizos morenos de la empapada sillita y la llamaba «tontuela» por ponerse perdida siendo ya tan mayor. «¡A la mierda!»

Eso hice. Y por ello mi Range Rover, que debería seguir oliendo a una fina mezcla de limpiador de limón y betún, apesta ahora a vómito petrificado.

El excremento de pájaro ya se empieza a colar por la ranura que hay entre el parabrisas y el lateral del coche, cuando veo que la señora Kwon me hace señas desde la tintorería. Mueve frenéticamente la mano en el aire, y luce esa sonrisa asustada y dentuda con que siempre me recibe. A veces, la sonrisa pasa de asustada a astuta, pero los dientes siempre son iguales.

¡Ding! ¡Ding! ¡Ding! ¡Ding! ¡Ding! ¡Ding! ¡Ding!

Me incorporo en el coche y bajo el pronunciado escalón

que me separa de la calzada. Vuelvo a mirarme la parte de atrás de las piernas: brillan con el sudor y llevan marcada la tapicería del coche como si fuera celulitis galopante. Cierro la portezuela de un golpe.

De pronto, se hace el silencio. Ya no oigo el «¡Ding, ding!», sino el silencio.

—No tienes buena cara —me dice la señora Kwon. El perchero que ocupa todo el techo de la tienda se mueve hasta que la señora Kwon aprieta un botón y hace que se detenga de forma abrupta. Coge un palo y descuelga las perchas que sostienen las camisas de Henry, mi marido—. ¿No has dormido bien? Porque de verdad que no tienes buena cara.

Aprieto los labios e intento que mi cara adopte una especie de sonrisa. Noto cómo se me estiran las mejillas, cómo se me marcan los hoyuelos.

—Sí —le digo asintiendo—. Supongo que no duermo lo suficiente.

—¿Algún problema? —me pregunta, mientras forcejea para bajar las camisas a nuestro nivel.

—¡No, qué va! —Me encojo de hombros. Los músculos faciales me empiezan a temblar por el esfuerzo de tan forzada sonrisa—. Ningún problema.

—No te creo —me reprende la señora Kwon—. Si no se duerme es porque hay algún problema. —Y coloca las camisas, como me imagino que un pescador deja su pesca, extendidas sobre el mostrador.

Yo no le contesto. En lugar de eso, me dedico a rebuscar mi billetero en el bolso.

—¿Lo has hablado con tu marido? —insiste la señora Kwon—. Siempre vienes tú a recoger sus cosas, yo nunca lo veo por aquí. ¿Por qué? ¿Dónde está? ¿Por qué no viene él mismo a recoger sus camisas?

—Está trabajando —le suelto.

—Ya —responde—. Los hombres siempre están trabajando. No se dan cuenta de que las mujeres también trabajamos. —Hace un gesto hacia detrás de ella—. Mi marido se piensa que porque soy una mujer tengo que limpiar, cocinar y, además, llevar la tintorería. ¿Y qué hace él? ¡Nada! —Agita su mano, si cabe, de manera más exagerada que normalmente.

Sonrío con lo que pretendo que parezca comprensión y espero el cambio mientras la señora Kwon presiona con vehemencia las teclas de la máquina registradora.

—¿Sabes qué es lo que necesitas? —me pregunta, al tiempo que el cajón se abre de golpe—. Más sexo. —Me sonrojo y veo que ella se da cuenta—. ¡No tienes por qué avergonzarte! Todas las mujeres necesitamos más sexo. Se duerme mejor. El matrimonio es mejor. El sexo hace que todo sea mejor.

—Bueno, por desgracia —digo mientras aguanto el bochorno que supone que la dependienta de la tintorería te dé consejos sobre tus actividades carnales— Henry se ha ido a Londres. Y permanecerá allí toda la semana.

No le menciono que Henry casi siempre está en Londres, San Francisco, Hong Kong o en algún otro lugar del mundo lejos de nuestro precioso hogar a treinta kilómetros de Manhattan, en una zona residencial a la que la gente llega de la ciudad huyendo sin rumbo fijo. Los constantes viajes de Henry son el precio que hemos pagado por su éxito como el socio más joven del banco de inversiones a medida.

—¡Oh... muy mal! —dice la señora Kwon entrecerrando los ojillos—. Tú tienes cara de necesitar sexo del bueno. —Se encoge de hombros y me vuelve a mostrar todos sus dientes—. ¡Quizá la semana que viene tengas mejor aspecto!

«Quizá —pienso para mis adentros mientras me dirijo

hacia ese coche nuevo que supuestamente hace que mi vida sea de color de rosa—, aunque no sé por qué me da que no va a ser así.»

«Justo ahí —casi se me escapa en voz alta—. Sí, sí, ahí, así, más fuerte.»

Garland debía de intuir mi angustia, porque en ese preciso instante noto cómo las puntas de sus dedos me amasan la parte superior de los hombros como el panadero que prepara una hogaza.

—Estás muy tensa aquí —me susurra de manera apenas perceptible sobre la voz de Enya. Yo siento cómo los músculos de la espalda se me tensan involuntariamente, resistiéndose al alivio que les ofrezco—. Toda esta parte está agarrotada —repite—, vamos a tener que trabajar mucho esa zona.

Lanzo un gruñido y recoloco la cara en el cojín con forma de rosco para que, con un poco de suerte, no parezca un alien cuando Garland acabe la sesión. No es que él no me haya visto en peores condiciones: una vez en que estaba para el arrastre, empecé a soltar sollozos intermitentes mientas sus manos me masajeaban el torso, liberando lo que después me explicó que era «energía negativa» expulsada gracias al poder del masaje. Aun así, no era un aspecto con el que quería que me viese. Y menos aún porque, según mis amigas de Pilates, a veces el Garland de brazos vigorosos y cabello azabache colocaba sus manos en lugares que, a lo mejor, no le harían ninguna gracia a la dirección; a mis amigas sí que se la hacía.

Sin embargo, yo llevo casi cuatro meses viniendo una vez cada quince días y, por ahora, no ha pasado nada inapropiado. Lo que, en cierta manera, ha sido todo un alivio. Henry y yo nos conocimos a los veintisiete y, en estos siete años de relación, no ha habido ningún otro hombre. Soy una esposa, una buena esposa. Y tener fantasías con tu masajista; no, tener fantasías con cualquiera es inadmisible para lo que yo considero ser una buena esposa. Asisto a todos los cócteles que organiza la empresa de Henry. Los sábados lavo nuestras sábanas de seda adamascada. Plancho los vestiditos de Katie de manera que no quede ni un solo hilo fuera de lugar.

Claro está que, pese a mis mejores esfuerzos sociales, el subconsciente a menudo me lleva por derroteros que mi consciente no podría controlar. Así que, mientras Garland hace esa magia suya con las manos, no puedo evitar pensar en cómo me sentiría si sus dedos se adentraran más allá de los parámetros considerados adecuados en la escuela de masajistas.

Oigo que se embadurna las palmas en aceite esencial de eucalipto, y los nervios de la columna vertebral me estallan cuando me pone las manos encima.

Lo cierto es que la señora Kwon no iba del todo desencaminada en sus juicios. Henry y yo nos hemos apalancado; no a propósito, sino que, como una bolsa de galletas que se deja abierta sin querer, el aire cada vez más viciado de nuestro matrimonio ha ido endureciendo nuestro exterior.

«¿Cuándo fue nuestra última noche de sexo?», me pregunto a mí misma, olvidándome por completo de las manos de Garland. Rebusco en mi cerebro hasta que recuerdo una boda en Berkshires a la que fuimos hará dos meses.

—Tenemos que hacerlo —le dije a Henry, tumbados los dos sobre las almidonadas sábanas de la cama del hotel, y ambos prefiriendo quedarnos fritos—. En serio, Hen, acabo de leer un artículo en el *Redbook* que dice que las parejas que practican el sexo tienen una conexión mucho más profunda y es más probable que permanezcan casadas.

—¿Y las parejas que se caen de sueño? —Me miró y sonrió—. ¿Están condenadas al fracaso?

—No ponía nada de eso —repliqué con dureza, y me giré hacia mi lado de la cama.

—¡Que es broma, Jill! ¡Es broma! —Oí el frufrú de las sábanas mientras él se acercaba y se colocaba detrás de mí, y entonces empezó a desabrocharme la camisa.

«Bueno, de eso hace ahora dos meses; tampoco está tan mal —me digo, recolocando la cara en el cojín—. Sobre todo porque Henry siempre está de viaje. Eso hay que tenerlo en cuenta a la hora de hacer los cálculos. Siempre está fuera.»

Antes no era así, claro que no. Cuando nos conocimos, nos buscábamos el uno al otro como bestias salvajes, aunque, bueno, sin salvajismo, y quizá también sin bestialidad, ya que Henry le tiene auténtica aversión al sexo oral y solía escaquearse cuando yo tenía la regla; pero, desde luego, sí con la pasión que conlleva una nueva relación. Y aunque el sexo no fuera tan apasionado como con Jackson, mi anterior pareja, Henry y yo conectamos de una forma inexplicable e instintiva. Como si, al estar juntos, el prometedor Henry gurú de las finanzas con cuerpo de nadador y mente de relojero, y yo, la ejecutiva publicitaria que había acuñado el *jingle* más famoso del año: «Es la chispa de la vida que te hace compañía», con mis abdominales de mucho yoga, resaltáramos de alguna forma todas las deficiencias de mis anteriores novios. Me sentía atraída hacia él, liberada con él y, muchas veces, salvada por él. Cuando nos conocimos una noche en un garito astroso del East Village, yo salía con Jackson (a quien había conocido en la universidad, mientras yo hacía un posgrado en Administración de empresas, y él, otro en Bellas Artes). Teníamos una relación que se hundía sin que ninguno de los dos pudiera hacer nada para evitarlo.

«O sea, que no siempre ha sido así», me recuerdo a mí misma mientras, de fondo, Enya deja de canturrear para dar paso a otra estrellita del New Age que no reconozco. Pero... ¿qué podemos hacer para volver a como estábamos antes? En el *Redbook* hay docenas de artículos sobre el asunto, aunque ninguno de ellos me ha ayudado lo más mínimo. ¿En qué momento perdimos el contacto? ¿O es que una sucesión de momentos ha dado lugar a algo más serio, algo intangible, algo que se nos ha escapado de las manos y ahora no podemos parar?

Lo que yo no podía creer (lo que me negaba a creer) era que Ainsley, una amiga del posgrado que se había venido a vivir a mi misma calle y que había establecido en su propio garaje un negocio ridículamente lucrativo de venta electrónica de regalos personalizados para bebés, acabara de recibir una invitación a la boda de Jackson. Porque, pese a que lo nuestro había terminado hacía siete años y había sido yo la que al final (con firmeza y de manera definitiva) lo dejó para irse con Henry, su compromiso e inminente boda se me hacían muy cuesta arriba, como si el hecho de que se comprometiera con otra mujer fuera una afrenta, o una injuria contra mí.

—¿Te molesta que te cuente lo último de Jackson? —me había preguntado Ainsley hacía dos mañanas, mientras practicábamos el *power walking* empujando nuestros cochecitos aerodinámicos.

—¡Claro que no! —le digo, y hago un gesto con la mano para demostrarle que no, aunque sin mirarla a los ojos—. ¿Sigue trabajando en *Esquire*?

—¡Ajá! —afirma mientras toma aliento.

«Lo sabía —pienso— sabía que seguiría por inercia en un trabajo que no le gusta, sabía que nunca acabaría esa novela pese a todas sus promesas.»

—Pues se casa —me suelta Ainsley con toda su mala baba.

Tenía que haberle respondido algo rápido. Creo que esa pausa de diez segundos antes de contestar fue lo que me delató. Diez segundos durante los que mi cerebro me recordó primero cuánto le quería y, luego, nuestra primera cita en un garito de falafels donde se reunían los estudian-

19

tes y había que gritar para poderse oír; aunque eso a nosotros, que tanto teníamos que decirnos, no nos importó. Después me acordé de la última, en el China Fun, donde todo terminó; y, aunque estaba satisfecha con Henry, pensé en cuánto me embargaba a veces una angustia por lo mucho que me gustaba Jackson, por su espontaneidad, su entusiasmo, su habilidad para ir por la vida sin llevar una lista de cosas que hacer (algo de lo que Henry era incapaz). Quedó bien claro en esa pausa que sí, que me molestaba muchísimo. Pasaron ante mis ojos imágenes de mi vida, como ocurre en las películas cuando el protagonista está a punto de morir. La camaradería que había en la agencia de publicidad, los tranquilos sábados por la mañana en los que Jack traía su portátil al café del barrio para trabajar en su estancada novela mientras yo disfrutaba de 45 minutos de paz, el tiempo justo para tomarme mi café y mirar por la ventana sin pensar en nada; incluso acudieron a mi mente unas vacaciones de Navidad antes de conocer a Jack, en las que Ainsley y yo hicimos un viaje de última hora a París y nos pasamos la noche de Fin de Año besando a franceses a diestro y siniestro. Echaba de menos muchas cosas de mi vida anterior a Henry y a Katie, y Jack era sólo una de ellas.

—Pues claro que no me molesta —le insisto a Ainsley resoplando, en parte por el ritmo que llevamos caminando y, en parte, por lo que me acaba de contar—. ¡Si de lo nuestro hace ya siete años, caray!

—No pasa nada si te molesta —me replica ella encogiéndose de hombros—, sería algo totalmente normal y comprensible.

—Pues no me molesta en absoluto —añado—. Mi vida con Henry y Katie es exactamente todo lo que siempre he querido, de eso que no te quepa ninguna duda.

Seguimos caminando en silencio, el paso marcado únicamente por nuestras rápidas respiraciones y por el ruido de las ruedas de los cochecitos.

«¿Por qué no le conté nada? —pienso ahora, mientras Garland me masajea los deltoides—. ¿Por qué no le dije: "Ainsley, creo que algo se ha roto entre Henry y yo. Cuando se va de viaje durante semanas, apenas noto la diferencia y, a veces, cuando está en casa, lo miro desde el otro extremo del salón o por encima de la mesa intentando descubrir qué es lo que me atraía de él"? ¿Por qué no le conté que hace dos sábados, mientras Henry estaba en Los Ángeles, llamé a la canguro y me fui sola a ver una estúpida comedia romántica con Orlando Bloom y Kate Hudson, y luego me pasé el resto del día preguntándome por qué no acudía Orlando Bloom a salvarme de mi insulso matrimonio? ¡Orlando Bloom! Empecé a soñar que me lo encontraba en TriBeCa o de vacaciones en Londres, o en cualquier otro lugar. Cuando el lunes fui a hacer la compra, vi su cara en la portada de una revista del corazón —lo habían pillado besuqueándose con una supermodelo— y sentí una pequeña pero profunda punzada de celos. ¡Orlando Bloom! ¿Por qué no le habría contado nada a Ainsley sobre Orlando Bloom? Ella habría hecho que resultara gracioso, que de alguna forma todo tuviera sentido.»

Pero Jack no era ni la mitad de divertido, y lo que hiciera con su vida tampoco me importaba mucho. O quizá sí, demasiado. Ainsley lo sabía, yo lo sabía, y supongo que por eso ninguna de las dos hurgó en el asunto mientras recorría el vecindario en un esfuerzo inútil de librarse de esos cuatro kilos de más, producto de nuestros respectivos embarazos.

Ahora, aquí tumbada con el aroma a eucalipto, los cánticos relajantes de fondo y las manos mágicas de Garland, sé que a nadie más puedo mentir, y eso me da que pensar.

«¿Y si hubiera elegido a Jackson? ¿Y si Henry no fuera mi media naranja? ¿Y si nunca me hubiera casado con él? —Se me tensa todo el cuerpo y noto que Garland responde apretando más los dedos. Exhalo y alejo de mi mente esos pensamientos—. No, soy muy feliz: una buena esposa con una hija encantadora que sabe decir (y las cuento) hasta dieciocho palabras, una esposa cuyo marido brilla en Wall Street y aún es capaz de darle un orgasmo, incluso bajo presión (mía, no suya).»

Cierro los ojos con fuerza y procuro dejar la mente en blanco. Pero no lo logro. En lugar de eso, los pensamientos se quedan en las rendijas de mi cerebro, incordiándome lo justo para que sepa que siguen ahí conmigo, como una astillita clavada en el meñique del pie que te tortura a cada paso que das.

Garland amasa mis nalgas como si fueran de plastilina, me concentro y por fin consigo que mi mente vague en el vacío, en la nada.

—Tienes el Chi bloqueado —me susurra Garland en el oído izquierdo—. Voy a intentar desbloquearlo, así que notarás presión.

—Vale —gruño.

—Respira hondo —me ordena—, a lo mejor esto te duele.

Me coloca las manos sobre las sienes, luego las baja a lo largo de mi cuello y presiona con los codos la zona de debajo de mis omoplatos. Suelto un grito ahogado que señala esa fina frontera entre el placer y el dolor, y durante un instante me olvido de Henry y de Jackson, de la leche agria en el coche y de esas malditas dieciocho palabras; lo único que puedo hacer es morderme el labio inferior, respirar hondo, y desear que ojalá en cada momento de mi insignificante y estúpida vida pudiera sentir lo que siento en este preciso instante.

2

Tengo que levantarme. Llevo al menos cinco minutos diciendo que me tengo que levantar, y aun así, no me muevo. Parece que una taladradora me haya perforado el cerebro, y tengo en la boca un regusto a mandarinas podridas. Seguro que ya es de día, pero el antifaz para dormir bloquea todos los hirientes rayos de luz, por lo que lo único que veo son las ráfagas de amarillo que se reflejan bajo mis ojos cerrados.

«Katie debe de estar despierta —murmuro para mis adentros—. Estará jugando en su cuna con el perrito marrón que le trajo la madre de Henry, y probablemente tendrá hambre, así que a ver si te levantas de una vez y la atiendes.»

Desayuno. La idea me revuelve el estómago, y me entran ganas de vomitar. Me llevo a la frente un brazo que pesa como si fuera de acero y recorro con mis dedos el nacimiento del pelo, recubierto de una película de sudor rancio.

«¡Levántate! ¡Levántate!», me vuelvo a repetir.

Con los ojos aún cerrados, elevo las rodillas y las recoloco en la cama.

—¡Oh, mierda! —grito, y me quito el antifaz de un manotazo. Me he dado con las rodillas en un muro, un muro de verdad, no el tipo de muro al que se refiere mi instructor de *spinning* cuando quedan diez minutos para acabar la clase.

Me quedo en posición fetal mirando la pared blanca a la que mi cama está arrimada.

Vuelvo la cabeza.

Ésta no es mi habitación. Y, desde luego, éste no es mi dormitorio. Aun así, me resulta tremendamente familiar. Lo sé por alguna extraña razón.

Me incorporo en la cama y noto cómo todo mi interior se tambalea. Tengo resaca. Sí, está claro que lo que tengo es resaca. Trato de recordar algo de la noche anterior. Nada. No recuerdo nada más que mi Chi bloqueado y los codos de Garland y la sensación de que mi cuerpo explotaba cuando me los hundió en la espalda.

Me levanto sobresaltada de una cama enorme, con sábanas rojas y un cabezal que seguramente es de IKEA. Tengo un recuerdo fugaz de la visita a la tienda, de sentarnos y tumbarnos en todas las camas del departamento hasta decidirnos por ésta. Nos. Estoy aturdida. Quiero vomitar. Corro al baño, que mi instinto me dice que está justo a la derecha del dormitorio. Echo todo lo que llevo dentro.

«Nos decidimos. Jackson y yo.»

«No puede ser.»

Vuelvo a cerrar los ojos, alargo la mano y arranco un trozo de papel higiénico para limpiarme la boca, me levanto y tropiezo al dirigirme a la pica del lavabo. Bajo la tenue luz de las bombillas del espejo, una de ellas fundida, escudriño mi imagen reflejada. Me retiro un cabello castaño con mechas que me llega a la altura de los hombros, un cabello que la última vez que lo había visto estaba cortado a la francesa justo a la altura de la nuca y que era, al menos, un par de tonos más oscuro. Me vuelvo a mirar. Aún no me han salido las patas de gallo. El lunar que me tuvieron que extirpar porque se estaba haciendo muy grande sigue ahí, a la derecha de mi nariz; como los dos pendientes que llevo en la oreja, algo que la madre de Jack calificó de vulgar.

Soy una versión más joven de mí misma. Sólo que otra versión.

Me doy rápidamente la vuelta y voy corriendo hasta el pasillo, abro el vestidor y me meto dentro. Está lleno hasta arriba de ropa mía, de la ropa que tenía cuando era estudiante, y no queda rastro de mi ropa de madre, ni de mi ropa de trabajo, doblada y cuidadosamente organizada según colores y necesidades en el armario de mi vida acomodada.

Entro tambaleándome en el salón, no sin antes volver al lavabo para vomitar una vez más, y encima de la chimenea veo una foto en la que aparecemos Jackson y yo celebrando mi vigésimo séptimo cumpleaños; es prácticamente imposible apreciar la decoración del pastel por culpa de las más de dos docenas de velas que lleva. En otro marco hay una foto de Ainsley, Megan (mi mejor amiga del instituto) y yo celebrando el Año Nuevo de 2000. Entonces Prince acude a mi mente, es un *flashback* a la canción que sonaba en todas partes los días previos al cambio de década.

Suena el teléfono y pego un brinco de casi medio metro. Sólo entonces me percato de que voy desnuda. «Yo nunca duermo desnuda.» Al menos, ya nunca lo hago. Ahora duermo con pijamas de seda que compro en las rebajas de Nordstrom. Cada año, en julio, estreno pijamas y ropa interior. Dejé de dormir desnuda cuando me mudé a vivir con Henry porque él nunca dormía desnudo y, bueno, eso hacía que me sintiera rara.

Salta el contestador.

—Hola, has llamado a Jillian y Jackson —me oigo decir—. Ahora no podemos atenderte, deja un mensaje, ¡y te llamaremos enseguida! ¡Que vaya bien!

Se oye un largo pitido.

—Jill, soy yo. Te he llamado al trabajo, pero aún no habías llegado. Es por lo que planeamos. Llámame.

Megan. ¡Joder!, es Megan. Voy hacia el contestador y

25

me quedo mirándolo, vuelvo a poner el mensaje una y otra vez. «No puede ser. De ninguna manera.» El coche de Megan se empotró contra una farola una noche de hace tres años. Había ido a California por temas de trabajo y se quedó dormida al volante cuando volvía a casa después de cenar. Al menos, eso es lo que la policía creyó que había pasado: no hallaron marcas de frenazo y tampoco hubo testigos. A mí sólo me dirigieron un «Lamentamos su pérdida, señora», y a su marido Tyler le dieron un billetero manchado de sangre, el anillo de compromiso y la alianza, eso fue todo. Dijeron que, seguramente, había muerto al instante. Recuerdo haber agarrado con fuerza la mano de Henry en el funeral una lluviosa tarde de octubre, justo antes de que los árboles se quedaran sin hojas.

Me siento en el sofá, uno beis de tela rasposa, del que he pedido incontables veces a Jackson que se deshiciera, a lo que él siempre contesta con un «No me gustan los cambios, cariño, y además me encanta este sofá que tengo desde que iba a la universidad; así que, venga, haz un esfuerzo». Después miro a mi alrededor.

La historia se repetía. Estaba viviendo en mi futuro hipotético. «¿Y si no hubiera abandonado mi vida pasada? ¿Y si lo hubiera hecho todo de otra manera cuando tuve la oportunidad? ¿Y si...? ¿Y si...? ¿Y si...?»

Pero yo creo que la mejor pregunta es: «Y ahora, ¿qué?»

El periódico que hay en el recibidor data del jueves, 13 de julio de 2000. La carrera hacia la Casa Blanca llena los titulares: «¿Es la fuerza de George Bush tan grande en Tejas para ganar las elecciones? ¿Es Al Gore el vicepresidente adecuado?» La sección de espectáculos habla de una nueva película titulada *X-Men*, que se estrena al día siguiente y lanzará al estrellato a un australiano llamado Hugh Jackman, y que además traerá consigo dos secuelas. Dejo el periódico en el suelo, me acerco a mi escritorio en la sala de estar y cojo el teléfono inalámbrico.

1-914-555-2973

Llamo a mi casa. Quizá Nancy, la canguro, responda el teléfono.

—¡Venga, cógelo! ¡Por favor! —susurro con fervor mientras marco el número frenéticamente.

Me contesta una grabación con un elevado timbre de voz: «En estos momentos no existe ninguna línea en servicio con esta numeración.»

Cuelgo de un golpe y me quedo mirando por la ventana, con la vista perdida. ¡Mierda! No sé qué más puedo hacer.

De pronto, mi vecino aparece en la ventana de enfrente, a sólo un par de metros de distancia, y se gira para mirarme. Lo saludo con la mano, y entonces me doy cuenta de que sigo en pelotas. Noto cómo las cejas se me suben hasta el nacimiento del pelo y voy corriendo a ponerme algo.

El vestidor está lleno hasta los topes, me pregunto cómo he podido vivir alguna vez así —en un estado de caos controlado—; y entonces recuerdo que, durante años, ese caos me resultó reconfortante: cuando mi madre se marchó, me tocó a mí cargar con el muerto, limpiar para mi hermanito, organizar la cocina para que mi padre olvidara que mi madre nos había abandonado, poner parches y remiendos aquí y allá, como si una vida lineal material se tradujera también en una lineal emocional.

Al entrar en la universidad, huyendo de esa vida agobiante que yo misma me había montado (porque hay que decir en favor de mi padre que él nunca me pidió que tomara las riendas del hogar), me desmadré. Era imposible entrar en mi cuarto sin tropezar con cajas de pizza o con libros de marketing del semestre pasado, o con un sujetador que asomara desde debajo de la cama pidiendo a gritos que lo lavasen.

Así que, ahora, atrapada en el vestidor de mi pasado, las cosas no son tan distintas de como lo eran antes. Las camisetas se caen de los estantes, los zapatos yacen desparejados unos encima de otros, y chales que tanto se llevaban otras temporadas han quedado hechos un ovillo en el rincón de la izquierda.

Me pongo una sudadera que recojo del suelo. Su olor me resulta familiar y a la vez lejano, muevo la cabeza intentando averiguar a qué me recuerda.

A Jackson, huele exactamente igual que Jackson.

Miro hacia abajo y me doy cuenta de que, en efecto, la sudadera es suya. O lo era. O lo sigue siendo, a ver si logro adivinar de una vez por todas qué narices está pasando. Pero sea quien sea su dueño en esta continuación del pasado, sé que en otra vida anterior era mi sudadera favorita. Ha perdido el color, tiene los puños desgastados y una mancha de chocolate encima del ombligo. Por delante pone XXX y, debajo, U OF M ATHLETICS. Era de cuando Jack jugaba en el equipo de lacrosse de la Universidad de Michigan. Paso los dedos por encima de las letras y luego me abrazo a mí misma.

No podía negar que la sudadera me daba la ligera sensación de estar en casa.

En el salón, el reloj marca las 10:27 a. m.

O sea que, si es jueves 13 de julio de 2000, como infiero por el mensaje de Megan, debería estar en el trabajo. Ahora trabajo (o trabajaba) como ejecutiva de cuentas de Dewey Morris y Prince, la prestigiosa agencia publicitaria.

Veo que hay una agenda en mi escritorio y, vestida ya de manera más correcta, privando así a mis vecinos de un espectáculo erótico matutino, me acerco y me siento en la silla de hierro forjado que compramos en Pier 1 cuando nos mudamos juntos el pasado diciembre: llevábamos más de tres meses buscando piso y, al final, encontramos este pequeño apartamento en el West Village; moderno y, no obstante, lleno de detalles *kitsch* de antes de la Segunda Guerra Mundial.

—¡Por nosotros! —brindó Jack en Nochebuena, una semana después de que lográramos meter un árbol de Navidad en el apartamento, hazaña que nos dejó molidos y llenos de cortes que iban desde la cabeza de Jack (justo encima del ojo) hasta la punta de mis dedos (me pasé tres días sin poder pulsar una tecla)—. ¡Por nuestra vida en común, y por nosotros!

Le sonreí con dulzura y me puse de puntillas para besarlo suavemente en los cortadísimos labios, y convine con él:

—Sí, por nosotros.

—Jack y Jill. —Se rio, y fue a la cocina a rellenarse la copa—. Todo el mundo dice que estábamos predestinados.

—Es verdad. —Le di la razón y me desplomé en el (incómodo, horrible y aborrecido) sofá, esperando a que viniera para ver juntos *Urgencias* y fingir que no nos importaba haber declinado la invitación de mi padre y su novia de reunirnos con ellos en Belice, aunque hiciera un frío glacial en Nueva York y estuviéramos agobiados por la invasión de turistas.

Paso las páginas de mi agenda hasta llegar al día de hoy.

Vacío. No hay nada. Ni una pista de lo que hoy debería estar haciendo. Paso la página.

¡Ajá! Un recordatorio de que mañana mi equipo y yo tenemos una reunión con los ejecutivos de Coca-Cola. Por aquel entonces (¿o tal vez sea ahora, en la actualidad?), me pasaba semanas enteras planeando la jugada perfecta, la que por fin me colocaría en la estratosfera de la publicidad, un lugar que abandonaría en cuanto Henry mencionara, estando embarazada de tres meses, que teníamos que «partir» (él utilizó el término, no yo; de hecho creo que dijo, con voz temblorosa, «hacia pastos más verdes») hacia las afueras para darle a nuestro futuro retoño un ambiente más sereno.

«¡Katie!»

Dejo a un lado mi nostálgico viaje al pasado y pienso: «¿Estará bien sin mí? ¿Tendrá hambre? ¿Estará en su cuna agarrada a su perrito de peluche, llorando a grito pelado porque no ha desayunado sus cereales y porque su padre está en Londres y su madre está atrapada en el año 2000 en casa de su ex novio? ¡Katie!»

Se me llenan los ojos de lágrimas, noto que se me acelera el pulso y me suda el cuello. Vuelvo a llamar a Nancy, la canguro, aunque me doy cuenta de que es inútil.

Ese pensamiento me golpea al instante, brutalmente. Estoy aquí, atrapada en el año 2000, y Katie no existe. Todavía. Quizá nunca llegue a existir. No está dándose la vuelta en su cuna ni aprendiendo su decimonovena palabra, ni mirando a los Wiggles con una expresión que sólo puede ser descrita como «lobotomizada» mientras ellos cantan (¡qué pesados!) *Big Red Car* por enésima vez. Katie sólo es un recuerdo mío, un efímero e intangible vistazo al futuro al que me dirijo.

Sólo que ahora que he revisado el contenido de mi vida anterior, no estoy segura del camino que quiero seguir.

3

Suena un teléfono móvil que no encuentro por ningún sitio. He quitado la colcha que (apenas) cubre el (horrible) sofá, he abierto todos los armarios de la cocina y ahora estoy hurgando en el interior de un bolso que he encontrado sobre una de las sillas de mimbre del salón (compradas también en Pier 1, junto con la de mi escritorio). «¡Me acuerdo de este bolso! ¡Me encantaba!» Mi padre me lo compró cuando me dieron el trabajo de verano en Dewey Morris y Prince, después de mi primer año en la Escuela de Administración de empresas.

«¿Dónde diablos estaba este bolso? ¿Lo habré tirado cuando me mudé?», me pregunto mientras cojo ese artilugio que vibra al sonido de *Bye, Bye, Bye* de los *NSYNC.

—«*It ain't no lie, baby, bye, bye, bye...*» —canturreo, abriendo el teléfono y llevándomelo a la oreja.

»¡Hola! —digo y, después de una pausa—. Soy Jillian. —Me quedo paralizada; sólo puedo mover los ojos, como si me hubieran pillado haciendo algo totalmente ilícito. Oigo el aire que me entra por la nariz al respirar.

—Hola, Jill. Soy Gene. ¿Dónde estás? —Gene, mi colega en DMP que a veces me hace de ayudante, pregunta entre susurros.

—Pues aquí, estoy aquí —digo con énfasis.

—¿Estás bien? Te noto algo... rara. —Oigo que suena un teléfono en la oficina, de fondo.

—¡Sí, sí, estoy muy bien! ¿Ha pasado algo...? ¿Dónde estás, Gene? ¿Dónde? —Abro la puerta al descansillo y me asomo, como si lo tuviera al otro lado. No hay nadie, así que cierro la puerta.

—Estoy aquí, Jill. ¡En la oficina! —Habla muy despacio, como si yo no entendiera el idioma—. Te has perdido la reunión para la campaña de Coca-Cola y empezaba a preocuparme. Todo el mundo pregunta por ti.

—¡Oh! —le digo—. No me encuentro muy bien, creo que estoy enferma. —El cerebro me da vueltas—. Me acabo de despertar y he olvidado llamar. ¡Lo siento!

—Vale —suelta con muy poca determinación—. ¿Seguro que estás bien?

Hay muchas cosas que quiero preguntarle, sonsacarle; pero, justo cuando me dispongo a abrir la boca, oigo que alguien abre la puerta de entrada.

—Sí, sí —contesto—, luego te llamo.

Cuelgo el teléfono de golpe y lo arrojo entre los cojines del sofá, donde cae rebotando. Me doy la vuelta rápidamente, en el preciso instante en que Jack entra.

La columna vertebral se me tensa como si me hubieran enchufado a la corriente, su sola presencia me deja sin aliento. Se me encoge el pecho.

La humedad del aire de julio ha hecho que los mechones rubios se le peguen a la frente; parecen pintados, y tiene ojeras bajo esos ojos azules, pero sigue siendo tan atractivo que las chicas se giran al verlo pasar por la calle, atractivo como cuando nos conocimos en una fiesta de la universidad dos años antes y le di (que no le forcé a coger) mi número, incluso estando los dos borrachísimos y siendo incapaces de impresionar a nadie en ese momento.

—¡Eh! —me dice, mientras deja en el suelo una bolsa de tipo mensajero y me mira. Yo estoy de pie con la boca abierta, sin mediar palabra. Los ojos se me salen de las órbitas—. ¡Eh! —repite, acercándose y plantándome un beso en la frente—. Te he llamado al trabajo y nadie sabía dónde estabas, te he llamado al móvil y no lo cogías. He vuelto a casa para ver si estabas bien.

Yo sigo sin poder hablar. Me esfuerzo y me sale un sonido como «¡Ip!».

Jack da un paso atrás y me mira fijamente:

—En serio, Jill, ¿qué te pasa?

—No me encuentro muy bien... —contesto—. Creo que estoy enferma. —Tengo la boca pastosa. Me siento en una de las (horrorosas) sillas de mimbre.

—Parece... —Jack inclina la cabeza a un lado—, parece como si estuvieras colocada. —Frunce el ceño con preocupación—. ¿Qué te pasa?

—Estoy enferma —repito—. He tomado codeína, tal vez por eso estoy así.

—¿Tenemos de eso? Creía que estábamos en una etapa antimedicamentos. —Se va al baño a comprobarlo.

¡Mierda, es verdad! Yo estaba en contra de las medicinas. Acabábamos de representar a un cliente naturópata para quien cualquier enfermedad se podía curar con alimentos naturales que hubiera en la despensa y, de un solo golpe, me deshice de todo lo que había en el botiquín.

—¡Oh, no!, he cambiado de opinión. Estoy en mi derecho, ¿no? —Me muerdo la cutícula del pulgar—. He comprado el jarabe esta misma mañana.

Jack vuelve al salón.

—Sí, cuando me he despertado esta mañana estabas empapada de sudor. La almohada estaba mojada. Creo que anoche te tomaste una copa de más. Lo siento, fue culpa mía. —Se ríe y se agacha para besarme en la frente.

No tengo ni idea de a qué se refiere —Jack y yo siempre íbamos de fiesta en fiesta—, así que me limito a asentir esperando que eso resulte convincente.

—¿Entonces estaba en cama cuando te has despertado esta mañana? —le pregunto mordazmente.

—Cariño, vuelve a la cama. ¿Desvarías o qué? Estás ahí cada mañana cuando me levanto. Durmiendo como un lirón hasta que suena el despertador a las 7:45; y sí, ahí estabas.

—¡Qué curioso...! —murmuro, más que nada para mis adentros.

—Oye, como estás enferma, voy a llamar a Megan y a Tyler para cancelar la cena.

Cena. Cena con Megan y Tyler. Intento recordarlo y cojo mi agenda, esperando que Jack no lo note. ¡Sí, claro! Ésta es la noche en que se cumplen siete semanas de su embarazo y nos dicen: «Es demasiado pronto para hacerlo oficial, pero no nos hemos podido contener con vosotros.» Seis días después, Megan sufrirá un aborto y vendrá a pedirme ayuda.

—¡No, no! —le digo a Jack, acercándome para besarlo, como si eso fuera una garantía de que me estoy recuperando. Él retrocede ante mi mal aliento—. Claro que vamos. ¿Dónde habíamos quedado?

—¿En el Café Largo? Fuiste tú quien lo eligió. Te pusiste pesadísima cuando yo sugerí otro lugar... —La voz de Jack se desvanece—. ¿Seguro que estás bien?

Intento recordar la discusión que tuvimos sobre lo del restaurante. El recuerdo acude vagamente a mí. Jack, cabreadísimo porque yo había elegido un sitio que él detestaba; yo, gritando que debería haber dicho algo cuando le pedí su opinión, pero que «era típico de él pasar olímpicamente mientras yo me ocupaba de todo»; y él, respondiendo que «sólo se trataba de hacer una reserva y que tampoco era para tanto», mientras cerraba de un portazo y me dejaba a mí sola preguntándome cómo era posible que coexistiésemos bajo el mismo techo.

Ahora, años después, cuando ya sé lo que son los problemas reales, después de haber vivido con un hombre bastante cariñoso pero no muy adulador, un hombre inteligente y sensato pero ni muy apasionado ni muy espontáneo, después de haberme alejado de la persona a la que juré lealtad durante el resto de mis días, después de sentir que me he perdido tras sus sombras y sus objetivos, las discusiones sobre restaurantes o sobre quién sacó la basura por última vez me parecen ridículas, triviales comparadas con los obstáculos que Henry y yo tuvimos que afrontar en nuestra relación.

—Siento que vayamos a ese sitio —le digo, acariciando su barba de tres días con mi mano derecha—. Sé que tú lo odias. —No recuerdo por qué insistí en ir al Café Largo hace tantos años, pero me imagino que sería como venganza por alguna cosa que Jack me había hecho. Así era como funcionábamos Jack y yo. Hazme lo mismo que te he hecho yo, el ojo por ojo y toda esa patraña.

—No te preocupes, ya está resuelto. —Me busca con los ojos, preocupado y confuso—. Bueno, tengo que volver al trabajo. Métete en la cama un rato... no tienes muy buena pinta.

Me coge del brazo y me lleva al dormitorio, retira la colcha con una floritura y me observa mientras me meto en la cama. Se acerca y me da un beso.

—Bueno, nos vemos esta noche. Te quiero.

Me muerdo la parte de dentro de la mejilla. ¿Qué se suponía que debía responderle? Me he pasado los siete últimos años descartando cualquier vínculo emocional con Jackson, asegurándome de que no quedaran huellas suyas en mi cuerpo, de que una vez que me hubiera marchado no habría arrepentimiento ni marcha atrás y, desde luego, tampoco nostalgia.

Y ahora él está aquí. Con su amor, sus esperanzas y sus imperfecciones que, en unos pocos meses, si se repiten los incidentes de mi vida anterior, cambiaré por el amor de otro hombre, también imperfecto, aunque de forma diferente. Así que, en lugar de convertir el momento en algo que no fue, simplemente respondo como lo habría hecho hace siete años cuando aún lo amaba, antes de que yo me preguntara si aún lo amaba y mucho antes de que mi masajista liberara mi Chi y resultara haber liberado algo completamente distinto.

—Yo también te quiero —le digo mientras sale de la habitación.

It ain't no lie, el tema de *NSYNC, resuena en mi cabeza: «*Baby, bye, bye, bye, bye, bye.*»

Una hora después, doy al taxista un puñado de billetes (siempre guardo dinero en el cajón de los calcetines en caso de emergencia; y esto, desde luego, era una emergencia, aunque no del tipo que yo me habría imaginado), y con la mano me protejo del sol del mediodía. Miro hacia mi casa. Hacia mi futura casa. O hacia mi casa actual, no sé.

Parece distinta, imperceptiblemente diferente, pero aun así diferente. Es como uno de esos juegos educativos que enseño a Katie... Todos los elementos de un dibujo son iguales excepto uno, y la gracia consiste en adivinar qué pequeño detalle ha cambiado. A lo mejor hay un maletín inclinado o las hojas de los árboles son de un tono distinto de verde. A veces ella descubre el cambio antes que yo, ¡mi niña de dieciocho meses me gana!, y entonces aplaudimos y cantamos en voz alta y declaramos a nuestra hija la criatura más lista de toda la humanidad.

Inclino la cabeza buscando qué ha podido cambiar. ¿Tal vez que las contraventanas necesitan otra mano de pintura? ¿O que las jardineras tienen lirios en lugar de los narcisos que planté hace dos años? No lo sé. «¿Ésta es mi casa? ¿Ésta es la casa que tendré en el futuro?», me pregunto mientras camino por el sendero de ladrillo que lleva hasta la puerta, buscando las llaves en mi bolso. Parece absurdo, una locura regresar aquí, justo después de haberme reencontrado con Jack. Pero ¿y Katie? Sencillamente, ¡no puedo abandonar a Katie! ¿Y si ella también está aquí? ¿Y si todo esto son imaginaciones mías, un mal viaje de ácido? ¿Qué pasaría si no intentaba volver a por ella?

«¡Katie!», me tiemblan los dedos al meter la llave en la cerradura. Lo intento, pero se niega a girar. La fuerzo un poco a ver si así cede, la empujo con furia y noto que empiezo a sudar. Oigo pisadas al otro lado de la puerta. Trato de sacar la llave de la cerradura, perdiendo casi toda mi compostura, y justo cuando me doy cuenta de que se ha quedado atascada en la cerradura de mi posible casa, la enorme puerta negra se abre y aparece una alarmada mujer de treinta y tantos años vestida como para ir a jugar al tenis. La reconozco al instante: Lydia Hewitt. Dentro de cinco años, ella y su marido, Donald, nos venderán esta casa cuando a Donald lo hayan ascendido a un puesto en Nashville, y Lydia apenas se aguantará las lágrimas y nos pedirá que disfrutemos de la casa, disimulando muy mal la rabia de que la desarraiguen por culpa de la carrera medianamente floreciente de su marido como distribuidor de telefonía móvil.

—¿Qué desea? —Lydia está como estaría cualquiera que se encontrara a una extraña intentando abrir la puerta de su casa. Alarmada, asustada y armada con una raqueta de tenis y un ceño bien fruncido.

Doy un paso atrás.

—Lo siento —tartamudeo—. Creo que me he equivocado. Pensaba que ésta era mi casa.

Lydia afloja un poco la presión sobre el mango de la raqueta, ahora que ha constatado que no estoy aquí para atacarla o robarle. Sólo soy una vecina chalada que ha debido de perderse.

—Esto... —me dice, aún un poco en guardia, pero mucho más relajada—. ¿Se encuentra bien? ¿Se ha perdido...? ¿Quiere que llame a alguien?

Por encima de su hombro veo el papel de la pared de color lavanda que Henry y yo reemplazaríamos nada más mudarnos por pintura de color beis cálido y dirijo la mirada a la cocina, el lugar donde Katie empezaría a gatear. Pero no hay ninguna señal de vida o, al menos, no hay señales de mi vida. Ésta es la casa de Lydia, no la mía ni la de Katie. Desde luego, no es la de Katie.

—Siento haberla molestado —murmuro, doy media vuelta y tomo el sendero de regreso al taxi que me aguarda en la acera, pues le he dicho que me espere con el taxímetro en marcha—. No volverá a ocurrir.

—¿Seguro que no quiere que llame a alguien? —me grita a la espalda.

Pero no respondo. Cierro la puerta del taxi y digo al taxista que me lleve a casa; a mi antigua casa, claro está. Porque no puedo decirle a Lydia que no hay nadie a quien pueda recurrir. Sólo estamos mi pasado, yo, y el vacío que ahora me toca llenar.

4

Llego al Café Largo temprano, una característica mía que me acompañará en el futuro. Pese a su meticulosidad y minuciosidad en casi todos los aspectos de la vida, Henry siempre llegaba tarde. Una anomalía que sólo se explica dada la singularidad del género humano. Aprendí a acostumbrarme a su falta de puntualidad (esperando en restaurantes, esperando en casa a que llegase y por fin pudiese salir una noche con las chicas, esperando a que saliera de casa estando Katie y yo, las dos, ya montadas en el coche), pero mi reloj personal nunca acabó de ajustarse al suyo. La mayoría de las parejas lo consigue. La mayoría de las parejas consigue que, al cabo de un año, el que llega tarde acabe llegando al menos veinte minutos antes o a la inversa; pero Henry y yo, bueno, nunca lo logramos.

Estoy en uno de los reservados del fondo, marcando con los dedos en la mesa amarilla el ritmo del saxo que suena de fondo, cuando de pronto levanto la cabeza y veo que Jack se acerca.

—Hola —me saluda y se inclina para rozarme los labios con los suyos, mientras la corbata lavanda toca el tablero de la mesa—. ¿Qué tal? Estás... —Inclina la cabeza hacia la derecha y se detiene—. Estás rara, ¿te has hecho algo en el pelo?

Me aparto, y él se acomoda a mi lado en uno de los asientos de cuero rojo. Le miro en lugar de contestarle:

«¡Jack!» Quiero cogerlo de los hombros y zarandearlo para asegurarme de que es real.

En lugar de eso, apoyo la palma en su sudada mano.

—No —le contesto—, no me he hecho nada en el pelo. —Y sonrío—. Me alegro de verte.

Por la cara que pone, cualquiera diría que acabo de sentenciar que la Tierra es plana.

—Pero me encuentro mejor, mucho mejor, así que no te preocupes. Quizá sólo necesitara un buen día de descanso.

—Quizá —murmura con poco convencimiento, y saca su mano de debajo de la mía para coger la carta.

El hecho de que pareciera más ligera, distinta, tal vez se debiera a cómo había pasado el día, porque lo cierto era que me sentía más ligera, distinta. Después de que el taxi me dejase en el apartamento, cuando ya estaba claro que no había marcha atrás, que esto no era una casualidad o broma pesada o un mal sueño, después de desplomarme en el sofá y mucho respirar, tomé una decisión. Una decisión no muy firme al principio, pero que luego he grabado en mi corazón y he jurado respetar: ésta es mi segunda oportunidad, esto es lo que he deseado con toda mi fuerza. Así que he optado por afrontar la situación en lugar de salir corriendo. Al fin y al cabo, también era lo único que podía hacer. Una vez tomada la decisión, me he puesto a buscar en la agenda el número de teléfono de mi antiguo trabajo, y, al encontrarlo, me ha venido de golpe a la mente. ¿Cómo podía haberlo olvidado?

Mi carrera profesional, al menos hasta que la dejé para largarme a Westchester, era algo con lo que me sentía muy a gusto. Allí no había nada que me recordase a una madre que había abandonado a su familia; ninguna pista de que quedaría atascada en una relación sin sentido con un novio que me quería, sí, pero al que le faltaba ambición y que quizás adoraba en extremo a su propia madre; nada de la soledad que me invadía incluso cuando abrazaba a Jackson bajo nuestro edredón de IKEA o cuando bebía Merlot con mis amigas, también de futuro prometedor, en los restaurantes que recomendaba el último número del *Time Out* de Nueva York. En el trabajo, era yo misma, me transformaba en alguien que resplandecía con los retos creativos y con la camaradería de realizar toda una campaña publicitaria partiendo de cero.

Ya con la mente más despejada, he vuelto a llamar a Gene para asegurarle que mañana iría, que asistiría a la reunión de Coca-Cola. Sólo que esta vez, en vez de pasarme esas 24 horas intentando frenéticamente encontrar el *jingle* que resuma la esencia del refresco, me he pasado toda la tarde releyendo e-mails, viendo fotos, poniéndome al corriente de mi antigua vida; una vida que, desde una perspectiva más madura, no parece tan mala al fin y al cabo. Además, yo ya tenía el *jingle* para la Coca-Cola, el que me haría subir como la espuma en mi profesión, de una manera que yo jamás habría podido imaginar. Una carrera que toparía con un muro de ladrillo en el momento en que el esperma de Henry entró en mi óvulo y creamos a la encantadora Katie, que tenía al nacer el color de los lirios blancos y a quien, pese a lo mucho que haya podido sacrificar por ella, más quiero en esta vida.

—¡Hola! —Levanto la cabeza y me encuentro a Megan, «¡Megan!», de pie en nuestro reservado.

—¡Meg! —grito, y le clavo los codos a Jack para que salga del reservado—. ¡Dios mío, qué alegría verte! —Me abalanzo sobre ella, la abrazo, y con el rabillo del ojo veo su mirada perpleja hacia Jack, que le responde encogiéndose de hombros como diciendo: «Hoy no tengo ni idea de lo que le pasa.»

—¡Eh, Jill, que nos vimos hace tres días! —me dice rompiendo el abrazo, y eso que yo la aprieto con fuerza.

«¡Es verdad, cómo he echado de menos mi vida de soltera! Salir casi todas las noches con Jack, el atractivo de nuevas oportunidades todavía por descubrir.»

—Ya... ya lo sé —replico—. Pero es que estás... ¡estás radiante!

Megan arquea las cejas, sorprendida, y noto que a mí también se me abren los ojos. ¿Se me ha notado algo? «¡Mierda!» Le indico que se siente en el reservado, mientras que yo me siento al otro lado de Jack.

—Bueno... —digo, frotándome las manos—. ¡Vamos a pedir! Y luego me cuentas, ¿cómo os va? ¿Qué tal todo? ¿Dónde está Tyler? ¡Jo, cuánto os he echado de menos! —Le cojo las manos por encima de la mesa y le sonrío.

—De verdad, Jill, ¿qué te pasa? Me estás empezando a acojonar...

—¿Por qué? —le suelto, y me bebo un trago de agua. De pronto, tengo muchísima sed.

—Pues, para empezar, hablas muy, muy rápido. Además, te portas como si no hiciéramos esto cada quince días. Y, para acabar —se le quiebra la voz—..., estás diferente. No pareces tú. ¿Te has puesto autobronceador o algo por el estilo?

—¿A que sí? —se entromete Jack—. Yo le he dicho lo mismo.

—No me he hecho nada... —me defiendo. Noto cómo me hierve la sangre, y espero que no me salga un sarpullido, como me pasa cuando tengo ataques de ansiedad—. ¡Sois idiotas, los dos! —Pero incluso mientras lo digo noto que estoy muy acelerada y que mi timbre es muy agudo.

—Debe de ser la medicación —afirma Jack, justo en el momento en que llega Tyler, y me sobresalto de tal manera que casi lo tiro al suelo. Tras la muerte de Megan, Tyler se desmoronó; era como si Megan fuera el color de su vida y, sin ella, todo fuera blanco, negro o gris. Ahogó sus penas en alcohol, y poco a poco, desgarradoramente, fue alejándose de sus amigos, aislándose del mundo y encerrándose en sí mismo, quedando fuera del alcance de todos nosotros.

Y, ahora, ¡ahí estaba! ¡Vivaracho, colorado, con ese pelo

suyo bermejo! Cuando nos informan (de nuevo) de su reciente embarazo, Megan le acaricia la barriga diciendo:

—Dentro de poco estaré más grande que él.

Finjo sorpresa ante la noticia. Pongo una buena dosis de regocijo en mi voz cuando pido a la camarera otra ronda de cerveza («Ninguna para ella», bromeo, como si la pobre actriz que sirve mesas para llegar a fin de mes estuviera metida en el ajo), e imito el jolgorio que invadió nuestras vidas esa noche de hace siete años, aun sabiendo que esa alegría nos va a durar poco, demasiado poco. «¿Y por qué no? —me pregunto—. ¿Por qué no saborear este instante y zambullirme en él como es debido?» Dejemos que Megan y Tyler disfruten de esta felicidad, porque muy pronto, dentro de sólo seis días, cuando Megan se encuentre sangre en las bragas y sufra unos tremendos dolores abdominales, les arrebatarán todo esto. Y, dentro de cuatro años, mucho más.

Así que bebo como si fuera el fin del mundo, como si no supiera lo que nos depara el mañana, y me deleito con la posibilidad de tener una segunda oportunidad. Por debajo de la mesa, cojo la mano de Jack y trato de olvidar que lo que va a pasar en el futuro ya está predeterminado, que todos estamos condenados a caer en los mismos errores una y otra vez, y que mi segunda oportunidad tal vez no sea una oportunidad.

Cinco horas después, mucho después de que Jack se durmiera a mi lado, me quedé mirando al techo, escuchando su lenta respiración, dentro-fuera, dentro-fuera, dentro-fuera. Me toco con el pulgar el dedo índice, un gesto que hago sin darme cuenta, y me sorprende la desnudez de mi dedo. Mis anillos, mis signos de devoción hacia Henry y hacia mi familia, ya no están ahí, se los han llevado, han desaparecido, como todo lo vinculado con mi futuro.

En la pared, veo el reflejo de los coches que pasan por la

calle. ¿Dónde estará él ahora? No hay manera de saberlo. No nos llegaremos a conocer hasta dentro de tres meses, «si es que elijo volver a conocerlo», me recuerdo a mí misma. Jack se gira de lado, suelta un suspiro y me abraza.

Sólo había pasado un día, pero aún no echaba de menos a Henry. Debería hacerlo, sabía que debería, pero lo que sentía no era el dolor de una mujer que ha perdido a su marido. Lo que sentía era alivio. Liberada de la rutina de nuestras vidas. Henry me daba muchas cosas (seguridad, cariño, una compañía sólida y fiel), pero ni pasión ni fuego y, ahora, sin el agobio de mi aparentemente claustrofóbica relación con Henry, me sentía libre.

«A lo mejor, mi madre se marchó por eso.» La idea me sorprende, me toca la fibra sensible. Quizá no pudo aguantar la pasiva familiaridad de compartir el baño y escuchar las mismas historias noche tras noche durante la cena, o de rascar excrementos de pájaro del Range Rover que se suponía que debía darte una vida pintoresca y maravillosa. Tal vez todo fuera demasiado para ella, o tal vez demasiado poco. Puede que soñara con algo más y, cuando yo nací y después llegó Andy, mi hermano, ya no aguantó ni un segundo más de esa vida perfecta que se había forjado junto a mi padre.

No es que mi vida con Henry fuera perfecta. Mi vida con Henry era completamente plácida. El nuestro era un matrimonio del que la gente comentaba: «Les va a ir bien. Éstos no se separarán porque él se líe con su secretaria o ella empine el codo.» Éramos la pareja del Land Rover; eso sí, la foto nos la habían hecho tras cinco años de matrimonio, cuando ya habíamos dejado de apreciar las complejidades del otro, cuando ya nos habíamos ganado el uno al otro y nos habíamos comprometido el uno con el otro y, de alguna manera, nos habíamos rendido ante este bienestar.

He leído en el *Redbook* que los científicos han descubierto que, durante el primer año de matrimonio, se liberan en el cerebro ciertas sustancias químicas que te incitan a hacer el amor con tu pareja a cualquier hora del día y en cualquier rincón de la casa. Luego se va liberando cada vez menos cantidad de esas sustancias y al final, si no te molestas en mantener activas las hormonas que las producen (recuerdo que el doctor al que le hacían el reportaje recomendaba experiencias extremas como tirarse en paracaídas), te quedas sólo con vestigios de tu libido juvenil y el recuerdo de lo que una vez fuiste.

Se lo mencioné a Henry una noche que me llamó desde San Francisco para dar las buenas noches a Katie antes de que se acostara, a las siete y media (en punto).

—Quizá deberíamos hacer paracaidismo juntos —le dije, mientras cortaba un pepino en la encimera de granito de nuestra cocina blanca. Tenía la cabeza inclinada para sujetar el teléfono entre la oreja y el hombro y, en algún lugar de mis vértebras, empecé a notar un calambre.

—¿Cómo se te ha ocurrido eso? —Se rio—. Además, a ti te da miedo volar.

—Lo sé —gemí—. Pero tenemos que recuperar la chispa, y he leído que a lo mejor esto nos ayuda.

—Nuestra chispa está bien —replicó—. Deja de preocuparte por nuestra chispa. ¿Me pasas a Katie antes de que me vaya a una reunión?

—¡Claro! —dejé el cuchillo y me adentré en el rosado cuarto de Katie, donde ella se dedicaba a arrancarle el pelo a una muñeca rubia casi calva de la que se había encaprichado en un fugaz viaje a Toys 'R' Us para comprarle a una vecinita suya un regalo de cumpleaños. Henry le mandó besos por teléfono y luego me soltó un rápido «Te quiero», antes de salir corriendo a reunirse con sus clientes.

Así que ahora, con nuestra chispa casi extinguida, no me siento demasiado mal por no echarle de menos. «No es que no le hubiera avisado», pienso. Además, le dejé la maldita revista abierta por mitad del artículo encima de la mesita de noche cuando llegó de su viaje y le pedí que se lo leyera para que él también se diera cuenta de que nuestro matrimonio era un barco a punto de naufragar.

—¡Eh...! —susurra Jackson suavemente, sacándome de mis recuerdos—. ¿Por qué estás despierta? —pregunta con voz quebrada y somnolienta.

Yo me encojo de hombros, aunque no pueda verme a oscuras.

—Ven aquí... —añade, y me acerca a él. Inhalo ese aroma a sándalo y vainilla que, siete años más tarde, me seguirá recordando a él aun cuando piense en por qué lo nuestro se acabó. Con el paso de los años, el porqué se fue enturbiando, como suele ocurrir en estos casos, igual que un estanque después de la tormenta; y, cuando volví a casa después de mi *power walking* con Ainsley el día en que ella me informó de su boda, me encerré en el baño y me pasé casi media hora llorando. Luego me lavé la cara, me puse maquillaje en las ojeras, y me fui al mercado. Al fin y al cabo, tenía una cena que preparar, una familia a la que alimentar.

Jack se coloca encima de mí y me baja la tira de la camiseta que llevo puesta, cubriéndome los hombros y el cuello de besos. En respuesta, mis caderas se unen a las suyas, y él se aprieta contra mí. Enseguida, quizá demasiado pronto, me desprendo de la camiseta, y él se dirige a mis pechos, luego baja al ombligo y vuelve a subir; la espera se hace insoportable y lo meto dentro de mí.

«¡Dios!, había olvidado cómo era el sexo con Jack —me digo—, ¡Dios! ¡Dios! ¡Es la hostia!»

Jack y yo encontramos nuestro ritmo al instante, de hecho no parece que lleve más de media década sin hacer esto con él, ni que en ese tiempo me haya entregado por completo a otro hombre.

«¡Mierda, Henry!» Por una milésima de segundo, me pregunto si esto no puede considerarse adulterio; pero caigo en la cuenta de que técnicamente aún no he conocido a

Henry, así que alejo esa estúpida y absurda idea de mi mente. Tampoco me resulta muy difícil.

Jack me coloca encima de él, y en ese momento siento como si me fueran a explotar las entrañas.

«Con Henry nunca es así —pienso—, la verdad es que con Henry nunca ha sido así.» Y eso es todo lo que pienso sobre mi futuro marido, o sobre el marido que quizá nunca llegue a tener, porque unos segundos después estoy empapada de sudor y no puedo pensar en nada.

Nos desmoronamos el uno al lado del otro, sudorosos y en silencio. En la seguridad de sus brazos, noto su rítmica respiración en el cuello y me pregunto si podré volver a intentarlo: si esta vez lo puedo hacer bien; y, de ser así, cómo alterará eso a mi pasado y, por lo tanto, a mi nuevo futuro.

No concilio el sueño. Pruebo con todos los trucos que me sé: canturrear las nanas favoritas de Katie, ajustar mi respiración a la de Jack; pero nada logra calmar mi aceleradísimo cerebro.

Está claro, tengo el convencimiento de que ya no hay marcha atrás. No hay restos de cereales de Katie para limpiar, ni vasos sucios del zumo de naranja de Henry para meter en el lavaplatos cada mañana. Sólo yo y esta nueva vida, adonde quiera que me lleve.

Me incorporo en la cama, me deshago del aturdimiento de estar en horizontal y me dirijo a la habitación de invitados, la que Jack consideraba su despacho para escribir pero que los dos sabíamos que sólo era espacio desaprovechado.

«¿Y si mi otra vida fuera la que he imaginado? ¿Y si nunca hubiera llegado a conocer a Henry? ¿Y si Katie no hubiera nacido? ¿Y si todo eso no ha sido más que un sueño nauseabundo?»

Noto cómo se me acelera el pulso. Porque es cierto que

no echaba mucho de menos a Henry, y, más cierto aún, que este pequeño bocado de libertad, este respiro, era tan maravilloso como tragar montones de sol en un día de frío polar, o mejor aún. No quiero olvidar. No quiero prescindir de los recuerdos de la persona en la que me había convertido, aunque sus motivos de lamento fueran muchos y grandes. Pero en fin.

Con mente lúcida y mano temblorosa, cojo el bolígrafo del bote de Jack y un cuaderno que hay junto a la impresora.

Entonces, empiezo a escribirlo todo, por si acaso nunca puedo regresar, por si todo esto que me está pasando no es un sueño. Porque, si bien ha habido cosas que lamente, también ha habido otras que han merecido la pena vivir, aunque trate de alejarme de ellas.

HENRY

Conocí a Henry en un bar del East Village llamado Teton, un lugar a la vez estúpido (con una ridícula decoración de alta montaña) e imprevisible, lo que hacía de él un lugar ideal para entablar conversaciones.

Entré y me puse a buscar a Ainsley, que había acudido desde Westchester a instancia mía. Jack y yo no estábamos en nuestro mejor momento, y yo necesitaba un hombro en el que llorar. Ahora, volviendo la vista atrás, cuesta recordar las razones por las que nos estábamos alejando; no obstante, lo que sí recuerdo es el pánico que me invadió cuando pensé en dejarle.

Ainsley llegaba tarde, así que me senté a la barra en un taburete, pedí un Cosmo y me atusé el pelo, desenredando los nudos que se me habían hecho por la lluvia y el viento de principios de octubre. Gotas de lluvia cayeron sobre un suelo cubierto de manchas de cerveza, manchas que en mi opinión mejoraban el aspecto del suelo, la verdad.

A mi lado, un hombre de nariz delgada y complexión suave rompía cacahuetes con suma elegancia y apilaba las cáscaras cuidadosamente en un montoncito. Lo estudié de la forma más discreta posible y decidí que debía de ser arquitecto. Un juicio apresurado, pero yo tampoco tenía intención de profundizar; hasta que, de repente, él se dio la vuelta y me preguntó:

—¿Has estado en el Teton? Aparte de en este bar, claro, que no se parece en nada a la montaña...

El hombre rio abiertamente, sin que le diera ningún tipo de vergüenza la frase que había usado para ligar. Yo ni siquiera me había dado cuenta de que se había fijado en mí.

—No. —Niego con la cabeza y le correspondo con una sonrisa mucho más grande de lo que pretendía, porque había algo en él que me impedía darle un corte—. La verdad es que la acampada no es lo mío.

—Tampoco es lo mío —se encogió de hombros—, me refiero a la acampada. Fui de excursión a Teton cuando estaba en el colegio. Es una montaña preciosa, pero fue más o menos ahí donde me di cuenta de que la acampada no era lo mío.

Nos sonreímos el uno al otro como si compartiéramos algún tipo de secreto, o un chiste que sólo entendiéramos nosotros dos; aunque, visto siete años después, resulta casi insignificante, como algo muy tonto.

Dicen que se puede saber todo de una persona a los primeros minutos de haberla conocido. La experiencia me dice que eso es cierto. Por aquel entonces, Henry era comedido y discreto, pero también cariñoso y amable. Y nos enamoramos muy fácilmente.

Ainsley me llamó para decirme que se había averiado el tren en el que viajaba y, unos minutos después, el amigo de Henry también lo llamó para avisarle de que tenía que quedarse en el trabajo.

Pero ni Henry ni yo nos movimos de nuestros taburetes de bar; al contrario: yo me pedí otro Cosmo, y él, otra cerveza, y seguimos charlando y charlando, sintiéndonos los más afortunados del mundo, o al menos, los más afortunados del Teton y alrededores.

5

—¡Buen trabajo! —Me felicita mi jefa Josie el primer día de trabajo en mi antigua oficina, después de la reunión con los de Coca-Cola y de haberles enseñado mis *story boards* con gente corriente rodeada de chispas rapeando la frase: «Es la chispa de la vida que te hace compañía.» Como sabía que Josie diría cuando viniera a mi mesa a los quince minutos de habernos reunido en la sala de juntas, donde el equipo de Coca-Cola decidiría contratar a nuestra agencia para su monumental campaña.

—No ha sido nada —le contesto, mientras apuro el segundo café del día.

Mi cubículo, al igual que mi vestidor, está desordenado y revuelto. Hay un montón de notas Post-it alrededor de la pantalla del ordenador, y papeles encima del bote de los lápices y sobre el *stock* de fotografías. El único espacio libre de la mesa lo ocupa el teclado. Josie coloca cuidadosamente en el suelo dos bolsas llenas hasta arriba de regalos a potenciales clientes sentados en la silla de enfrente de mi mesa y vuelve a ocupar su lugar.

Tiene el mismo aspecto con que la recordaba: delgada, las mejillas hundidas, cansada; el aspecto de una mujer que, pese a haber sido muy hermosa y conservar la más pura belleza, necesita horas de sueño y el tiempo necesario para transformarse. Lleva el pelo castaño sin brillo y recogido en un moño despeinado en la nuca, y las arrugas de alrededor de los ojos le hacen parecer al menos cinco años más vieja. A primera vista, le echarías cuarenta y tantos, y eso que todavía le queda un mes para cumplir los treinta y nueve.

—¡Bueno...! —suspira—. Tu idea es muy buena. Me ha impresionado mucho lo bien que la has presentado, con mucha coherencia.

Junto los labios y sonrío. A fin de cuentas, resultó bastante fácil. Había empezado con esa frase pegadiza (la que había concebido hacía siete años), y luego le añadí las ideas que incorporamos más tarde, una vez que Coca-Cola dio el visto bueno a la campaña. Fue Ben, un ejecutivo de cuentas, quien propuso lo de «gente corriente» como telón de fondo, mientras que a Susan, nuestra chica prodigio de las artes gráficas, se le ocurrió asignar bocadillos de texto a cada personaje. En un principio, yo había soltado la frase como quien dispara un dardo con los ojos vendados: esperaba que se aproximara a la idea que querían. Pero esta vez había envuelto los dardos en papel de regalo y hasta les había puesto lazo.

—Éste es el plan —sigue Josie, frotándose los ojos—. Los de Coca-Cola necesitan los *story boards* terminados para la semana que viene. Lo cual quiere decir que, si teníais planes para el fin de semana, ya podéis ir cancelándolos. Comunícaselo al resto del equipo. Yo también estaré por aquí.

Mira fijamente una pelota antiestrés que asoma por debajo del periódico de ayer. Sé que piensa en sus hijos, en que ahora tendrá que decirles que mamá no podrá ir al partido de fútbol o al ensayo de una función o lo que quiera que hagan las criaturas de ocho y diez años los fines de semana que se supone que produce a los padres auténtica felicidad. Art, el marido de Josie, era decorador de ópera, lo que quería decir que estaba más o menos desempleado y en casa con los niños. Y también que a ella no le quedaba elección; había sacrificado la oportunidad de dejar su trabajo o pedir una excedencia porque, como una vez me confesó en una

Happy Hour después de demasiado Chardonnay: «Alguien tiene que pagar las facturas y, en mi casa, esa persona soy yo. ¡Yo! ¡YO!»

—¡No, no, no! —le digo hoy—. Tú quédate en casa. Lo tengo todo bajo control.

—Ni hablar, yo soy la jefa. Estaré aquí.

Percibo resignación en su tono de voz y me pregunto si no le preocupará que sus hijos la puedan odiar. Me entran ganas de decirle que no se inquiete, que sus hijos serán encantadores. Sí, que con dieciséis años su hija Amanda irrumpirá en el instituto borracha perdida y la expulsarán durante tres días, pero que ahora que he visto gran parte de su futuro, sé que ninguno de ellos acabará yendo a rehabilitación, ni llevará muñequeras en señal de repulsa hacia su madre, y que, en general, su unidad familiar seguirá intacta. Aunque, cuando me escribía, en sus e-mails detectaba cierto resentimiento por el tiempo perdido con tanto trabajo.

—Josie, te lo ruego. —Me apoyo en ella—. Lo tengo todo planeado. Al cien por cien. Sé hacerlo y, desde luego, no necesito que me cojan de la manita mientras lo preparo todo. —Se le nota el alivio en la cara—. Tú pasa el fin de semana con los niños, que yo te llamo si surge algún problema.

—¿Estás segura? —me pregunta cuando se dispone a salir.

—Al cien por cien —le repito.

—De acuerdo. —Por fin cede—. Te propongo un trato. Tú haces este trabajo por mí y yo te recompenso por ello.

—¡Hecho!

Espero a que salga de mi cubículo para sonreír de oreja a oreja. Porque la corona de Josie, de reluciente oro y ahora a mi alcance, es sólo la primera de las riquezas que voy a cosechar.

Cinco días después, casi una eternidad en mi mundo de «entonces-es-ahora-es-entonces», me llaman al teléfono en el trabajo. Estoy dando los últimos toques a los *story boards* que, según mis jefes, están más limpios y cuidados que nunca, cuando la luz amarilla del teléfono se enciende y el timbre me taladra los oídos. Pido a mis compañeros que paren cinco minutos y cojo la llamada.

—¿Diga?

—¡Dios mío, Jillian, ayúdame! —Megan llora al otro extremo de la línea. Miro el calendario: lo había olvidado por completo, hoy es el día en que pierde el bebé—. ¡Tyler está fuera de la ciudad, y nadie más sabe nada! ¡No paro de sangrar! —Se la oye histérica.

—Tranquila, Meg, voy para allá. ¡Llego en diez minutos!

Estoy a punto de colgar el teléfono cuando la oigo gritar:

—¡Pero si no sabes dónde estoy!

¡Oh, mierda! Bueno, la verdad es que sí lo sé. Esto ya me ha pasado antes. Tampoco salió muy bien la primera vez.

—¿Dónde estás? —le pregunto, sólo para calmarla.

—¡En el baño del Pierre! Y está todo lleno de sangre... —me dice, hipando—. Estaba en un almuerzo de trabajo y... ¡Dios! ¡Hay sangre por todas partes! —Megan estalla en sollozos, y yo me apresuro a salvarla.

Me la encuentro hecha un ovillo en un rincón, en la primera planta del hotel. Tiene la cara hinchada y sudorosa, le tiemblan las manos, y ha dejado las bragas junto a la taza, rojas, sucias y empapadas. De camino se me ha ocurrido llamar a una ambulancia; la otra vez perdió tanta sangre que tuvieron que hacerle una transfusión. Ahora iba a minimizar al máximo los daños de la catástrofe.

En cuanto llegaron los paramédicos, nos subimos a la ambulancia, yo cogiéndola de la mano y ella pidiendo al enfermero que por favor no dejara morir a su bebé. Después nos quedamos a solas en su habitación de hospital, esperando a que los médicos vinieran a contarnos qué era lo que tan mal había ido para que su cuerpo se deshiciese de su propia carne y sangre.

—No es culpa tuya —le digo en voz baja, con el sonido de su monitor de fondo, lo mismo que le dije hace siete años.

—¿Y tú cómo lo sabes? —me pregunta, con el rostro anegado en lágrimas.

—Pues porque no lo es. Nadie tiene la culpa de los abortos. Son cosas que pasan. —No me contesta y se pone a mirar por la ventana.

—Estábamos tan contentos —suelta de pronto, la voz quebrada—. Tyler y yo llevábamos más de un año intentándolo.

—Lo siento muchísimo, Megan. —Le acaricio el brazo, el que no tiene conectado al suero.

Un doctor afroamericano, fuerte y de amables ojos verdes, interrumpe nuestras lamentaciones.

—La buena noticia —anuncia, mirando el gráfico de Meg—, es que hemos detenido la hemorragia, y no hay señales de infección.

—¡Oh, gracias a Dios! —exclamo en voz alta, aunque mi intención era guardármelo para mí. «He llegado a tiempo. La otra vez no, pero ésta creo que sí.» Megan me mira con curiosidad, pero yo me limito a sonreír.

La otra vez, el daño fue mucho más serio, este mismo doctor nos dio noticias mucho peores: comentó que podía haber daño interno, que se había producido una enorme pérdida de sangre y podría haber problemas para un futuro embarazo.

—Pero la mala noticia es —prosigue el doctor, y se me encoge el corazón porque esto sí que lo había oído antes— que no sabemos por qué has sufrido una hemorragia de estas características. Un aborto normal no debería suponer esta cantidad de sangre, y como estabas embarazada de tan poco tiempo resulta muy difícil estudiar el embrión para saber qué ha pasado.

A Megan se le arruga la frente al oír el término «embrión», y empieza a llorar de nuevo.

—¿Y ahora qué? —acierta a preguntarle.

—Bueno, seguirás sangrando un par de semanas y, en cuanto tu ginecólogo te dé luz verde, podrás volver a intentarlo. —Megan sonríe un poco y el médico se aclara la voz y se dispone a marcharse.

—Pero ¿y lo que ha sucedido hoy? —chillo, aunque ya sé que Megan ha tenido la respuesta que quería: «a seguir intentándolo»—. ¿No será arriesgado otro embarazo? Quiero decir, ¡tiene que haber algo que podamos hacer para que esto no vuelva a suceder!

Los dos fruncen el ceño y me miran sorprendidos. Yo me levanto de un salto de la butaca roja de escay, como un muñeco sorpresa que sale de su caja por efecto de un resorte.

—¡Ya vale, Jill! —me dice Megan—. Me acaba de decir que pronto podré volver a intentarlo.

—Sí —ratifica el médico—. La mayoría de los abortos son sencillamente el resultado de alguna anomalía genética, y no hay motivo para que vaya a tener otro aborto sólo porque ya haya tenido uno antes.

Veo que Meg suspira y asiento con la cabeza.

Lo que yo quiero contarles, lo que me muero por contarles es que no se trata de una anomalía genética, o al menos no lo era la otra vez que estuve en este hospital sujetándole la mano. El cuerpo de Megan expulsará esos trocitos de ser una y otra vez, y quizá si le echáramos un buen vistazo ahora que es la primera vez que nos topamos con este muro vacía-entrañas, quizá las cosas acabarían siendo diferentes.

«Pero esta vez he llegado antes», me digo a mí misma. Y, aunque las palabras del médico resonaban como antes, a pesar de que el pronóstico ha sido el mismo, yo he llegado antes. Y tal vez, y sólo tal vez, eso baste para cambiar el futuro.

6

Es la una y media de una tarde de sábado y llego tarde, irremediablemente tarde. Lo cual, para empezar, ya es malo de por sí. Pero además estoy en la Grand Central Station, llena de turistas, de gente de las afueras que viene a la ciudad a pasar la noche y más de dos docenas de sintecho que se han refugiado en la estación para evitar el sofocante calor de pleno julio. Mi tren sale a las 13:32 y, aunque voy corriendo y sorteando los grupos de gente, no hay muchas probabilidades de que llegue al andén en dos minutos.

Sobre todo, porque aún tengo que comprar el billete.

Me paro delante de un mostrador, saco doce dólares y pido un billete de ida y vuelta a Rye.

El enorme reloj electrónico que tengo encima hace tic. Ya está. Me he perdido oficialmente el principio de la fiesta de cumpleaños de la sobrina de Jackson. Empiezan con una piñata, siguen con la busca del tesoro y luego sacan los refrescos y la comida.

Se supone que esto no sería así. Yo tenía que llegar a la hora convenida, y me pasaría toda la tarde posando para la familia de Jack, como responsable del barreño con agua lleno de manzanas que los niños tenían que pescar con la boca, y lo más importante, demostrando a su madre que era lo suficientemente lista, hermosa y culta, aunque sólo lo justo, para salir con su hijo.

Y ahora llegaba tarde.

«¡Cojonudo!», pienso mientras me dejo caer en un banco y me enjugo las gotas de sudor que caen de la frente al parqué.

Me había pasado la mañana en la oficina: resulta que, aunque yo me creyera que me sabía hasta el último detalle de la campaña de la Coca-Cola, todavía quedaba mucho por hacer y, a diferencia de la otra vez, una buena parte del trabajo me ha tocado hacerla a mí porque ahora yo dirigía el barco.

—Pero seguro que vendrás, ¿no? —me preguntó Jack esta mañana, mientras yo me comía un dónut gomoso y esperaba con impaciencia a que el café estuviera listo—. Porque eso ayudará a que les caigas bien.

Me limité a masticar la masa seca y tragar para que no se me quedara atascada en la garganta.

—Pues claro que iré —le solté—. Nada me apetece más que pasar todo el día intentando impresionar a tu madre. Lo cual, por cierto, es imposible en la práctica.

—¡Venga, Jill! —respondió Jack—. Tenía motivos para estar enfadada el mes pasado.

Aunque en teoría había transcurrido más de media década, yo sabía exactamente a qué se refería. «La hecatombe» es como él acabaría llamándolo, marcando las comillas con los dedos; y fue «la hecatombe» lo que arrojó por la borda nuestra frágil relación, algo así como el *Titanic* antes de que se rompiera en dos y se hundiese en las gélidas aguas del Atlántico.

Junio de 2000. Vivian, la madre de Jack, cumplía 60 años y habían venido a Nueva York para celebrarlo en el piso de un amigo. Uno de esos pisos enormes, que ocupan toda la planta y que olería a dinero si no fuera porque, en realidad, huele a una mezcla de cera para muebles y rosas gracias a la criada que vive en la casa y a su florista habitual.

Cuando llegamos, Jack, que iba impecable con un traje gris, besó a su madre en la mejilla, y ella se le abrazó tan fuerte que yo temí que no lo soltase nunca. Luego me ofreció a mí una mano distante, y dijo «Jillian» arqueando una ceja de forma que creí que se me iba a helar la nariz del frío que desprendía.

—¿Te has fijado? —le dije de camino al bar.

—No seas idiota —repuso, e indicó al camarero que nos pusiera dos whiskies—. Es su forma de ser. Sólo sabe mostrar afecto por los miembros de su familia.

—¿Y no debería empezar a hacer un esfuerzo con tu novia de hace más de dos años?

—¡Ahora no! —dijo Jack—. Ahora no me empieces con eso.

—Siempre es «ahora no» —bufé, justo cuando se nos acercaron las tres hermanas mayores de Jack.

—¡Déjalo ya! —me soltó Jack, con autoridad.

Cogí mi whisky y me dirigí a la biblioteca para calmarme un poco, saliendo sólo para coger otra copa, y luego otra. Cuando Jack por fin me encontró una hora más tarde, yo ya llevaba veinte borrosas páginas de *Grandes Esperanzas*.

—Es la hora del brindis —me informó—, mi madre quiere que estemos todos.

—No me va a echar en falta —le respondí, y pasé de página.

—Venga, Jillian, éste no es ni el lugar ni el momento.

—¿Y dónde y cuándo es el lugar y el momento, Jack? ¡Porque cada vez que tu madre empieza con esa mierda, tú, o lo ignoras, o pretendes que no tiene importancia! —Cerré el libro de golpe y lo metí de un empujón en su estante. Me levanté dramáticamente para dar más fuerza al asunto, pero me fallaron las rodillas. Eso es lo que pasa cuando llevas tres whiskies.

—¡Pues aprende a vivir con ello! —gritó, elevando la voz a la altura de mis berridos—. Es su forma de ser. ¡Y no va a cambiar! ¿Por qué no lo entiendes?

—¿Y por qué no entiendes tú que, si ella no va a cambiar, tal vez quien debería cambiar seas tú? —Estaba tan rabiosa (quizás eran los tres whiskies), que lo veía todo borroso.

—¡Así que ahora la cosa va conmigo!

—¡Siempre ha ido contigo!

—¿Y contigo no? ¿Nada de esto tiene que ver contigo?

—¡Es tu maldita madre, Jack! —chillé—. ¡Y yo soy tu maldita novia! ¿Por qué no le dices que para ti yo soy una prioridad? ¿Por qué no vas y le dices: «Mamá, acéptala»? ¿Tan difícil te resulta?

—¿Y por qué tú no puedes pensar: «Jack la quiere», y lo superas? —Su voz resonaba con tanta fuerza que los libros temblaban en los estantes.

Me quedé allí mirándolo —de pronto, estaba completamente sobria—, demasiado furiosa para hablar, hasta que noté un extraño silencio que lo llenaba todo, el tipo de silencio que se hace cuando la gente ha oído algo que no debería haber oído, pero están todos demasiado sorprendidos para ponerse a hablar y disimular. Jack también lo notó y se le pusieron los ojos como platos.

—¡Mierda! —murmuró entre dientes. Entonces se dio la vuelta y salió de la habitación.

Vino a buscarme media hora más tarde.

—Deberíamos marcharnos —me dijo.

—¡Por mí, genial! —dije, levantando los brazos.

—Lo ha oído todo. —Me comentó al entrar en el ascensor, todos los ojos nos seguían—. Ha sido una total y catastrófica hecatombe, ¡joder!

Así que esta mañana, cuando Jack me ha preguntado si llegaría a tiempo para el cumpleaños de su sobrina, yo ya sabía por qué estaba más que un pelín alterado por mi reencuentro con Vivian. No podía culparle. La otra vez, sí, ya lo creo que le culpé. Pero ahora, armada con mi visión retrospectiva, decidí utilizar una estrategia distinta: en mi vida pasada, había luchado en silencio, desesperadamente, para que Jack cortase el cordón umbilical que lo ataba emocionalmente a su madre; esta vez, contendría mi propia ira y me centraría más en la estrategia a largo plazo, no en la gratificación inmediata. Al fin y al cabo, comerme mi ira y mi orgullo, y, para qué negarlo, también un pedacito de mi autoestima, era un precio pequeño por dar una segunda oportunidad a mi futuro, o eso me parecía a mí mientras el café se hacía y yo me zampaba aquel dónut blandengue.

Y ahora, en la estación de ferrocarril, en el momento justo en el que iba a demostrar mi valía, resulta que iba a llegar tarde. Lo que había sido un pequeño descuido (una conferencia telefónica que había durado más de lo previsto), se convertiría ahora en una auténtica tempestad.

En la pantalla que hay al lado de mi tren (al infierno), pone «embarcando», y yo me dirijo pesadamente hasta el andén, deteniéndome un instante en el quiosco para comprar el último número de *Esquire*, del que Jack es ahora redactor.

—Algún día será un novelista famoso —me dijo Vivian en Chanterelle, entre vieira y vieira, la primera vez que nos vimos—. Todos sus profesores de instituto y facultad así lo creen.

Asentí con ese entusiasmo que sólo se tiene cuando empiezas a salir con alguien.

—Lo sé —le dije—, he leído sus relatos. Son muy buenos.

—No son buenos, querida —me corrigió—. Son mágicos. —Tomó un sorbo de Pellegrino y acarició las perlas que lucía su esbelto cuello, mientras Jack miraba con atención los dientes de su tenedor y hacía como que le importaba tanto su escritura como a ella.

Hojeo el ejemplar de *Esquire* mientras el tren se aleja de Nueva York. Yo ya he leído estos artículos antes, claro está, pero hace tanto tiempo de eso —como un recuerdo de algo que le sucede a otra persona—, que es como si fueran nuevos. El tren me va acercando a Rye, a tan sólo cinco millas de distancia de mi futuro hogar con Henry, lo que se dice a tiro de piedra de mi otra vida, que ahora no me parece otra vida, sino otro mundo completamente distinto.

Una mujer y su hijita salen del tren de la mano. La niña lleva un vestidito de nido de abeja color melocotón, calcetines blancos y zapatitos de charol negros. Se le balancean los rizos cuando se mueve. Las veo alejarse a paso rítmico por el andén. «Katie.» Su recuerdo me invade como una ola, pero se va igual de rápido que llega.

Bajo por los mismos escalones que ellas. Y seguramente desaparecen ante mí como yo desaparezco de la vista de quien baja tras mis pasos.

Allie, la sobrina de Jackson que cumple seis años y es la estrella de la fiesta, tenía una rabieta. Una rabieta de proporciones épicas. El mago que su madre Leigh había contratado no se había presentado, y por eso unos mocos de color verde oliva caían por la barbilla de Allie, que movía con rabia los puños mientras las lágrimas le surcaban las mejillas a raudales. No había forma de detener su llanto. Varios padres y madres se reunían alrededor de la piscina y simulaban que les daba lástima (su pequeña dosis de sentencia y desdén), mientras que Leigh, la hermana de Jack cuatro años mayor que él, intentaba que reinara la paz. Pero Allie no sacaba la bandera blanca.

Yo observo la escena desde detrás de la puerta de corredera del patio. Jack y Vivian revolotean cerca del bar que han montado «para los mayores» y Bentley, el padre de Jack, se deleita con lo que creo que es un enorme Martini y probablemente se lamente por no poder estar en el campo de golf, como los demás sábados. Sonrío: seguro que está buscando una manera de escapar, siempre lo hace. Casi todo el tiempo. Y yo no le podía culpar por ello.

«Llévame contigo», era lo que invariablemente quería

gritarle, justo cuando se levantaba de la mesa durante la cena o se excusaba en el desayuno por una emergencia en el despacho o una crisis en alguna de sus fábricas. La mayoría de las veces me guiñaba el ojo, como reconociendo que sabía que, si alguna persona quería alejarse de allí aún más que él, esa persona era yo. Bentley y yo teníamos un entendimiento tácito; él calmaba a Vivian porque tenía que hacerlo, pero no quería que yo le echara en cara sus cuarenta años de matrimonio.

El camarero rellena la copa de Bentley, y Allie sigue berreando.

Ha llegado el momento de hacer algo. Ya había presenciado antes esa rabieta, por eso esta vez he venido preparada, con las provisiones adecuadas. Abro la puerta de corredera, las palmas sudorosas de mi mano dejan una marca en el vidrio.

—Allie —le digo, y me planto a su lado de un salto—. ¿Sabes qué?

—¿Quéeee? —petardea.

—Pues que resulta que no necesitas para nada a ese estúpido mago. Porque yo fui a la escuela de magia cuando era pequeña y puedo enseñarte unos cuantos trucos. —Arqueo las cejas con complicidad, y los berridos paran tan de repente que todo el mundo se gira para mirarme. Es como si una aspiradora se hubiera tragado todo el ruido.

—¡No te creo! —dice, pero puedo percibir un atisbo de duda en su voz.

—Bueno, pues no me creas. Me voy a hacer mis trucos de magia ahí dentro. —Me vuelvo hacia la casa y noto que Jack me mira con curiosidad. Incluso Vivian me mira con algo que no parece desprecio, lo que ya es mucho.

—¡ESPERA! —grita Allie—. ¡Quiero ver magia! —Para y se cruza de brazos—. ¡Demuéstramelo!

—Bueno, antes de que te lo demuestre, creo que tienes una cosa pegada al ombligo.

—¡No!

—¡Sí! —le meto la mano por la cintura de su camisa—. ¿Qué te decía?

Saco un reluciente dólar de plata, y Allie chilla. El resto de los niños se acerca en bandada. Me vuelvo hacia un niño de pelo pajizo que acaba de perder una de sus paletas frontales:

—¿Y tú? ¿Qué es lo que tienes detrás de la oreja? —Y saco otro dólar ante el aplauso de todos y chillidos de júbilo que sólo pueden provenir de humanos menores de siete años.

—¡Muy bien! Venga, niña del cumpleaños, elige una carta, la que sea. —Me saco una baraja de cartas del bolsillo trasero y la barajo. Allie frunce los labios y coge una carta del medio de la baraja—. Ahora vuelve a meterla. —La niña obedece—. Vuelvo a barajar las cartas varias veces y corto el taco por la mitad.

—¿Es ésta tu carta? —pregunto dramáticamente.

—¡SÍ! —chilla Allie, saltando arriba y abajo, con los ojos como platos y casi echando espuma por la boca—. ¡VUELVE A HACERLO!

Así que lo repito. Una vez más. Y otra, y otra. Hago perritos con globos y sigo haciendo que aparezcan monedas detrás de las orejas de todos los niños, luego saco de mi bolso un kit de maquillaje para payasos, y les pinto las mejillas de rojo y les pongo un punto negro en la nariz, hasta que el sol empieza a ponerse en el cielo de Westchester y comienzan a salir las luciérnagas llenando de lucecitas el enorme jardín de la infancia de Jackson.

Al final, Jack y yo nos despedimos. Allie se abraza a mis piernas y me dice que soy el mejor mago que ella y sus amigos han visto este año. Bentley me da un abrazo de oso, tan fuerte que puedo oler su aliento a Cohibas, e incluso Vivian ha logrado romper su gélida fachada durante más de un fugaz segundo.

—¡Gracias, cielo! —me dice, no cariñosamente, pero tampoco con frialdad—. Hoy has estado genial. —Me da un beso en cada mejilla y veo a su familia sonriendo detrás de ella.

—¡Muchísimas gracias, señora Turnhill! —le respondo, y levanto la vista para encontrarme con su mirada de aprobación.

—Vivian, cariño. Llámame Vivian. —Y me ofrece una sonrisa (casi) sincera, se ajusta a la cintura su chaqueta de cachemira para eliminar inexistentes arrugas y entra en la casa.

—¿Os va bien si os hacemos una visita la próxima vez que estemos en la ciudad? —me pregunta Leigh. Tiene las manos apoyadas en los hombros de Allie, que está de pie ante ella mirándome fijamente a mí, su nueva heroína, con los ojos abiertos de par en par.

—¡Pues claro! —le contesto con sincera sorpresa, y me agacho para darle un último beso a Allie—. Será el acontecimiento de la semana.

Entonces Jack me pasa el brazo por los hombros. Ha olvidado completamente que hace tan sólo unas horas, cuando he llegado a la fiesta con cincuenta minutos de retraso, estaba demasiado enfadado incluso para saludarme de mala gana. Nada de eso importaba ahora. Ahora, nos dirigíamos a casa.

—No sabía que hicieses magia —me suelta Jack al salir de la bañera, donde me ha estado quitando la pintura de payaso de los dedos y la porquería de debajo de las uñas de haber estado jugando en el césped. Nos tumbamos encima del edredón a cuadros escoceses y él me masajea los pies.

—Supongo que hay muchas cosas que no sabes de mí —le comento encogiéndome de hombros.

—Pero ¿magia? ¿En serio? —Se ríe—. Normalmente eres un caso perdido, pero hoy has salvado el día.

—Pues sí —sonrío—, y más te vale que te andes con cuidado. Sé lo bastante para hacerte desaparecer. «Y eso es sólo la mitad del asunto», pienso.

—Espero que no me cortes en dos —dice, y me saca la lengua, luego se arrastra hasta la cabecera de la cama y se coloca justo encima de mí.

La verdad es que Jack no se había dado cuenta de que sabía magia porque la Jill que él conocía en realidad no sabía. La Jill que él conocía no podía haber estado más alejada de los niños y sus proezas, principalmente porque me recordaban a mi descolorida infancia y las heridas que me había causado.

Pero entonces llegó Katie. No la habíamos planeado. Tampoco fue un accidente. Sencillamente vino. Henry y yo hablamos en términos muy vagos sobre hijos cuando nos casamos; él se mostró de acuerdo en tenerlos, y yo no estaba tan en desacuerdo como para discutir por el tema. Quería hijos, sólo que estaba aterrada por el daño que pudiera infligirles. Así que la mejor solución era no tenerlos. Pero entonces me enamoré de Henry, un hijo único que se había sentido muy solo en la vida, al igual que yo, aunque por motivos distintos, y parecía un acuerdo fácil de conceder.

Cuando llevábamos dos años de casados, me pidió que dejara de tomar la píldora. Miré las pastillas con cariño agridulce antes de arrojarlas a la basura. Aunque no tratamos con toda nuestra energía de que el esperma llegara al óvulo, a los tres meses me quedé embarazada. Nueve meses después, mi vida cambiaría de todas las formas concebibles (literalmente).

Tanto si estaba preparada como si no. Llegó Katie.

Durante el embarazo, leí toda la información disponible para el público alfabetizado. Si había un libro, o un artículo o una página web sobre la gestación (A las diez semanas en el útero, ¡se forman las uñas! A la decimoctava semana, ¡el bebé se chupa el pulgar!), lo devoraba. Y una vez que nació

Katie, me suscribí a todas las revistas habidas y por haber: *Ser padres*, *Tu bebé*, *Mi bebé y yo*, *Crecer feliz*. Teníamos el buzón lleno a lo largo del mes. Y, para mi desesperación, memorizaría mucho más que los típicos consejos sobre bebés o la información básica sobre las diferentes fases por las que Katie y yo pasábamos. (¡A por los sólidos: cómo hacer que tu bebé aprecie la buena comida!) No, me leía los artículos para madres de críos de ocho años, para padres divorciados que sólo veían a sus hijos los fines de semana, para madres adoptivas preocupadas por los vínculos con sus hijos africanos. Lo devoraba todo porque, honestamente, no tenía nada más que hacer (sólo tenía clase de Pilates tres días a la semana); y, aburrimiento aparte, las leía con la frenética esperanza de que Katie saliera diferente a mí. O de que yo fuera diferente a como había sido mi madre. Era una línea borrosa, en la que no me detuve a reflexionar.

Y así es como me convertí en una experta maga. Si lees suficientes revistas, puedes aprender a hacer casi cualquier cosa. Porque, inevitablemente, un mes cualquiera en las páginas de ese bastión de sabiduría hay artículos sobre cómo sacar conejos de chisteras y monedas de las narices de los niños, o cómo organizar el cumpleaños perfecto, como si eso asegurara, o incluso demostrara, que eres su mamita querida. La mejor mamá.

—Era muy sexy —me dice esa noche Jackson, mientras me quita muy despacio la camiseta de tirantes— verte con los críos.

—Sí, le he arrancado una sonrisa incluso a tu madre. —Me río, mientras él me da besitos por el cuello—. Bueno, más que una sonrisa, un gesto amable.

—No empieces ahora con mi madre —gruñe.

—Me abstengo. —Noto cómo su boca me baja por la clavícula.

—Bueno, señora maga —dice Jack, con voz grave y ronca—. ¿Por qué no me enseña alguno de sus nuevos tru-quitos?

—¿Y por qué no me enseña usted alguno de los suyos antes?

—¡Encantado! —responde, y empieza a desabrocharme el cinturón.

Cierro los ojos con fuerza e intento recordar por qué me alejé de él. Porque esos pequeños sacrificios, como agradar a su madre con trucos de magia o esquivar discusiones sobre ella, esas menudencias, no me parecían tan atroces ahora que veía las ventajas que conllevaban. La otra vez le pedí a Jackson que cambiara, y esta vez me parecía mucho más fácil que fuera yo la que me acomodara. «Tampoco es para tanto —pienso—. No, es un esfuerzo soportable.»

Jack me quita los pantalones.

Lo que importa, me digo a mí misma antes de olvidarlo todo, es que ahora estoy aquí, creando nuevos recuerdos mientras los viejos se desvanecen en mi memoria.

7

—Ha llegado esto para ti.

Cuando oigo la voz de Josie, levanto la vista de la lupa con que miraba los *story boards*, y veo que, donde debía estar su cabeza, hay una enorme cesta de regalos.

—¡Oh, regalitos! —Dejo la lupa a un lado y me froto las manos—. ¿Qué tenemos aquí?

La monstruosa cesta aterriza en mi despacho con un golpe tan seco que hace que se mueva el bote de los lápices.

—Bueno, lo has conseguido —dice Josie, sentándose en una silla y masajeándose el brazo—. Ésta es la invitación oficial a la fiesta anual de los amigos y familiares de Coca-Cola, lo que significa que invitan a todos sus inversores a Cipriani y los atiborran de licores de la mejor calidad para convencerlos de que la junta directiva saca los mayores rendimientos a su dinero.

Empiezo a quitar capas del plástico rosa que envuelve la cesta.

—¿Tú has ido alguna vez? —le pregunto.

—Sí, hace cinco años. Antes de que nos cambiasen por BBDO. Sus fiestas son legendarias. Y no dan las invitaciones así como así. Cuando a mí me invitaron, yo ya era directora.

Me pongo de puntillas para asomarme al enorme regalo.

—Bueno, como te decía, lo has conseguido. Realmente les has impresionado con esta campaña.

—¡Gracias! —contesto, encogiéndome de hombros—. Ha sido bastante fácil.

—Ya me he dado cuenta —Josie se coloca un mechón de pelo detrás de la oreja—. Te las has apañado de maravilla con la responsabilidad; así que, para que lo sepas, he pedido que te asciendan. —La miro a los ojos y me sonríe—. De verdad, Jill, podrías estar haciendo mi trabajo dentro de unos pocos años.

Fuerzo una sonrisa, aunque noto en el cuello cómo se me acelera el pulso, y me entra el pánico. En teoría no me ascienden, se supone que voy a continuar trabajando en este puesto hasta que conozca a Henry y que dejaré de trabajar en el momento que mi barriga empiece a notarse demasiado.

«Pero todo eso ha cambiado ahora», me recuerdo a mí misma y exhalo. Tu futuro es lo que quieras hacer de él, y qué pasa si uno no se ve con una vida como la de Josie, en la que te sientes cada día cuando te despides de tus hijos que te estás dejando la mitad de la vida por el camino, y que la otra mitad la dejas al apagar el ordenador y llegar a casa para desplomarte en el sofá al lado de un marido enganchado al canal deportivo.

«Mi vida no tiene que ser exactamente como la suya —me digo a mí misma—. Mi vida, mi nueva vida, está aún por escribir.»

—Eso es genial, Josie, muchísimas gracias —digo, con voz grave de agradecimiento. Meto la mano en la cesta y saco una muestra del botín—. ¿Te lo puedes creer? ¡Gominolas de Coca-Cola! ¡Y regaliz!

—¡Huy, sí!, te sorprendería lo que llegan a inventar. A mi hija le chiflan.

Le doy un mordisco para probarlo y sabe a Coca-Cola, sólo que con seis cucharadas más de azúcar.

No me acuerdo de la última vez que me tomé una gominola. Y de pronto recuerdo que, en Semana Santa de 2007, hace tan sólo unos pocos meses, mi Katie de quince meses había dejado de gatear como un marinero borracho para corretear por el jardín de mi padre en Connecticut con la energía y la despreocupación características de esa edad, demasiado joven para recordar que caerse hace daño y que los trastazos dejan unos cardenales que tardan días en curarse.

Me había pasado la noche anterior pintando huevos duros de diferentes tonos de lavanda, rosa, amarillo, azul celeste, y entonces, después de saludar a mi padre y a Linda, su novia desde hacía una década pero con la que se negaba a casarse, escondí los huevos entre árboles, troncos y parterres para realizar nuestra particular búsqueda de los huevos de Pascua (lo había leído en la revista *Ser padres*). Desde el porche, veía cómo Henry seguía a Katie por el jardín (se le había pasado el interés por los huevos, como mucho, a los cuatro minutos). Linda salió con una bolsa llena de dulces y, aunque el entrenador del gimnasio me lo había prohibido, fui a por las gominolas y me metí cinco en la boca. «Sólo veintidós calorías», me recordé a mí misma. Me deleité con el penetrante sabor ácido y con el crujido del azúcar al contacto con las muelas.

—La verdad es que esto no está nada mal —le comento ahora a Josie. Me meto un buen puñado en la boca y añado—: ¡Dios!, no lo había probado antes.

—Sí, claro, ¡yo tampoco! —Se ríe y me guiña un ojo—. Y, a pesar de eso, seguro que te veo a las 4:00 en la máquina expendedora. ¡No te acabes los M&M's!

¡Ay! Es cierto. Antes de que Katie me obsequiara con una buena pechuga y cuatro kilos de los que era imposible librarse pese a mis disciplinados entrenamientos intercalando sesiones aeróbicas y rutinas con pesas (tal y como había leído en *Cosmopolitan*), abusaba del azúcar como algunos abusan del *crack*.

—¡Ah! —dice Josie, asomándose por la puerta—, deberías comprarte un vestido nuevo para la ocasión. Y llévate contigo a ese novio tuyo. Es un tesoro.

—Sí que lo es, ¿verdad?

Quizás esta vez, consiga retenerlo.

—Y éste, ¿qué tal? —Megan me enseña un vestido de corte imperio en rojo, azul y blanco más apropiado para una carroza del desfile del 4 de Julio que para un evento a la luz de las velas en el que una banda toca temas de swing mientras camareros vestidos de esmoquin ofrecen bandejas de canapés.

Pongo cara de acabar de comer una almendra amarga y digo que no con la cabeza. En 2007, yo era un catálogo ambulante de Lilly Pulitzer: tejanos oscuros y rígidos, blusas de lino, vestidos floreados.

—Es la apariencia lo que hace a la mujer. —Me decía a mí misma cada mañana al levantarme de la cama, abrumada por el incipiente día que tenía por delante, lleno de aburrimiento, de pañales con caca y de una sonrisa de plástico que al final me daba calambres si no dejaba que se esfumara al menos tres veces en las citas para que Katie jugara con otros niños. Así que me adentraba en lo más hondo de mi armario y sacaba un *top* rosa y verde, unos pantalones pirata a juego y unas sandalias de cuero color chocolate, me recogía las mechas en una impecable coleta a la nuca, y me daba un toque de colorete en las mejillas y en los labios y me miraba en el espejo y me intentaba convencer de que «era la apariencia lo que hacía a la mujer» y, en ese momento, la mujer era yo. Entonces asentía a la viva imagen de la madre perfecta que tenía delante y bajaba a sacar a Katie de la cuna.

—¡Venga, mujer! —se queja Megan—. Nunca pensé que diría esto, pero estoy harta de ir de compras. ¡Llevamos ya dos horas, y no te ha gustado nada de lo que te han enseñado!

«¿Acaso tengo yo la culpa de que a los diseñadores del año 2000 les pareciera buena idea volver a la horrible moda de los ochenta? ¿Soy culpable de tener suficiente gusto para decir que no a estampados que se parecen a las cortinas de mi casa de Westchester y hombreras que no le quedarían bien ni a un jugador de rugby?»

—¡Mira! —le digo, mientras saco del colgador un vestido de fiesta plateado sin tirantes—, ¿qué te parece éste?

—¡Por fin! —Megan suspira y se desploma en una butaca de cuero beis que dejan ahí para maridos obligados a ir de compras con sus mujeres los fines de semana. Casi un mes después de su aborto, Megan está estupenda, se la ve muy sana, y yo no puedo evitar observarla justo antes de meterme en el probador.

La otra vez no me detuve a observarla. Jack y yo empezábamos a distanciarnos, como una madeja de hilo en la que se ha soltado un hilo; el proyecto de Coca-Cola ocupaba casi todo mi tiempo libre, y yo había vuelto a soñar con mi madre, así que, de alguna forma, Megan había quedado relegada a un segundo plano. Perdida de la manera inocua que sucede en la vida: hablas con tu amiga dos minutos desde el móvil, prometes devolverle la llamada más tarde, ese más tarde se transforma en mañana, mañana es la semana que viene, y, antes de que te des cuenta, ha pasado un mes y vuestros mundos están a años luz de distancia. Lo que no quiere decir que no os adoréis mutuamente, y tampoco quiere decir que cuando os volváis a reencontrar no os vayáis a contar todos los detalles que se han quedado en el aire. Os los contáis. Pero, durante ese mes o esas semanas, no logras ver los matices en los que ha cambiado esa persona durante ese tiempo, que empiezan a apilarse como fichas de dominó hasta que la convierten en una persona totalmente distinta. Esta vez, me había propuesto no perder a Megan de vista, quizá para protegerla de la espiral de depresión en la que caería y que, al menos en mi vida ante-

73

rior, jamás logré comprender. Y tal vez no logré comprenderla porque, para ser sincera conmigo misma, ni siquiera vi la espiral en primer lugar.

—¿Qué tal el trabajo? —le pregunto mientras tomamos un café, después de haber estado admirando este cuerpo desnudo en el probador de la tienda (¡ni una estría! ¡Sin una barriga que parezca que estoy perpetuamente embarazada de tres meses! ¡Ni una gota de celulitis en mi firme trasero!), y de haberme comprado el vestido plateado (¡dos tallas menos!).

—Bueno, la verdad es que me importa una mierda. —Meg trabaja para Barlett and Jones, uno de los principales bufetes de Nueva York, donde producen abogados como un matadero produce carne. Ahí lo achuchan a uno, lo estrujan y, al igual que les pasa a esas pobres vacas, de ahí es raro salir vivo.

—¿Tan mal está la cosa? —le pregunto. La verdad es que ella nunca quiso ser abogada, y sólo estudió Derecho porque no se le ocurría otra cosa mejor que hacer, un patrón de conducta que se estableció en aquellos años desde después del instituto hasta bien entrada en la veintena.

—No hago más que archivar documentos y leer la letra pequeña, ya te puedes imaginar —me cuenta y añade, de sopetón—: Tyler y yo ya estamos preparados para volver a intentarlo.

—¿Te ha dado luz verde el ginecólogo? —Trato de que mi voz suene comprensiva, para que no se me note el miedo ante lo que me acaba de decir.

Asiente, con la boca llena de pastel de pasas.

—¿Y tú? ¿Te sientes preparada? —Me detengo—. No físicamente, sino emocionalmente.

—Ya empiezas a parecer mi médico... —Se ríe, aunque no hay ninguna jocosidad en su tono de voz—. Me ha dicho que, como ya he dejado de sangrar, puedo volver a intentarlo en cuanto me venga la regla. Pero que, a lo mejor, debería tomarme un tiempo para superar totalmente la pérdida del otro bebé.

—¿Y tú no estás de acuerdo? —Me llevo el café humeante a los labios con cuidado de no quemarme los dedos. Mis ojos la miran fijamente por encima del borde de la taza.

—No lo sé. —Se encoge de hombros—. Pero ¿para qué posponerlo? Cuanto más esperemos, más difícil será que me vuelva a quedar embarazada. —Se le cambia la cara y no sé qué decirle, así que no digo nada.

—¿Sabes qué es lo más curioso? —sigue ella, sin haber contestado realmente mi pregunta.

—No. ¿Qué? —le digo.

—Te pasas toda la vida intentando no quedarte embarazada. ¡Vamos, que llevo tomando la píldora desde los dieciséis! Once putos años tomándome la pastillita hasta que dejé de hacerlo el año pasado. Pues eso: te pasas media vida intentando evitar embarazos (condones, píldoras, geles, espermicidas, de todo) y resulta que, ¿sabes? ¡Tampoco es tan fácil quedarse embarazada!

—Una vez, en el colegio, estaba segura de que me había quedado embarazada —le cuento—. De Daniel. ¡Dios!, ¿te acuerdas de él? ¿Te he contado alguna vez esto, que se nos rompió el condón, que no me venía la regla y que tuve un ataque de pánico? —Me callo, sin saber por qué le estaba contando esa historia. Me acuerdo de Daniel, de sus rizos morenos y sus mejillas rosadas, y de que rompimos poco después de que me viniera la regla, de esa manera tan rara y tan rancia en que cada vez que te cruzas por los pasillos no puedes evitar preguntarte si la otra persona rompió contigo porque no sabías besar o porque tus tetas eran demasiado pequeñas.

—¡Huy, sí, ya lo creo! —Las palabras de Megan se empiezan a acelerar—. ¡No te puedes ni imaginar la cantidad de veces que me he creído que me había quedado embarazada! Llorando en el lavabo porque no me bajaba la regla o porque justo un día se me había olvidado tomar la píldora a la hora de siempre (porque eso es lo que te advierten que no hagas en el estúpido paquete) o por lo que fuera.

—Se para a tomar aliento—. Y, ¡Dios!, recuerdo cómo estaba de aterrada, porque, bueno, ¿qué haces si te quedas preñada con dieciocho años? ¿O con veinte? ¡Y ahora estoy yo aquí, con veintiocho, no hay manera de que me quede embarazada y, cuando lo consigo, voy y pierdo el bebé!

Creo que va a ponerse a llorar, así que la agarro de la mano por encima de la mesa; pero, en vez de llorar, me mira con una melancólica sonrisa.

—¡Caray! —suelta—, si hubiera sabido que es tan difícil quedarse embarazada, habría tenido más sexo en mi vida.

Tomo un sorbo de café y asiento.

Alzo la taza.

—¡Por mucho más sexo! —brindo y, de pronto, sorprendentemente, oigo que la voz de la señora Kwon, de la tintorería, me retumba en el oído.

—¡Por mucho más sexo! —corea Meg, entrechocando su taza contra la mía.

—¡Y por un bebé! —añado con fervor, deseando de todo corazón que esta vez Megan tenga más suerte.

—¡Por un bebé! —responde—. Un bebé para cada una, y por lo que traigan consigo esos bebés. —Nota el pánico en mi mirada—. No ahora —sonríe y mueve una mano—, en el futuro. ¡Por los bebés de nuestro futuro!

—Brindo por ello —digo—, por los bebés de nuestro futuro.

Siento que se me encoge el pecho como si me hubieran puesto un cepo en el corazón. «¡Katie —pienso—, Katie!» El bebé de mi futuro. ¿Qué le va a pasar a Katie ahora que el futuro no es más que un recuerdo nebuloso, que puede desvanecerse en cuanto salga el sol y desaparezca el rocío de la mañana?

8

Una perpetua e inquietante sensación de *déjà vu* se apodera de ti cuando abandonas el futuro para reinsertarte en el pasado. Como una cobaya que da vueltas y más vueltas en su rueda, con el mismo decorado una y otra vez; el científico cambia un pequeño detalle del decorado, y el roedor se pregunta si se imagina la misma monotonía o si, de verdad, todo está exactamente igual que siempre.

Hay cosas divertidas: puedo ver episodios que me había perdido de *Buffy, la Cazavampiros*, y dejar a Jackson sin habla cuando insisto en que hagamos apuestas, que siempre gano, claro está, sobre quién va a ganar la recompensa en *Supervivientes*.

—Pero ¿cómo demonios? —dice alzando las manos, justo cuando esa monada de Colleen apaga la antorcha—. ¿No habrás hecho vudú o algo así? ¿Cómo lo has adivinado esta vez?

Sonrío y le pego un bocado a la pizza que encargamos cada jueves para zampárnosla mientras vemos *Supervivientes*.

—Por intuición —le digo—. Es algo que o se tiene o no se tiene.

—¡Ajá! —contesta, no muy convencido—. ¿No lo habrás leído en alguna parte?

—Juro por Dios que no. —Y me río.

—Vale, te debo veinte minutos de masaje antes de dormir —se levanta para traerme un poco más de Coca-Cola

Light (de la que tenemos enormes provisiones, gracias al trabajo) y me da un besito—, ¡pero más vale que pronto gane yo o juro que te voy a registrar el ordenador hasta que encuentre pruebas incriminatorias de que haces trampas!

—Registra todo lo que quieras —canturreo—. La intuición es sólo un don. O se tiene o no se tiene.

Pero, aparte de momentos como éstos, hay cosas de volver a revivir tu pasado que son muy desconcertantes: te sientes como si alguien te estuviera espiando desde su escondite, alguien que puede aparecer en cualquier momento; hasta que caes en la cuenta de que esa persona eres tú. Tienes la sensación de estar jugando peligrosamente con el destino, y muchas veces a lo largo del día te preguntas si todo lo que haces ya está predestinado. Si me paro a tomar un café en Starbucks, me pregunto si hice exactamente lo mismo hace casi una década y, cuando me detengo a cotillear con Gene, si obtengo la misma información que ya había asimilado hace tiempo. He descubierto que no consigo recordar todos los detalles de mi vida cotidiana; así que, aunque hay una vaga sensación de familiaridad, poco parece que sea tangible o ya experimentado. Lo cual hace que me sienta como si caminase sobre arenas movedizas: por un lado quiero hundirme de una vez y que pase lo que tenga que pasar y, por otro, lucho y me aferro a lo que sea para salir de ahí, porque dejar que el destino siga su curso es una idea demasiado terrorífica para siquiera contemplarla.

Y, además, vivo en un estado de miedo continuo a que me pillen.

Ni una sola vez se me ha ocurrido desvelar a nadie mi secreto, ni tan sólo a Megan, que me ha confiado los suyos, y mucho menos a Jackson, que ha resultado ser mucho mejor novio de lo que yo recordaba.

Así que tengo que esforzarme por no contar el final de las pelis, o por no decirle a Jackson que ya me ha contado que su jefe se acuesta con una editora, o por no perder la paciencia con mi equipo de trabajo porque yo ya he memorizado hace mucho los detalles de la campaña de Coca-Cola, cuando para ellos es la primera vez.

Contemplo el futuro, y el papel que quizá juegue en él, un martes por la mañana en el autobús de camino al trabajo. Es un día bochornoso de finales de agosto en que el calor se te pega a la piel, y el aire acondicionado que sale de las tiendas cuando pasas caminando por delante parece el paraíso. Una tubería se ha roto en el metro, por lo que montones de neoyorquinos se agrupan en las paradas de autobuses, abanicándose con el periódico mientras esperan.

Llevo el discman conectado (¡No hay iPods!, me he hecho una anotación mental de invertir en Apple), y estoy escuchando música que me trae recuerdos del pasado, un pasado que es el presente. A los treinta y cuatro años, en mi vida futura, si oía por la radio de mi Land Rover *If You're Gone* de Matchbox Twenty, miraba por la ventana los edificios grises y pensaba en Jack, y en cómo escuché esa canción una y otra vez hasta la saciedad cuando rompimos. Pero ahora no es más que una canción que me trae el recuerdo de algo que aún no ha sucedido, algo que quizá nunca vaya a suceder si soy capaz de coger las riendas de mi vida y alejarla de mi destino.

Estoy escuchando a Matchbox Twenty y pensando en ese destino, cuando el autobús se detiene en la calle Veintiocho y un montón de pasajeros sube al vehículo. El autobús se llena de cuerpos y de un olor que es una mezcla de agua de colonia, café y sudor. Recojo las piernas bajo mi asiento para que la gente quepa mejor. Una mujer robusta a la que el sudor le cae por detrás de las orejas me da un codazo en la cabeza, y me mira con mala cara porque no le pido perdón.

Después de verla pasar detrás de mí, vuelvo a mirar al frente y cambio el peso del cuerpo para vencer la inercia, pues nos hemos vuelto a poner en movimiento. Delante de mí hay masas de cabezas que se mueven, al ritmo de las ruedas y los frenazos del autobús. Observo una trenza de espiga que lleva una chica de a lo sumo trece años, y desdeño las imágenes que de pronto me asaltan de cómo me pasaba horas haciéndole trenzas a Katie hasta que las dos coincidíamos en que había alcanzado la perfección folicular, cuando de repente noto que alguien me está mirando fijamente.

Me concentro en devolver la mirada y, justo cuando reconozco quién me está mirando, el autobús frena en seco y hace que la masa de gente pierda el equilibrio. Todo el mundo busca algo a lo que agarrarse: una barra, el brazo del que está al lado, o un asiento de plástico duro. Las puertas se vuelven a abrir y, con la misma rapidez con que se había llenado el autobús, se vuelve a vaciar: la gente se apresura hacia su trabajo, su jornada, su vida. Aunque no se trata de mi parada, me levanto y les sigo, me mezclo con la gente de manera que, antes de que me dé cuenta de que conscientemente me he levantado, ya estoy bajando los escalones. Me doy la vuelta y miro, primero perpleja, y luego frenéticamente, con auténtico fervor. Un poco más abajo, a media manzana de distancia, vuelvo a ver la camisa de color azul celeste y el pelo pajizo, y me adelanto para ver si aún logro alcanzarlo.

Cuando por fin llego a la esquina, nerviosa y sin aliento, ya se ha ido. Doy vueltas alrededor por si lo veo, miro hacia la avenida y las calles perpendiculares, pero nada. Así que, a regañadientes, me dirijo a mi oficina, sigo la ruta que me estaba trazando a mí misma, la de mi futuro.

«Henry —pienso—, era Henry.»

«¿Ha pasado esto antes? —me pregunto—. ¿No nos habría obligado a encontrarnos antes una fuga en una tubería? ¿No nos habríamos fijado el uno en el otro en un autobús, y la marea de los pasajeros nos habría separado? ¿No estaremos destinados a conocernos, a pesar del mapa que yo misma estoy trazando para mi futuro?»

Otro autobús pasa a mi lado y suelta humo caliente por

el tubo de escape. Empiezo a caminar con paso lento y el corazón acelerado. Me doy la vuelta una última vez, aunque sé que no hay nada que ver. «Henry», me vuelvo a decir a mí misma.

Pero entonces me doy cuenta de que si él no es mi destino, de nada sirve llamarlo. Borro su imagen de mi mente y observo los autobuses subir por la avenida Madison hasta que se pierden en el horizonte y luego desaparecen como si jamás hubieran existido.

HENRY

Henry se me declaró casi exactamente al año de habernos conocido. Y, como todo lo que había hecho hasta entonces, su declaración fue perfecta. Muy propio de él que todo saliera perfecto. Ni muy planeado ni muy precipitado; intenso, pero sin llegar a ser efusivo. Inesperado pero no sorprendente. Perfecto.

Estábamos de vacaciones en París y todo el mundo (Megan, Ainsley, Josie y otros) estaba seguro de que lo haría allí.

—Justo bajo la torre Eiffel —sugirió Gene un día mientras compartíamos un sándwich de pavo en mi oficina.

—O al anochecer en la orilla del Sena —canturreó Josie desde el pasillo al oír la conversación.

Yo tenía tanta ilusión y tantos nervios que casi arruino las vacaciones: cada comida, cada rincón era el lugar ideal para la culminación de nuestro amor. Y, aun así, nada. Porque, desde luego, y como comprendo ahora que echo la vista atrás, Henry ya se había dado cuenta de que yo imaginaba que se me declararía en París, y había poco que él pudiera añadir a sus esfuerzos para que superasen mis expectativas. Así de bien me conocía.

En el vuelo de regreso, mientras me hacía mala sangre pensando en las excusas que les podría dar a Gene y a Josie, y al resto de la oficina que casi habían hecho una porra sobre cómo se me declararía en la Ciudad de la Luz, de pronto Henry señaló por la ventana la negra noche estrellada y soltó:

—Ya sé que no se ve la luna desde aquí, pero me siento como si la viera.

—No te entiendo —le contesté.

—Lo que te quiero decir... —siguió él— es que dondequiera que estemos, es como si tuviera la luna y las estrellas a mi lado porque tú estás conmigo. —Se sonrojó—. Ya sé que suena muy cursi, como a tarjeta de San Valentín, pero es verdad.

—Gracias —le dije, le di un beso y lo cogí de la mano bajo la manta. Era lo más romántico que me había dicho nunca.

—Así que ésta, mi luna y mis estrellas, es la única manera en la que se me ocurre agradecértelo. —Y entonces me puso algo aterciopelado y duro en la mano. Cuando abro la caja, ahí estaba: el anillo que me aseguraba que seríamos felices para siempre, durante el resto de nuestras vidas.

La azafata nos trajo champán, levanté el brazo que separaba nuestros asientos y me acurruqué tanto contra él que no quedó entre nosotros ni una pizca de espacio, y estuve, al menos durante un instante, tan impregnada de felicidad que me aferraría a esa sensación durante muchos años.

9

Miro por la ventana de mi despacho, contemplando las vistas que tengo desde allí, pero sobre todo recordando las imágenes de Henry y de mi otra vida. Por mucho que intente apartarlas de mi mente, ahí están, negándose a abandonarme, y ahí llevan desde hace tres horas, desde que mi mirada se ha encontrado con la de Henry en el autobús. Desde entonces llevo dándole vueltas a mi otra vida.

—Siento interrumpirte —dice Gene después de haber llamado a la puerta y haberla abierto—. Aquí tienes el correo.

—Gracias —le contesto distraídamente, dándome la vuelta en la silla y cogiendo la pila de cartas.

—¿Un mal día? —me pregunta.

Me gusta Gene. Me gustaba en mi otra vida y también me gusta en ésta. Es un diseñador gráfico de veinticinco años que ha descubierto que ser el mejor diseñador gráfico de tu clase de formación profesional no te garantiza que el mundo del arte vaya a recibirte con los brazos abiertos; así que, tras seis años de preparar cafés en el West Village, se ha apuntado a la universidad por la noche, y por el día trabaja con nosotros como becario. De vez en cuando le pido que examine mis *story boards*, y casi siempre añade detalles que yo he pasado por alto. Mientras que la caligrafía de Henry era impecable, mi letra era horrible, o al menos lo era hasta que me convertí en la perfecta ama de casa que llegaría a dominar el arte de la buena letra. Por eso me sorprendía tanto que Gene pudiera fijarse tanto en lo que yo me había saltado.

—No es nada —le contesto, y me levanto a bajar la persiana.

—Perdona que me meta, pero la verdad es que te he visto mejor.

—Gracias, Gene. —Le sonrío—. Siempre me han gustado los cumplidos sinceros.

—¿Problemas con la cuenta de Coca-Cola? —Se sienta, aunque yo no lo he invitado.

—No, ningún problema con la cuenta de Coca-Cola.

—Sí, la verdad es que he oído que lo estás haciendo de puta madre. —Pone las manos bajo la barbilla.

—¿Ah, sí? Cuenta.

—Ya sabes, la gente habla delante de los becarios porque se cree que no escuchamos. O que no existimos. O lo que sea. —Se encoge de hombros y empieza a rascarse un *piercing* que lleva en la oreja izquierda—. Pero se comenta que vas a ser la nueva estrella de la empresa.

—*Oh la la!* —digo, y me meto una gominola de Coca-Cola en la boca—. Suena bien.

—Entonces, si no tiene que ver con el trabajo, ¿de qué se trata? —me presiona.

Suspiro.

—He visto... —Me paro, pensando cómo contarlo—. He visto a un antiguo novio mío en el autobús esta mañana, eso es todo. Me ha dejado un poco tocada, nada más.

—¡Ah, ya! ¿A que has sentido náuseas y nervios a la vez?

Asiento y me noto un poco mareada sólo de pensarlo.

—Bueno, quizá eso signifique algo, o tal vez no signifique nada —prosigue—. ¿Cómo van las cosas con tu chico?

—Bien —le contesto con firmeza, porque de verdad van muy bien.

De hecho, las cosas con Jackson van mucho mejor de lo que yo recordaba. A diferencia de mi vida con Henry, no hay aburridas obligaciones, ni cenas que preparar, ni cócteles de empresa a los que acompañarle, ni expectativas que cumplir. No hay presión para hacer las paces con mi madre, que era la manera favorita de chincharme de Henry, ni Katie exigiéndome que le dé aún más de mí misma. Ahora simplemente me siento liberada, sin ataduras. Si trabajo hasta tarde, Jack, siempre animoso y con ganas de hacer cosas, se apunta a ir a un partido de los Yankees o se reúne con sus compañeros de la revista para ir a la inauguración de un restaurante. Y, cuando encuentro un momento en el que romper las cadenas que me atan a mi mesa de trabajo, me uno a él: no me siento culpable por trabajar demasiado, no hay broncas por que llevemos cuatro noches seguidas cenando pizza o comida china, no hay problema si es él el que baja a hacer la colada al sótano cuando tenemos tanta ropa sucia que más que una cesta parece una montaña.

«No —pienso hoy, junto a Gene—, las cosas van de maravilla, sin baches, ni campos minados que alteren nuestro rumbo.» Tal vez porque ahora soy capaz de percibir esas minas antes de que exploten. En nuestra vida anterior esperaba que, si animaba un poco a Jack, él descubriría el escritor que llevaba dentro y en el que Vivian tanto creía. Le regañaba y le reprendía y lo obligaba a que se pusiera a escribir, pese a su falta de interés y su evidente letargo hacia esa actividad. En la otra vida, al final lo taché de vago con falta de ambición, un niño rico mimado que no sabía la suerte que tenía de haber nacido en la familia en que había nacido. Pero, ahora, desde mi nueva perspectiva, podía pasar todo eso por alto: el entusiasmo de Jack por la vida era contagioso, y que me parta un rayo si iba a dejar escapar esa alegría desenfadada.

Con Henry conocí la ambición, conocí la seriedad y la rectitud, pero siete años más tarde todo aquello me agobiaba, era casi claustrofóbico. Así que, esta vez, he dejado a un lado esas dudas que tenía sobre Jack y que, en el pasado, habían llegado a convertirse en críticas quisquillosas que acabarían en broncas fenomenales, las cuales a su vez culminarían con uno de nosotros suspirando con alivio ante el hecho de que no conserváramos esta relación de manera permanente. Después nos pediríamos perdón, y lavar, aclarar y repetir al menos una vez por semana.

Pero ahora, gracias a un ligero ajuste en mis expectativas, una táctica que estoy segura de que el *Redbook* condenaría, las cosas iban muy requetebién. «Tampoco demasiado —me digo a mí misma cada vez que hago un pequeño reajuste—. A lo mejor un día sí que es demasiado, pero, de momento, no.»

—Entonces, si las cosas van bien con tu chico, ¿por qué te preocupas? —me pregunta Gene ahora.

—No estoy preocupada —le contesto—. Eres tú el que dices que parezco preocupada.

Frunce el ceño.

—Lo pareces, de verdad que pareces preocupada, lo que significa una de dos —pasa la mano por encima de los papeles de mi escritorio para coger una barrita de regaliz con sabor a Coca-Cola, que se mete en la boca y mastica con pensativa parsimonia—: o las cosas con tu chico no van tan bien como crees (y te estás engañando a ti misma), o ese ex tuyo ha dejado tal marca en ti que tú y tu chico ya podríais estar en el cielo que de nada serviría. Te sigue gustando.

Noto cómo se me va el color del rostro y, en vez de darle una respuesta firme, le digo:

—¿Y tú quién eres, mi psiquiatra?

—¡Ojalá! —me contesta, y se levanta—. Al menos así alguien de aquí me pagaría por mi trabajo.

—¡Ja, ja! —me río—. Ya sabes que he pedido que te hagan mi ayudante ejecutivo. Espero que algún día...

—Dios te oiga —responde, ya casi en el pasillo—. Que disfrutes del correo.

Sonrío mientras cojo el montón de cartas que ha dejado

encima de una montaña de carpetas, papeles y más cartas. Tres sobres se escurren de la pila y se caen de mi escritorio, tirando la papelera y cayendo de bruces en la alfombra azul de Corporate Rugs «R» Us.

El primer sobre contiene cupones de descuento en establecimientos del barrio; el segundo, la factura de mi móvil. El tercero es de color crema y lleva un sello de Elvis Presley, y me vuelve a traer esa sensación de haberlo visto antes. Habrá llegado a mis manos de alguna manera, aunque no exactamente de esta manera en un momento anterior de mi vida; y, mientras paso los dedos por debajo de la solapa del sobre, me invade una ola de adrenalina.

Desdoblo el papel y reconozco la letra de inmediato. Las palabras me resultan familiares, pero sólo como un espejismo lo sería: las recuerdo de hace mucho tiempo, aunque nunca llegué a registrarlas en mi mente. Hace años, después de leer esa misma nota, tuve que salir corriendo de la oficina a tomar aire, luego hice una pelota con el papel y lo tiré en una papelera de la Séptima Avenida. Después olvidé esas palabras y me juré no volver nunca a acordarme de ellas ni de su significado.

Tengo la frente impregnada de gotas de sudor, y me permito leer la carta sabiendo que me odiaré a mí misma por hacerlo y que lo lamentaría toda la vida si no lo hiciera. La letra es de maestra de escuela, curva, de trazos largos; impecable, como si su destreza con la pluma fuera fiel testimonio de su carácter.

Querida Jillian:
Espero que esta carta llegue hasta ti de alguna manera. La tengo escrita desde hace muchos años, siempre he procurado encontrar el momento perfecto para enviarla. Y creo que ese momento por fin ha llegado. Así que espero que esta carta llegue hasta ti, y también que aceptes esta intromisión.

Ya sé que han pasado casi dieciocho años, y que os abandoné a ti, a tu padre y a tu hermano sin la menor explicación, y que eso (de esto me doy cuenta ahora más que nunca) fue algo terriblemente injusto.

Me gustaría encontrar la forma de explicar lo que hice. Me gustaría poder contar mi versión de los hechos, aunque sé que eso es pedir demasiado para una hija que ha pasado la mayor parte de su vida sin su madre.

No obstante, por eso te escribo esta carta: para intentar quedar contigo y poder pedirte perdón. Porque me gustaría ser capaz de ofrecerte mis disculpas. Y, más aún, porque me gustaría llegar a conocerte un poco.

Si esto te parece bien, por favor llámame al 212-525-3418.

Con todo mi cariño,

Tu madre,
ILENE

Releo la carta tres veces, y cada vez me trae algo diferente de cuando la leí por primera vez, hace siete años. Entonces, llamé a mi padre y escuché la angustia de un hombre al que le había partido el corazón una mujer cuyo fantasma volvía para perseguirlo. Intenté contactar con mi hermano, que se hallaba de excursión en algún lugar remoto de Asia lleno de boñigas, para hacerle saber que nuestra madre había reaparecido. Tuve que vérmelas con los sentimientos de rabia y frustración que su audacia había despertado en mí.

Hoy, con un gesto rápido, me levanto de la silla para salir del edificio. Daré vueltas por la Séptima Avenida hasta que encuentre la serenidad que necesito en ese preciso instante, serenidad tan efímera, tan temporal que me dejará rabiosa por lo que ha hecho mi madre durante el siguiente lustro de mi vida. Haré una pelota con la carta hasta que esté dura como un arma y acabaré tirándola a la basura, para que no pueda llamarla, incluso si alguna vez me entran ganas.

En lugar de ello, me vuelvo a sentar.

Aprieto el papel contra el pecho y aliso las arrugas, hasta que desaparecen. El pulso me va a toda velocidad y exhalo, intentando calmarme. Abro el cajón de mi escritorio y meto la carta dentro. Quizá sea algo que guardar para el futuro.

10

Lo mejorcito del mundo de la publicidad se encuentra en la fiesta de Coca-Cola y, como bien dijo Josie, es bastante probable que mi invitación a este evento me catapulte a las altas esferas de nuestra industria. El taxi se detiene ante la prominente estructura de piedra que es Cipriani, y, al salir, casi me tropiezo con una paloma que se zampaba los restos de un dónut. Por la tarde ha caído un chaparrón, los cielos se han teñido de acero. Todavía se percibe la humedad en el ambiente, y el aire que sopla por encima de nuestras cabezas hace que parezca octubre en vez de finales de agosto.

Jack da la vuelta al taxi y me coge de la mano, un símbolo tácito de que ha dejado atrás la discusión que teníamos de camino. La misma discusión que tuvimos hace siete años, sólo que esta vez no ha sido delante de un plato de pasta en nuestro restaurante italiano favorito.

Yo no quería que pasara, claro está. Me las he arreglado tan bien para evitar discusiones que, cuando se me escapó el comentario, al principio ni siquiera me di cuenta de lo que había dicho. He tenido que rebobinar literalmente la conversación (como si de un vídeo se tratara) para ver dónde había metido la pata.

—¡Salgamos de aquí! —dijo Jack mientras yo leía el número de licencia del taxista, un papel aplastado contra el plástico que separaba la parte de delante de la de atrás, y me preguntaba si el taxista habría dejado a su familia en algún rincón del mundo para venir aquí y hacerles la vida un poco mejor a todos ellos. El taxi apestaba a ambientador de pino, y rezaba para que no se me quedara adherido a los poros una vez que bajara del vehículo.

—¿Aquí? —pregunto a Jack, girándome de pronto—. Si todavía faltan quince manzanas.

—No, salgamos de la ciudad. Hagamos un viaje.

—Eso no va a resolver todo lo de mi madre —le suelto. Le había contado lo de la nota de mi madre a media tarde y él había reaccionado exactamente como la otra vez, con esa ingenua chulería que yo, a veces, encontraba tan irritante, y que ahora envidio.

—Pues claro que no va a resolver todo lo de tu madre —dice Jack, tomando mi mano entre las suyas—. Pero nos lo podemos pasar muy bien. Y eso es lo que importa —añade mientras sonríe y me aprieta los dedos—. ¿Qué tal en octubre? ¿Te apetece Miami?

—Pero ¿en octubre tú no te ibas a recluir para trabajar en tu novela?

—¿Eso dije? —exclama muy serio, y yo hago ese rebobinado mental para ver dónde la había fastidiado.

«No, ahora que lo pienso, no me lo habías contado. Sólo lo sé porque, cuando nos separamos, te largaste a las montañas Adirondacks con la excusa de escribir tu novela; aunque, lo que en realidad hiciste fue curar las heridas que nuestra ruptura nos dejó a los dos.»

—¡Humm...! —Mi mente iba a toda velocidad—. En el correo he visto que organizaban algo para escritores... y me imaginé que irías.

Pero no había sido mi comentario lo único que lo había puesto tan serio, sino el haber mencionado eso-de-lo-que-no-hay-que-hablar. Su novela. La otra vez lo había presionado mucho con ella. Y lo había hecho sin pararme a pensar que quizás el talento de Jack no fuera mayor que el de

92

cualquier otro licenciado en Bellas Artes, ni que su pasión por la escritura no era tal, sino quizá la obsesión de su madre. La otra vez lo agobié, insistiendo durante horas y horas en que escribiera, y él lo hacía —oía el martilleo de las teclas del ordenador como la ráfaga de una ametralladora—; pero, cuanto más escribía, más perdía su brillo natural, como si el trabajo le robara toda su alegría. Así que, esta vez, le he echado menos la bronca y me he dado cuenta de que tal vez Jack no vaya a ser el escritor revelación de su tiempo, lo cual, además, no me molesta en absoluto. Siempre y cuando se preocupe de ser una revelación en algo, claro está. En lo que sea.

—¡Ah! —exclama Jack hacia el plástico de separación del taxi, con tal dureza que podría pinchar un globo, pero aceptando mi explicación con cierta reserva—. No, prefiero ir a Miami.

—¡Por mí, genial! Me apetece un montón —digo muy rápido, para dejar atrás mi indiscreción y centrarnos en otra cosa. «Que sea Vivian la que lo chinche —me digo a mí misma—. Yo me pienso limitar a pasármelo bien con Jack.» Porque eso era lo que más me gustaba de Jack: lo mucho que nos divertíamos juntos, lo fácil y lo agradable que era dejarse arrastrar por él.

—Bueno, ¿y dónde está ahora tu madre? —me pregunta Jack, cambiando de tema, a uno mucho menos peliagudo; aunque, claro, mucho menos peliagudo para él. A mí me ha despertado emociones latentes que casi me ahogan.

—Creo que aquí, o eso parece por el prefijo. Tiene que estar aquí. —Miro por la ventanilla del taxi y me pregunto cuántas veces habré pasado junto a su casa, cuántas veces me la habré cruzado en la tienda, o en el gimnasio, o en la tintorería. Desde cuándo sabe ella dónde estoy, y cómo habré estado tan al alcance de su mano. Meneo la cabeza—: Han pasado casi dieciocho años —suelto, hablándome más a mí misma que a Jack—. No creo que tenga mucho que contarle. Ni siquiera sabía si estaba viva. Lo cierto es que pensaba que se habría muerto, al no haber dado nunca señales de vida.

Desde que mi madre nos abandonó, dejándonos una nota en la que había escrito literalmente «Adiós», y Andy y yo corrimos a su armario para encontrarlo todo vacío, nunca más volví a buscarla. Rezaba por que volviera, sí, pero yo tenía nueve años y, después de haber escrito un montón de mensajes que pensaba pegar en todas las farolas, mi padre me explicó que no había desaparecido en las circunstancias que mis notas señalaban, y me rendí. A los seis meses, incluso dejé de rezar para que volviera. Se había marchado, y no iba a ser yo la que intentara recuperarla como a una cometa enganchada en un árbol. En lugar de pedir a Dios que nos la devolviera, llené mi mente preadolescente de razones por las que nos había abandonado: porque no le había estado lo suficientemente agradecida por la fiesta de mi noveno cumpleaños, o porque había sacado un suficiente en geografía, o porque siempre me estaba pidiendo que arreglara mi cuarto y casi nunca lo hacía para su completa satisfacción. Enseguida me sentí triste y culpable; sabía que no volvería porque por mi culpa se había marchado. ¿Por qué iba a querer volver a una casa con una niña tan mimada y egoísta que no agradecía las fiestas que le montaban y que no se molestaba ni en recoger sus juguetes? Mi padre me prometía que eso no era así, y una noche después de cenar me explicó amablemente que eso no era así, pero mi padre también luchaba contra su propio dolor, y sus silencios no me sirvieron de gran ayuda.

Al final, a medida que mi niñez dio paso a una adolescencia más deductiva, crecí hostil, amargada y resentida por su partida, y me juré borrarla por completo de mi vida. Algo que lograba la mayor parte del tiempo; simplemente, no dejaba que su traición me afectara.

Así que no, no me había dado cuenta de que vivía a pocos kilómetros de distancia de mí y que, posiblemente, nunca se habría alejado mucho físicamente.

—Bueno, quizá deberías llamarla. No sé. Depende de ti —me dice Jack esta noche, mientras el taxi se detiene en seco ante un semáforo.

«¡Pues claro que depende de mí!», casi le grito, pero me doy cuenta a tiempo de que no es con él con quien estoy enfadada. Aquélla fue mi primera reacción: ponerme totalmente a la defensiva; porque me he pasado muchos años haciendo eso mismo con Henry, quien, en sus propias palabras, «nunca pudo comprender» cómo dejé escapar a mi madre tras haber pasado décadas sin saber nada de ella.

—Estás loca si no intentas localizarla —me decía Henry en la cena o después de haber acostado a Katie, o cuando me estiraba después de un paseo, acosándome con ese tema cuando menos me lo esperaba.

—¿Y por qué iba a estarlo? —le replicaba yo, una vez que me había recuperado del ataque por sorpresa—. Es una mujer que no ha querido tomar parte en mi vida, que decidió que yo estaría mejor sin una madre que con ella como madre sin consultarlo conmigo, ¿y ahora me viene con reencuentros? Más bien estaría loca si le diera la oportunidad de acercarse a mí.

—¡Pero es tu madre! —decía Henry, subiendo la voz con autoridad—. ¿Eso no significa nada?

Yo me callaba y me iba de la habitación, huyendo de un marido que no sabía lo que era mejor para mí y de los fantasmas que había insistido en desenterrar.

Así que esta noche, con Jack, me resulta difícil no enfadarme con su inocua respuesta, aun sabiendo que no me echa en cara mi decisión. ¡Dios!, ni siquiera estoy segura de que se percate de mi decisión. Él está tan unido a su madre que, pienso en el taxi: «no lo puede entender», no puede entender la rabia y el dolor que se siente cuando te abandonan. Sin embargo, él no lo entendía de una forma completamente diferente a Henry. Henry comprendía que me hubiera hecho daño, y aun así seguía chinchándome para que cambiara de opinión. Jack no lo entiende, sencillamente porque el dolor está más allá de lo que él ha conocido, y ahora, en el taxi, me siento aliviada, casi contenta, porque esto me ahorra la angustia de volver a pasar por la misma situación.

Antes de pensar nada más, ya estamos en el Cipriani, paso de largo la paloma y Jack me coge de la mano, y los dos fingimos que las diminutas fisuras que han aparecido en el taxi (mi madre, su ambición) no forman parte de un problema mayor entre dos personas que no logran comprender las complejidades el uno del otro.

Un camarero nos recibe con bebidas (¡ron con Coca-Cola!) y nos abre las grandes puertas doradas. El espacio es enorme, con un aforo de unas mil personas, y está decorado para que parezca un jardín botánico. Cientos de pétalos de rosas cuelgan de cada una de las arañas, de forma que el lugar no sólo huele a primavera, sino que además parece la interpretación que Dalí hace de un parque: plantas en flor cuyo tallo cuelga del techo, iluminadas por luces tenues que brillan como estrellitas de luz a través de las ramas.

Estatuas hechas únicamente con frutas de temporada (piñas, melocotones, peras y naranjas) decoran cada una de las mesas, y el salpicado de color, junto con el naranja de los impecables manteles, hace resaltar los pétalos de rosa. Me siento como si hubiera entrado en el Jardín del Edén.

—¿A quién conoces aquí? —me grita Jack al oído, intentando entablar conversación por encima del sonido de la banda de swing que toca de fondo y de las muchas otras voces que llenan el espacio, todas elevadas para hacerse oír.

—La verdad es que a nadie —le grito yo a mi vez.

Nos quedamos mirando el enjambre de invitados que va de un lado a otro hasta que, milagrosamente, distingo a Josie en un grupo de gente. Cojo a Jack y nos abrimos paso entre miembros gesticulantes, vaharadas de perfume y carísimas joyas, para quedarnos justo delante de ella.

—¡Oh, Jillian, cielo! ¡Qué oportuna! —exclama—. El equipo de Coca-Cola está justo aquí al lado y quería presentártelos.

—Yo estaré en el bar —me dice Jack, guiñándome un ojo y sonriendo. Cuando le den su copa, habrá hecho más amigos allí que yo en toda la fiesta.

Josie me coge del codo y me lleva hasta un grupo de cuarentones que parecen todos iguales, con sus trajes azul marino y sus mejillas bien afeitadas, relucientes por el verano de Hampton, y que se ríen como si alguien hubiera contado un chiste totalmente fuera de lugar.

—Caballeros, si me disculpan —dice Josie—. Quiero que conozcan al cerebro que hay detrás de su nueva campaña publicitaria. Jillian, te presento a los hombres a los que estás a punto de hacer ganar un montón de dinero.

Sonríe, y me doy cuenta por primera vez de lo guapa que está esta noche. No parece nada cansada y lleva la cantidad de colorete justa para iluminar sus mejillas, y el carmín adecuado para que su boca quede preciosa. Normalmente lleva el pelo en un moño flojo, pero hoy lo lleva suelto y le cae como una cascada sobre un vestido rojo acampanado que es lo suficientemente sobrio para una mujer de negocios, pero también lo suficientemente llamativo para que una mujer de menos de cuarenta años se haga notar.

Doy la mano a los directivos de la Coca-Cola, les obsequio con mis ideas y mi cháchara y lleno los silencios con ingeniosos juegos de palabras, tan agudos como los chistes machistas que ellos estarían contando justo antes de que Josie y yo explotáramos su burbuja de «sólo para chicos».

Al final se van al bar y nos quedamos Josie y yo solas.

—¿Sabes Bart, el de la corbata morada? —me pregunta—. Salía con él en la universidad. Cortamos cuando se fue a San Francisco después de graduarnos.

—¡Ah...! —le digo, porque no se me ocurre qué otra cosa decir. Y añado—: Es muy mono.

—Sí que lo es, ¿verdad? —Su tono es demasiado melancólico para alguien que no se arrepiente de nada.

—¿Dónde está Art? ¿En casa con los niños? —le pregunto.

—No —niega con la cabeza—. Tuvo que irse a San José en el último minuto. —Se ríe, pero detecto rabia en su falsa risa—. Una emergencia en una ópera.

Arqueo las cejas.

—Bueno, no, tampoco es eso —sigue—. ¿Te imaginas, falsos candelabros y telones que no saben comportarse? —Y se vuelve a reír, despacio, al principio con tristeza, luego acelerándose hasta doblarse hacia la derecha, sujetando el cubalibre con la mano derecha para que no se vierta, temblando, y moviéndose fuera de control hasta que por fin se para y se seca las lágrimas—. ¡Una emergencia en una puta ópera! ¿Te imaginas? —suelta otra vez, pero ahora en lugar de reírse suelta un prolongado suspiro—. Así que, sí, aquí está Bart, aquí, recordándome... tantas cosas... y... además... —Se detiene—. Está Art.

—Diferentes tan sólo en una letra, la B —digo para quitar leña al asunto.

—¡Ojalá! —responde desanimada, mientras escudriña la multitud intentando volver a captar la mirada de Bart—. Bueno, ¿y qué pasa con Jack y contigo? ¿Crees que lo vuestro va en serio?

«No», me digo a mí misma, y de pronto me acuerdo que este futuro aún está sin decidir.

—A lo mejor —digo al final—. Ya veremos. Supongo que depende de él.

—¿Por qué dices eso? —Josie se pone rígida y se vuelve hacia mí—. Depende de los dos.

«No es cierto —me dan ganas de gritar—. La otra vez me entregué a él durante más de dos años y nada, más de lo mismo: salir y divertirnos, pero nada más. Ni anillo, ni indirectas, ni nada de nada; así que, cuando lo nuestro ya parecía que empezaba a hacer aguas en vez de ir viento en popa, estallé. Porque ésa era mi única opción, lo único que podía hacer. Lo dejé antes de que él me dejara a mí, o al menos antes de malgastar con él una buena parte de mi vida adulta, porque no tenía motivos para creer que hubiera algo más hacia lo que él quisiera dirigirse.»

Esta noche me limito a encogerme de hombros.

—Lo que quería decir es que él es el que se declara, sólo eso.

Josie también se encoge de hombros, en tácito reconocimiento de que quizá sí que esté pillada, y se pone a observar la escena buscando sus propios fantasmas. Yo miro a mi alrededor, buscando una cara conocida, y entonces veo una.

Nos miramos fijamente y luego él se dirige hacia mí, pasando por entre los grupitos de invitados; viene directo hacia mí.

Es Henry, por supuesto. Aquí y ahora, en el presente y en el pasado. ¿Cómo pude pensar que podía cambiar el curso del tiempo?

Parece que tenga los pies de plomo. Quiero moverlos. Quiero levantarlos y salir corriendo y, sin embargo, no puedo.

Se está acercando y está a punto de entrarme un ataque de pánico. «¡No estoy lista para esto! ¡Se supone que aún me lo tengo que pasar bien con Jackson, plantearme la cuestión de Henry cuando esté preparada para saber lo que quiero!» Siento como si tuviera un enjambre alrededor del cuello, noto que la sangre se me sube a la cabeza, como si fuera una pintura de Jackson Pollock que contrastase con la sobriedad de mi vestido plateado sin tirantes.

Se mueve a cámara lenta, y veo cómo el pelo de color castaño claro se le balancea sobre la frente, y cómo se lo aparta de la cara con la mano. A medida que lo fui conociendo, supe que esto era una señal: significaba que estaba nervioso, o que se estaba tirando un farol, o que mentía. No es que lo hubiera pillado en un renuncio muchas veces; pero alguna, sí. Que si tenía que quedarse a trabajar hasta tarde, cuando en realidad estaba jugando al golf en nuestro club; me enteré dos días después, cuando Ainsley y yo fuimos a llevar a los niños a la piscina y el encargado lo mencionó de pasada. O cuando me dijo en mi cena de cumpleaños en un restaurante de Rye, con Merlot y velitas, que él mismo había elegido la pulsera de rubíes que me regalaba, para que al día siguiente me preguntara su secretaria, con la boca tan henchida que no sé ni cómo podía hablar, «si me había gustado la pulsera que Henry había elegido en persona». Guiño, guiño. Codazo, codazo. Remarcó mucho lo de «Henry», por si no había pillado la indirecta.

Ahora está casi delante de mí, aplastándose el pelo, intentando colocar detrás de la oreja un mechón que le molesta en la frente, pero que no le llega. Por fin las piernas responden a mi cerebro. Me doy la vuelta para irme, rápido, desesperadamente; pero, por desgracia, no hay lugar adonde huir. A mi alrededor se concentran grupos de gente que me bloquean la salida, como muros de ladrillo, y la única salida posible es por donde él viene. Busco la ayuda de Josie, a mi lado, pero hace tiempo que se ha olvidado de mí, y se dedica a beber su cubata con aire melancólico y a soñar con su juventud mientras busca (o sigue buscando) a Bart con la mirada.

De pronto, ya está aquí.

—Tú eres la chica del autobús, ¿verdad? —dice sonriendo y ofreciéndome la mano que tiene libre. La banda ha dejado de tocar y un silencio eléctrico llena el espacio.

—¿Qué haces tú aquí? —le suelto. Se me ha escapado y ya no hay forma de arreglarlo. Porque, por supuesto, Henry no debería estar aquí. No fue aquí donde nos conocimos. No fue así como sucedió. De pronto, se me ocurre pensar en cuántas veces habré coincidido con Henry en mi otra vida sin saberlo... A lo mejor era alguien con quien me cruzaba en mi barrio, en la tienda de la esquina, en el gimnasio, en el autobús, alguien que pasaba desapercibido y al que de vez en cuando saludaba con una inclinación de cabeza. Sin embargo, no era alguien que tuviera un papel más relevante en mi vida que el de ser una cara familiar con la que me encontraba de vez en cuando.

—¿Perdona...? —Intenta dar un paso atrás, pero su codo tropieza con alguien que está detrás y se encuentra también un poco perdido.

—No... sólo es que... —Soy incapaz de hablar. Henry. «¡Henry! Así era cuando nos conocimos», pienso. En sus ojos todavía hay esperanza. Tiene los dientes más blancos, parece más alto. No tiene finas arrugas en la frente o alrededor de los ojos. En conjunto resulta más atractivo, está más radiante. «¿He sido yo la causa de que perdieras todo ese brillo? —me pregunto—. ¿O simplemente dejé poco a poco de percibirlo?»

—¿No debería estar aquí? —me pregunta, perplejo.

—¡Eh... no, lo siento! —Tengo la lengua como fofa—. No era eso lo que quería decir. «Claro que era eso lo que quería decir: ¿qué estás haciendo aquí?»

—Bueno, ya que preguntas, mi empresa es una de las mayores accionistas de Coca-Cola, así que por eso estoy aquí. ¿Y tú?

De pronto se me ocurre que Henry tiene todo el derecho del mundo a estar aquí. Puede que incluso hubiera estado aquí hace siete años. Soy yo, soy yo la que ha cambiado las tornas, la que se ha metido en sitios en los que antes no había estado. Soy yo la que es nueva aquí.

—Yo... les hago la publicidad. —Me miro las manos en lugar de mirarlo a los ojos, esos dos fantasmas que me observan.

En ese preciso instante, aparece Jack, abriéndose paso entre dos mujeres que parecen tan aburridas como yo estoy de nerviosa.

—¡Por fin! —exclama—. He estado dando vueltas buscándote por todas partes. —Se detiene para comprender la situación—. Perdonad si interrumpo. Deja que me presente.

—Éste es Henry —suelto, y enseguida me doy cuenta de mi error.

—¿Cómo sabías mi nombre? —A Henry se le nota el aturdimiento.

«¡Mierda!»

—Pero si me lo acabas de decir —chillo como una sirena. Noto el sudor en las axilas, y cómo me sube la presión sanguínea—. ¡Ahora mismo! ¿No lo recuerdas? Yo te he contestado: «Sí, soy Jillian, la del otro día en el autobús.»

Se vuelve a tocar el pelo y veo que su cerebro está pensando a toda velocidad. Lo conozco demasiado bien y sé que está pensando: «¿Cómo puedo haber olvidado algo que se supone que acaba de pasar?»; pero ha decidido no ser descortés y preferido fingir que se le ha olvidado mi nombre. Así que me sigue la corriente como yo ya sabía, porque Henry es demasiado educado para crear la más mínima confrontación con alguien a quien acaba de conocer.

—¡Debe de ser la bebida! —comenta, y alza su Martini, que lo salpica en la muñeca—. Más me vale que me ande con cuidado...

—Siempre digo que, con el alcohol, demasiado nunca es suficiente —interrumpe Jack, y coge la mano libre de Henry y la sacude con firmeza, a modo de presentación.

—Es verdad —explico yo—, siempre lo dice. —Las noches de Jack con sus compañeros de la editorial son legendarias, tanto que a la mañana siguiente siempre las lamenta.

—Bueno, creo que debo volver con mis amigos. —Henry sonríe, aunque más que una sonrisa parece una mueca—. Encantado de conocerte, Jillian. O encantado de volver a conocerte, mejor dicho. Y espero verte pronto.

Asiente con la cabeza y desaparece entre la gente.

«No, si yo puedo evitarlo», pienso, tratando de ignorar la tristeza que me embarga. Y entonces me pregunto: «Pero ¿y si no puedo?»

HENRY

Henry y yo nos casamos en una pequeña iglesia de piedra negra y postigos blancos, a diez minutos de la casa en la que crecí, y que ahora mi padre comparte con Linda. La florista llenó los bancos de gardenias, y cuando juramos nuestros votos, con tan sólo cuarenta y cinco invitados entre familiares y amigos detrás de nosotros, casi se podía saborear el perfume dulzón que llenaba la iglesia y acompañaba nuestra unión.

Celebramos el banquete en el jardín de mi padre, el mismo jardín en el que Henry, al menos en mis recuerdos, perseguiría a Katie en mi fallida búsqueda de huevos de Pascua (esos estúpidos huevos que me pasaría horas pintando y cuya pintura se me quedaría pegada a los dedos durante días). Había antorchas por todo el jardín, y más ramos de gardenias en las mesas, y la alegría y la conversación fluían en el aire crepuscular. Fue una noche íntima, familiar, casi perfecta.

Cualquiera que nos viera, observara el primer baile o cómo me besó Henry en la frente pensaría que teníamos muchísima suerte. Y, por lo que recuerdo, también yo lo creí.

—Por favor, perdonadme —dijo Henry a los invitados en mitad de la pista de baile de madera que la florista había instalado en el jardín el día anterior— porque me voy a poner sentimental, lo que, como todos los que me conocéis bien sabéis, es para mí una aberración.

Los invitados se rieron divertidos por lo certero de esa declaración. Henry era muchas cosas (lógico, preciso, fiel...), pero emotivo no era una de ellas.

—Como la mayoría de vosotros sabéis, soy hijo único —siguió—, y eso tiene sus ventajas: te regalan todos los juguetes que pides; pero también tiene sus inconvenientes: no hay hermanos que estén siempre ahí para jugar, ni un hermanito pequeño al que pegar. —Ahí se detuvo para reírse—. Pero el peor inconveniente de todos es que te pasas la vida buscando a alguien que esté a tu lado, que te respalde. Me he pasado mucho tiempo buscando eso. —Se aclaró la garganta y me miró, y yo intenté deshacerme del nudo de emoción que se me había formado en la garganta.

—Y entonces —prosiguió— conocí a Jillian, que siempre está ahí, cuando tengo problemas con el trabajo o necesito el apoyo de alguien. Siempre está ahí y, para mí, alguien que ha pasado su vida sin tener a nadie más ahí (sin ánimo de ofender, papá y mamá) lo es todo. Ella lo es todo. —Se secó las lágrimas que le caían por las mejillas bronceadas—. Así que brindo por ti, Jill, que has llenado ese espacio que lleva treinta y un años vacío. Por mi Jillian, a la que amo más que a la luna y las estrellas.

Los invitados irrumpieron en un inmenso aplauso y alzaron sus copas de champán, y Henry se me acercó y me besó apasionadamente hasta que tuve que apartarlo.

Sí, cualquiera diría que teníamos mucha suerte. Podrías pensar que habíamos tenido muchísima suerte de encontrarnos el uno al otro y, aun siendo nuestra vida y no la tuya, se te llenarían los ojos de lágrimas al sentir toda esa felicidad, porque nosotros éramos aquello por lo que tú luchabas. Y viéndonos ahora, sabes que ese amor, ese vínculo entre dos personas que han comenzado como dos extraños y se han ido acercando hasta comprobar que el uno era la media naranja del otro, no es inalcanzable y que, si nosotros podemos tenerlo, tú también.

11

Poco a poco, las riendas con las que creía sujeto mi futuro se están aflojando. Cuando todo esto empezó, más o menos podía predecir, si no todos, muchos de los acontecimientos que iban a suceder, como los narcisos que nacen cada primavera. Es cierto que los pequeños detalles (quién entraba en mi despacho, adónde iríamos a cenar Jack y yo esa noche) se me habían olvidado, pero no las cosas más importantes. Así me resultó bastante fácil evitar una discusión atroz sobre un largo y desmoralizador fin de semana en casa de los padres de Jack —esta vez, en lugar de aguantar la histeria y los comentarios fulminantes que nos hicimos el uno al otro, me limité a acceder al metafórico tiempo de prisión—, o un altercado que tuvimos en el trabajo por un carrete que se había perdido después de una sesión de fotos (¿por qué no llamamos a la compañía de taxis?, sugerí esta vez). A veces, los refranes son ciertos: más sabe el diablo por viejo que por diablo.

Pero, ahora, las cosas se me empiezan a escapar de las manos. Como si una imperceptible gota cayera en un charco y crease unas ondas que moviesen toda el agua. Al final, estos pequeños cambios transforman todo lo que habías anticipado.

Esto lo digo porque, cuando esta vez llegó el puente de la Fiesta del Trabajo, yo estaba sentada en una mecedora del porche trasero de la casa que Megan y Tyler tenían en la costa de Jersey, disfrutando del sabor a nueces de una Amstel, meciéndome y mirando cómo Jack y Tyler jugaban con la pelota en las rugientes aguas del océano. Seis años atrás, cuando vine a pasar este mismo fin de semana, Jack no vino. Lo habían invitado, claro, pero me vine sin él después de otra discusión sobre su escritura o, para ser más exactos, sobre su futuro.

—¡Deja de agobiarme! —me había gritado, tan fuerte que lo oyeron los vecinos—. ¡Primero mi madre, y luego, tú! Dejad de presionarme. ¡Dios! Escribo cuando puedo, ¿vale?

—¿Así que ahora me metes en el mismo saco que a tu madre? —le había gritado yo a mi vez—. ¡Creía que esa estúpida novela tuya te hacía feliz! ¡Pensaba que te hacía un favor cuando te decía que quizás en vez de salir con tus amigotes te podías quedar en casa y trabajar en ella! —Había continuado, paseándome de un lado a otro del salón por detrás del (espantoso) sofá.

—Pues sí que me hace feliz. ¡Es la presión lo que me molesta! ¡Así que para ya! ¡Déjalo de una vez!

—¡Perfecto! —había respondido yo con voz gélida—. Pues dile a tu madre que yo sólo trataba de complaceros a los dos.

Lo cual no era cierto, ahora que me paro a pensarlo. Yo nunca intenté complacer a Vivian, pero debí de pensar que si lo decía ganaría algunos puntos. Lo que yo de verdad quería, mucho más que complacer a Vivian, era que Jack fuera él mismo, que dejara un trabajo que hacía sólo porque se lo habían ofrecido sin más, que dejara de comportarse a sus veintitantos años como si acabara de cumplir los veinte.

Entonces Jack había dado un portazo y se había largado, y yo, aliviada a la vez por el silencio y por su ausencia, me había escapado a la casa de verano de Megan en un coche de alquiler.

Esta vez, cuando Jack murmuró algo de que «Quizá debería trabajar un poco en mi novela», me limité a sonreír y le acaricié el rostro, asegurándole que ya escribiría cuando estuviera inspirado, que era mejor no forzar algo que aún no estaba listo. Él asintió, me besó en la frente y enseguida nos pusimos de camino a la playa. «¿Acaso esto es demasiado esfuerzo? Pues no, no lo es. ¡Jack sigue siendo tan fácil! —me dije a mí misma—. Es mucho mejor que la alternativa, claro que es mucho mejor.»

Esa tarde, Megan me trae otra cerveza, pero ella pasa.

—¿No bebes?

—No te hagas ilusiones —responde—. Es sólo por precaución. No lo sabré hasta dentro de una semana. Pero mejor no arriesgarse.

Veo que se ha estremecido, como si estuviera exorcizando algún tipo de fantasma que arrastrara con ella.

—Meg —le digo y apoyo mi mano en su brazo—. Ya sabes que ese aborto no fue culpa tuya, por algo que hubieras hecho. El médico te lo dejó muy claro.

—Mejor prevenir que curar. —Se encoge de hombros y echa otro trago a su limonada.

—¿Estás segura de que no quieres hablar del asunto? ¿De lo que has pasado? —le vuelvo a preguntar, por duodécima vez desde que la acompañé a Urgencias. Como cuando detecto ese pequeño rayo de esperanza en su voz.

—No. —Niega con la cabeza—. Estoy bien. Son cosas que pasan. Horribles, sí. Pero estoy bien.

Yo estoy a punto de decirle algo, pero me callo y me muerdo el labio inferior. Aún no me he acostumbrado a tener aquí a Megan, vivita y coleando, aunque emocionalmente esté mustia como una hoja de lechuga que ha pasado demasiado tiempo en la nevera. Así que voy con sumo cuidado, procurando no arruinar la gran suerte que he tenido de redescubrir a una amiga a la que había perdido. Para siempre.

Una familia de cinco con un golden retriever pasa por delante y se coloca justo a la derecha del porche, extendiendo una manta para un pícnic. El viento levanta la manta, y el más pequeño, un pelirrojo que no tendrá más de ocho años, corre de un lado a otro y pone encima un par de chanclas para que no se levante.

—De todas formas —dice Megan, mientras observa cómo la familia abre la neverita—, se os ve muy bien a ti y a Jack. ¿No se te irá a declarar? —Y me lanza una sonrisa sin alegría, una sonrisa que reconozco de mi anterior vida, cuando era yo la que mostraba un falso entusiasmo.

—A lo mejor... —contesto—. Pero deja que te pregunte una cosa... ¿hay algo de lo que te arrepientas con Tyler? Lo que quiero decir es que, como os casasteis tan jóvenes... Y no es que no seáis perfectos el uno para el otro, pero... no sé. —Le doy un trago a la cerveza—. No sé qué es lo que trato de decir.

—Yo sí que sé qué es lo que me quieres decir —replica Megan—. Y la verdad es que no. No me arrepiento de casi nada. Es verdad que me imaginaba que ya habríamos tenido hijos, pero, aparte de eso, no. Tyler hace que estar casada sea algo muy fácil.

Asiento y me quedo mirando a la familia; la madre está ahora repartiendo sándwiches, el hermano mayor tiene al pequeño cogido en una especie de llave de judo. Megan sigue mi mirada.

—Sé que voy a ser una madre estupenda —comenta—. Es en lo único que puedo pensar últimamente. Cuánto debe amar una madre a sus hijos y cómo ese amor es correspondido. Con un hijo no puedes sentirte nunca sola.

La miro sorprendida.

—Meg, tú no estás sola. Me tienes a mí. Tienes a Tyler. Espero que no te sientas sola.

—No, me he expresado mal —dice agitando una mano. Noto que tiene las cutículas de color rosa de habérselas mordido—. Lo que quiero decir es que tu hijo está unido a ti para siempre, y nada ni nadie puede quitarte eso nunca.

Pienso en Katie y en que, por mucho que intente no echarla de menos, es imposible: echarla de menos es como una película que tuviera sobre mi piel y no pudiera quitarme. Entonces intento pensar en el recuerdo más entrañable que tengo de mi propia madre. Una señal de que en algún momento me ha tenido que amar con ardor, con cariño, ferozmente, de la forma que Megan cree que aman las madres, de la manera en que yo había llegado a amar a Katie, aun cuando no hubiera sentido ese cariño tan fuerte en el momento en que nació.

Los recuerdos me llegan sin demasiado esfuerzo. Tenía nueve años y mi padre se había ido a la ciudad por temas de trabajo, como solía hacer, pues tenía una empresa de importación y exportación que le obligaba a viajar a todos los rincones del globo en busca de nuevos socios. Habían acostado a Andy temprano (el calor del verano lo había vencido, así que se había quedado dormido enseguida después de nuestro sándwich tostado de queso y tomate), y mi madre acababa de arreglar el jardín. Había anochecido hacía apenas unos minutos, por lo que el cielo aún no estaba del todo oscuro, sino que había un ligero resplandor, y las luciérnagas brillaban intermitentemente por todo el jardín, pidiéndote a gritos que las cogieras. Cogí dos botes de gelatina del armario y me bajé al porche, le di uno a mi madre y la arrastré hacia la hierba. Ella se reía y me seguía, y durante una hora (mucho después de que el sol se hubiera puesto oficialmente en el horizonte), estuvimos corriendo por el porche, cazando luciérnagas y soltándolas, una y otra vez. Al final, con las manos sucias y cubiertas de sudor, nos metimos en la cocina y nos servimos dos enormes raciones de helado, hicimos unas copas de helado mucho mayores de lo que yo me podría haber imaginado jamás a los nueve años, y nos las comimos en un santiamén. Cuando me

111

empezaron a pesar las pestañas, mi madre me llevó a mi habitación, me metió entre las sábanas y me dio un beso de buenas noches; con la suciedad que llevaba encima, lo que para mi madre era una rarísima excepción.

He vuelto a revivir esa escena muy a menudo, tan a menudo que no sé si me habré inventado algunos de los detalles. A lo mejor no hubo copas de helado, sino sólo un cucurucho. Tal vez no pasáramos una hora en el jardín, sino sólo quince minutos. La verdad es que no sabría decirlo a ciencia cierta. Pero es el único recuerdo que tengo que me hace pensar que quizá mi madre no era el monstruo en que luego la convertí; que en realidad sí me quería, y que su marcha, su abandono, no tenía nada que ver conmigo, sino consigo misma.

—Mi madre me ha escrito una nota —le cuento hoy a Megan, mientras seguimos observando paralizadas a la familia de la playa—. Dieciocho años sin dar señales de vida y ahora me envía una nota. Quiere que nos volvamos a encontrar.

Meg se vuelve hacia mí. Su cara es una mezcla de esperanza y asombro, pero también de lástima, porque ella sabe detalles que Jack desconoce y que, quizá más tarde, Henry también ignoraría, porque nunca se lo llegaría a contar del todo. Meg estuvo conmigo en nuestra fiesta de graduación, cuando mi padre se sentó solo entre parejas de padres que, aunque estuvieran divorciados, habían venido para ver juntos la graduación de sus hijos.

También estuvo en la fiesta de mi vigésimo primer cumpleaños cuando, como estaba como una cuba, había anunciado que había ido esa mañana al buzón esperando una tarjeta de felicitación de mi madre, pero lo único que había, como había dicho entonces era : «¡Nada de nada de esa zorra envarada!» Sabe muy bien que las heridas producidas por mi madre han tardado años en cerrarse y cicatrizar.

—¡Dios mío, Jill, lo siento! —Me coge de la mano y añade—: ¿Estás bien?

Asiento y, por primera vez desde que he recibido la carta, las lágrimas empiezan a resbalar por mis mejillas. Me seco una gota que ha llegado hasta la barbilla.

—Es que no sé qué hacer. Si llamarla. O no llamarla. Se lo he comentado a Jack, pero no ha sido de gran ayuda...

—¿Y a quién le importa lo que Jack haría? —me interrumpe Megan.

—Bueno, a mí me importa —me sorprendo a mí misma diciendo.

—¡Oh, Jill!, esto no tiene nada que ver con Jack y con lo que él haría. —Meg se pone en pie y me besa la parte superior de la cabeza—. Esto es algo entre tú y lo que tú necesitas. No te confundas. —Se detiene para dar un último sorbito a su limonada—. Si te decides a llamarla, y quizá lo hagas, que sea porque tú lo necesitas, no por lo que él crea... o deje de creer —concluye.

Se va hacia la cocina y oigo que da un portazo.

—¡Deja que te pregunte algo! —le grito por encima del hombro—. ¿Sigues creyendo que el amor de una madre lo puede todo? —Pienso en Katie, y en que, aunque la quiera tanto que el corazón me explote fuera del pecho como una calabaza machacada, a veces la carga que conlleva la maternidad resulta excesiva.

—Sí, lo creo —dice Meg, trayendo otra cerveza y otro vaso de limonada—. Llámame eterna optimista, pero lo creo.

En mi otra vida, soñaba muchas veces con Jack. Aparecería de manera inesperada, para recordarme brevemente la vida que había dejado atrás o, quizá más sinceramente, la vida que llevaba ahora, llena de arrepentimientos y dudas, resentimientos y biberones que se derramaban sobre muñecas calvas en la parte de atrás de mi Land Rover. Invariablemente, en esos sueños Jack y yo siempre éramos felices, sin malos presagios ni grandes preocupaciones que nos consumieran por dentro.

Estos sueños siempre tenían como decorado realidades ficticias (viajes que nunca llegamos a realizar, historias que nunca nos llegamos a contar). Cuando me despertaba me sentía fatal, como si tuviera un bichito dentro del estómago que estuviera expandiendo un virus a todo el cuerpo; y luego me pasaba el resto del día perdida entre recuerdos de nuestra fallida relación, preguntándome dónde estaría él, y si alguna vez se acordaría de mí.

Esta noche yazgo bajo un edredón en la casa de la playa de Megan y Tyler, el murmullo del océano que entra por la ventana y se mezcla con la respiración calmada de Jack, y sueño con Henry.

Es un sábado por la mañana temprano, ningún sábado en particular, y Henry aún está medio dormido, gimoteando cada pocos minutos entre sueños. Parece que estamos en un barco, y yo miro por un pequeño ojo de buey plateado y veo agua de un color azul muy oscuro, casi negra, y un cielo claro y nítido, sin una nube. Me deslizo de la cama, trato de buscar el equilibrio porque el suelo se balancea, y voy al baño. Al poco rato salgo y lo sacudo para despertarlo.

—Estoy embarazada —murmuro, con los labios pegados a su oreja. Él gruñe y rezonga sin moverse—. Hen, estoy embarazada.

Abre los ojos de repente, y en un solo movimiento tira de mí y me pone a su lado en la cama. Luego se coloca encima de mí. El barco se mueve bajo mis pies, y casi nos caemos los dos sobre los listones de roble barnizado. A una velocidad vertiginosa nos asimos a la cabecera de la cama como si fuera un chaleco salvavidas, hasta que pasa la ola.

—Ven aquí, mi fértil y embarazada esposa —me susurra sin apenas aliento, y me acerca aún más a él. Me arrimo a él y nos quedamos los dos ahí, en silencio, nuestro pecho sube y baja, siguiendo el mismo ritmo, que es también el ritmo de las olas. Me quedo mirando los dedos de los pies de Henry, que en mi sueño, son anormalmente largos, tan desproporcionados que ocupan casi todo el pie. El aire huele a salchicha, oigo el crepitar de la fritanga que llega de la galera, y me pregunto quién nos estará haciendo el desayuno.

Coloco el brazo sobre el estómago de Henry, empiezo a acariciar el vello que tiene justo debajo del ombligo y luego se oye una sirena muy fuerte; suena como si una vaca estuviera pariendo, a lo lejos. La cacofonía me confunde, me estremezco. Entonces miro hacia abajo y descubro que mi barriga ya se ha expandido, que está creciendo ante mis propios ojos como si fuera un globo de helio. Intento levantarme, pero sigo tumbada, paralizada en la cama, donde lo único que puedo hacer es observar con horror cómo mi cuerpo se va hinchando con la criatura, preparado para explotar de un momento a otro.

—¡Henry! —chillo, con una voz tan estridente que podría romper el cristal del diminuto ojo de buey—. ¡Todavía no es el momento! ¡Me acabo de dar cuenta de que aún no!

Intento abrazarlo, pero sólo hay aire. Intento moverme con toda mi voluntad, apretando músculos que no responden, forzándolos hasta que por fin se mueven. Me obligo a incorporarme torpemente bajo el peso de mi nueva barriga y vuelvo a gritar:

—¡Henry! ¡Ven aquí ahora mismo, Henry!

Pero él no contesta. No hay nada más que silencio. Incluso las sirenas de los barcos que pasan cerca y el crepitar de la salchicha se han esfumado; y, justo antes de despertar, en los últimos instantes de mi sueño, me encuentro a mí misma anclada a la cama, enorme, aterrorizada y completamente sola. Henry ha desaparecido, se ha desvanecido en las oscuras aguas que me rodean, como si nunca hubiera estado ahí, como si nunca hubiera estado en ninguna parte.

Al final, después de mirar al ventilador del techo y de escuchar a las gaviotas en la playa, me vuelvo a dormir. No sueño con nada, o al menos con nada que merezca la pena ser recordado. Estoy profundamente dormida, cuando un teléfono me despierta.

La mano de Jack se abalanza sobre la mesita de noche y coge el móvil.

—¡Uf! —suelta, justo antes de responder—. ¿Diga?

Miro el despertador. Son las 05:15 a. m.

—¿Está bien? —le oigo preguntar. Va hacia la lámpara y la enciende.

—¡Oh, vamos! —bufo y me meto bajo la colcha.

—¿Por qué no me has llamado antes? —Su voz denota cada vez más alarma—. Pues no, claro que no. Me habría plantado ahí al momento. ¡Estoy con Jill! No, no, sólo es una escapada de fin de semana. No hay problema.

Vuelvo a bajar la colcha y le echo una mirada para que sepa que, aunque no tengo ni la menor idea de qué quería decir con su comentario, lo considero totalmente ofensivo.

—No, no, salgo ahora mismo. Llegaré en unas horas. Sí. Vale. Te veo luego. —Jack se levanta y coge los vaqueros que había sobre una silla de mimbre.

—¿Qué pasa? —le pregunto. Tengo la voz ronca del sueño, y noto el mal sabor de mi aliento.

—Mi madre —contesta, mientras se pone una camiseta. Nunca lo había visto vestirse tan rápido. Las ropas flotan por el aire a velocidades supersónicas.

—¿Le ha pasado algo? —Me incorporo un poco y pienso. No tengo ningún recuerdo de ataques al corazón, o accidentes de tráfico u otras brutalidades que puedan causar este pánico.

—Se ha roto la cadera —me cuenta—. Anoche, intentando colocar las luces en los árboles para la fiesta del Día del Trabajo. Se cayó de la escalera.

«¡Ah, sí, es verdad!»

—Tengo que ir al hospital. Siento tener que irme en mitad del fin de semana, cielo —se disculpa, mientras intenta ponerse las zapatillas deportivas sin desatar los cordones.

—Pues voy contigo —le digo—. Me gustaría acompañarte. —Saco los pies de la cama y me cruje la espalda por dos sitios distintos. Mi cuerpo me está pidiendo un par de horas más de descanso.

—¡No! —niega con la cabeza—. No, no. De verdad, quédate aquí y disfruta de lo que queda del puente.

—Jack, no seas bobo. Quiero ir contigo. Quiero acompañarte. Para eso estamos las novias.

—De verdad, cariño, no te preocupes. Estaré bien yo solo. Tengo que salir enseguida, así podré estar allí cuando se despierte. —Se me acerca para besarme, como si eso compensara el hecho de que mi compañía no es grata en una emergencia familiar, en una emergencia de su familia—. Mi padre me ha dicho que anoche preguntó por mí. Mis hermanas están muy ocupadas con los niños, así que sólo puedo ir yo...

—Pero Jack... —empiezo, y entonces me detengo, tragándome los recuerdos de las humillaciones de mi otra vida con él, enfrentándome a ellos con un corazón abierto, como lo haría una novia preocupada—. De verdad que me gustaría mucho ir...

—Jill, de verdad que lo aprecio muchísimo —me interrumpe—, pero mi padre y yo nos podemos ocupar de esto.

—Pues claro que os podéis ocupar de esto —le digo calladamente—. Yo no quiero ir a ocuparme, sino a mostrar todo mi apoyo.

—¡Oh, eso es muy bonito de tu parte! —suelta distraídamente, por decir algo—. Pero me las apañaré. —Me da otro pico en la boca y me acaricia la mejilla y el cuello—. Te llamo esta tarde —me dice, justo antes de que yo lo oiga bajar los escalones y cerrar la puerta de la calle.

Me vuelvo a acostar y apago la luz. Dejo de lado mi decepción, de la misma forma en que mi madre habría apartado un frasco de mermelada recién hecha para que durase todo el invierno.

«Bueno, tampoco fuiste la otra vez —me recuerdo a mí misma—. Así que no hay de qué preocuparse. Todo sigue igual.»

Despacio, me vuelvo a quedar dormida, y esta vez no sueño ni con Jack ni con Henry, sin caer en la cuenta de que no comprendo nada.

12

Es el Día del Trabajo y mi oficina está muy tranquila. Todo el mundo se ha marchado de la ciudad, literalmente en busca de pastos más verdes. Meg y Tyler me han pedido que me quede con ellos en la casa de la playa; pero, después de que Jack se haya ido, no me apetecen nada los paseos por la playa, ni los Margarita, ni nada que tenga que ver con un fin de semana de ensueño con mi recuperada pareja. Así que he rechazado su oferta de tortitas caseras, me he metido en el coche de alquiler que, por cierto, apesta a cigarrillos y a ambientador floral, y me dirijo al sepulcral enclave que hoy es mi oficina. Hay *story boards*, impresiones y pruebas que corregir. Lo cierto es que esto ya lo había hecho, hace media década. No me preocupaba que, a pesar de mis esfuerzos, algo saliera mal.

El trabajo era igual que antes, en la otra vida, y hoy meditaba sobre mi lupa y sobre las pruebas intentando olvidar que, aunque para Jack yo fuera un camaleón y cambiara pequeñas cositas mías para poder integrarme en su entorno, tal vez eso no fuera suficiente. No quería pensar en que, pese a que él lleva ya dos meses en mi nueva vida, a veces aún me siento como si estuviera tratando de que piezas demasiado grandes o demasiado pequeñas encajasen en un puzle. «Esta vez no puede haber fallos —me paro a pensar antes de dejar la mente en blanco—. Eso es lo que importa. Ya tienes todo el juego planeado, te sabes todos y cada uno de los movimientos, sólo te falta seguirlos. No puede haber fallos», me repito a mí misma. Y, aun así, en muchos aspectos, sé que los va a haber.

Estoy encorvada sobre mi mesa, mirando un fotograma en el que aparece una mujer en la calle, cuando oigo que suena mi móvil desde las profundidades de mi bolso. Me da un pequeño tirón en el cuello cuando me incorporo para coger el teléfono a tiempo.

—¿Sí? —Me coloco el móvil entre la oreja y el hombro y me levanto para estirarme. Llevo más de dos horas agazapada y los hombros me están matando.

—¿Jillian? ¡Eh! Hola, soy Leigh. —Se detiene un instante—. La hermana de Jack.

—¡Ah, hola! —Mi voz parece un chillido y trato de ponerla normal, rezando para que no se note la desesperación, primero por la interrupción y, segundo, por el hecho de que la hermana de Jack me esté llamando. En mi otra vida jamás me llamó.

—Espero que no te importe que te llame... Jack me ha dicho que estás sola este fin de semana por lo del accidente de mi madre.

—Sí, bueno, ya sabes. Son cosas que pasan. Jack me ha contado que tu madre se está recuperando muy bien. —Saco mi voz más comprensiva. «¡Aunque no entiendo una mierda! Sí, claro que lo entiendes», me aseguro a mí misma, «ya lo creo que sí».

—Sí, eso es cierto —afirma Leigh—. Aunque ya conoces a mi madre: ella puede estar recuperándose, pero somos el resto los que la sufrimos.

Me permito una risita nerviosa, no muy segura de los motivos de Leigh, y es normal que me desconcierte su comentario porque nunca he oído a ninguno de los hijos de Vivian dignarse decir nada que no fuese reverencial sobre ella. Cojo un chicle de Coca-Cola y me lo meto bajo la lengua.

—De todas formas, yo te llamaba porque Allie y yo vamos a Nueva York esta tarde, y a ella le haría mucha ilusión verte. ¿Qué te parece si nos encontramos en el zoo dentro de hora, más o menos?

—¡Pues genial! ¡Me encantaría! —suelto sin dudar y preocupada por que sonara demasiado entusiasta o, peor aún, patético. «Chica solitaria en oficina desierta espera a que suene el teléfono para así demostrar lo que vale a la familia del despreocupado de su novio.» No es precisamente el mejor anuncio por palabras para ganarse a la familia de Jack.

—¡Allie, bájate de la ventana ahora mismo! —chilla Leigh, y yo me aparto el teléfono de la oreja—. Perdón —suspira—. Vale, perfecto. Está encantada. Quedamos a la puerta del zoo dentro de una hora.

Leigh ha colgado; sin embargo, mientras miro por la ventana a la gente que pasa por la acera (padres, madres, niños, familias, peatones que se han perdido), su voz resuena en mi oído. Es difícil no reconocerla. Su tranquila y frenética desesperación, aunque haya sido fugaz, suena exactamente como yo en mi otra vida, antes de que se me brindase la oportunidad de saber más y librarme para siempre de esa desesperación.

Aunque la ciudad se ha vaciado por el puente, el zoo de Central Park está lleno de familias que no han tenido la suerte de escapar del cargado ambiente y del ruido de las bocinas de los taxis. Veo a Allie antes de que ella me vea a mí. Lleva el pelo rubio platino en dos coletas bajas, unos piratas amarillos con estampado de pequeñas rodajas de sandía y una camiseta de color marfil donde aparece una enorme rodaja de la misma fruta. Coge a Leigh con una mano y con la otra se está hurgando la nariz, y no puedo evitar quedarme mirándola: aunque Katie heredó mis rizos

121

castaños, intuyo que dentro de cuatro años y medio sería exactamente como Allie ahora.

Antes de que pueda reflexionar sobre esto, Allie me ve.

—¡JILLIAAAAANNNNN! —Se abalanza sobre mí con un entusiasmo frenético, haciendo que se golpee contra mis piernas intentando trepar por ellas como si fuera una araña, hasta que la cojo en mis brazos.

—¡Allie! ¡Venga, bájate! —Por encima del hombro de la niña veo a su madre corriendo para alcanzarnos—. Seguro que Jillian no quiere tenerte encima.

—No me molesta —digo, mientras dejo a Allie en el suelo para cogerla de la mano—. Nunca me habían saludado con tanta efusividad.

Atravesamos las puertas de hierro del zoo y, con Allie pegada a mí, nos dirigimos a la casa de los pingüinos. Es una construcción cuyo interior está oscuro y huele a algas y sal kosher. Allie aprieta la cara contra el cristal que nos separa de las aves, está tan cerca que se ve en el vidrio el vaho de su respiración, y observa con admiración a dos pingüinos que se sumergen en el agua helada; bucean juntos como si volaran por el aire y, después de lo que parece una eternidad, salen por el otro extremo de la roca y se alejan hacia el parque.

Leigh y yo observamos desde la valla, en silencio y completamente anonadadas, a una familia de pingüinos que se mete en el agua, imagino que sin ningún otro motivo que el de disfrutar de ese momento de alivio y de felicidad que trae el darse un chapuzón. Veo que las aves se zambullen en el agua una y otra vez, y siento dentro de mí una punzada de envidia. Ser así de libres. Darse ese chapuzón. Hasta que, de pronto, me doy cuenta de lo ridículo que es tener envidia de un pingüino, «y nada menos que un pingüino cautivo en un zoo». Allie se despega del cristal, en un instante ya se ha aburrido, como sólo les ocurre a los niños de seis años, y Leigh y yo la seguimos afuera.

Al salir, el sol de la tarde nos deslumbra. Cierro los ojos para adaptarlos a la luz, y de pronto me invade un sentimiento de vértigo que se desvanece tan rápido como ha aparecido.

—¡Eh, Allie! —la llamo, mientras ella se dirige a la jaula de los osos polares—. ¿Sabías que los pingüinos tienen la misma pareja hasta que se mueren? Eso es bastante extraño en un animal.

Se detiene y se vuelve hacia mí:

—O sea, ¿que se casan? ¿Como papá y mamá?

—Algo así —responde Leigh.

—¡Aunque no estoy segura de que celebren la boda! —Sonrío. Sin darme cuenta, estoy jugando con el dedo en el que llevaba mi anillo de casada. Aunque ha estado vacío durante estos dos últimos meses, todavía me sorprende tocarme el anular con el pulgar y ver que el anillo no está.

—¡Bueno, por lo menos ya llevan puesto el frac! —exclama Allie, y todas nos reímos; aunque yo un poco más tarde, porque estoy asombrada de la personita en la que se ha convertido. «¡Katie!» La punzada de su recuerdo permanece esta vez en mi cuerpo en lugar de irse enseguida como un escalofrío momentáneo. Veo a Allie acercarse a los osos polares, y casi me ahogo por la nostalgia que siento de mi preciosa hija.

—¡Qué rápido crecen! —le oigo decir a Leigh, como si se hubiera metido dentro de mi cerebro—. A veces no puedo creer que sea ya tan lista. ¿No debería seguir llevando pañales? —Suspira, pero ésa no es señal de lástima o de arrepentimiento. Es el suspiro de una madre incapaz de detener el tiempo, que no puede evitar que su niña crezca, que no quiere que su infancia desaparezca antes siquiera de haber podido disfrutarla plenamente.

—Gracias por haberme invitado hoy —le susurro, tratando de apartar a Katie de mi mente—. Ha sido una sorpresa fantástica. —Y me detengo, sin saber qué añadir.

La familia de Jack ha construido un foso emocional tan profundo que pierdo el equilibrio una vez que han bajado el puente.

—Bueno, Allie se quedó fascinada contigo en su fiesta de cumpleaños —me cuenta Leigh—, y Jack comentó que te había fastidiado el fin de semana, así que... —Se detiene, ella también. Creo que este territorio es nuevo para ambas, y veo que se está pensando cómo seguir—. Mira, Jill, ya sé que mi familia no es la más fácil del mundo. Mi madre se basta ella sola para volver loco a cualquiera...

—¿Tú también lo has notado? ¿No soy sólo yo? —Noto el alivio en mi voz, al pensar que por fin alguien, quien sea, puede ser un aliado.

—No, no eres sólo tú —se ríe Leigh—. Creo que nunca ha sabido encontrar el equilibrio entre ser madre y tener su propia vida separada de nosotros. Yo soy la menor de las hermanas, así que siempre me ha hecho menos caso; lo cual, sinceramente, es una bendición. Pero Jack...

—Cuidado con el hijo pródigo —le insto.

—Algo así —me responde. Nos sentamos en un banco y observamos cómo Allie mira extasiada a unos osos polares que me recuerdan a algodones de azúcar de tamaño gigante.

—¿A veces no te preocupa? Ya sabes, el volverte como ella. —Se me acelera la respiración; espero no haberme pasado de la raya, desmoronando los cimientos que con tanto cuidado construimos.

—Sí, claro, a veces —contesta Leigh, sin inmutarse—. Ya se sabe, la maternidad es lo mejor que te puede pasar, pero también es algo que te agota completamente. Ya sé que suena raro, y espero que no te parezca horrible, sobre todo a alguien que aún no ha tenido hijos, pero es la verdad.

—No me parece nada raro —le respondo, y pienso en cuántas partes de mí misma perdí cuando Katie nació, en cómo echaba de menos el no tener otro propósito en la vida que darle el pecho, cantarle nanas y cambiarle los pañales. Todo eso es maravilloso, de verdad que lo es, pero había otros aspectos de mi vida que abandoné completamente de manera demasiado rápida; casi parecía que me hubieran amputado físicamente.

Seis meses después de que Katie naciera, Henry, que tal vez había notado mi inquietud o que simplemente se había aburrido de que, a la hora de la cena, su mujer sólo mantuviera conversaciones sobre cacas, pañales y ofertas de ropita de bebé, me sugirió que hiciera algo de trabajo voluntario. Que saliera de la rutina en la que había caído.

—¿Por qué no llamas a uno de esos hogares para los sintecho o a alguna asociación contra el cáncer o algo así, a ver si les puedes ayudar con sus campañas de marketing?

—No creo que haya hogares para los sintecho en Rye —le contesté mientras soplaba para enfriar el té de después de cenar.

—Hablaba metafóricamente —me contestó él.

—¿Y por qué iba a tener que hacerlo? Soy muy feliz cuidando a Katie. —Esperaba que mi voz sonara menos hueca que la verdad que ocultaba.

—No sé, se me había ocurrido que tal vez quisieras hacer algo más... en tu tiempo libre —dijo, y se levantó a retirar los platos de la cena.

—¿Tiempo libre? ¡Yo no tengo tiempo libre! ¿Te crees que esto de ser madre son unas vacaciones? —Posé la taza de té con más fuerza de la pretendida, y el contenido se derramó por los bordes encima de la mesa. Lo limpié con la manga de mi sudadera, esperando que Henry no lo hubiera notado—. O estoy dándole el pecho o la estoy cambiando o bañándola o jugando con ella; y cuando llega la canguro, ¡tengo que ir a comprar cosas! ¡No tengo ni un segundo de tiempo libre! Muchas gracias, pero no.

—¡Por Dios, Jill, sólo era una sugerencia! Un poco de espacio propio lejos del bebé puede ser sano.

—¿Qué pasa? ¿Que lo que hago no es sano? —Sentí cómo se me formaban lágrimas en los ojos.

—¡Oh, Dios mío, cálmate! Sólo era una idea. —Salió hacia la sala y cogió el mando a distancia.

—Si tan importante es para ti que yo tenga mi espacio, entonces ¿por qué me hiciste dejar el trabajo?

—¿De qué estás hablando? —me pregunta Henry, dándose la vuelta en la puerta para mirarme—. ¡Eras tú la que querías dejar el trabajo! ¡Yo no te obligué a nada!

—¿Cómo puedes decir eso? Tú me trajiste a esta zona residencial, y ahora me dices que estoy enferma y que necesito espacio, y que debería salir de casa, y que bla, bla, bla. ¡Joder!

—¡Tú estabas de acuerdo en todo! ¡Completamente! —Ahora Henry estaba gritando—. ¡Así me agradeces una simple sugerencia de que trabajes como voluntaria!

—¡Cállate! —le ordené—. Vas a despertar a Katie.

Demasiado tarde. Al cabo de unos segundos, oí berrear a Katie y sentí los ojos de Henry en mi nuca mientras subía a calmar a mi desconsolada hija, aunque no sé quién sufría más, si ella o yo.

Hoy, en el banco del zoo, no me ha sido difícil captar las connotaciones de lo que ha dicho Leigh: que la maternidad te llena por un lado; pero que, si te descuidas, te deja seca.

—¿Vas a tener más? —le pregunto, después de que Allie se haya acercado a nosotras corriendo para pedirnos dinero para un helado.

—A lo mejor —responde Leigh—. Ya veremos. —Se encoge de hombros y se ríe—. A veces, me siento como si ya me hubiera acostumbrado a esto de ser madre. Si le añadimos otro individuo, tal vez mande a la porra el equilibrio que he conseguido.

—Bueno, no soy una experta, pero a mí me parece que lo estás haciendo muy bien. —Allie entrega tres dólares al vendedor de helados y se concentra, como si fuera una decisión muy importante, en elegir el sabor de su helado.

—Eso espero —dice Leigh—. Pero ya se sabe: una intenta hacerlo lo mejor que puede. Aunque quizá lo mejor que se puede no es suficiente.

Allie escoge fresa y vuelve hacia nosotras, con el cono de helado moviéndose peligrosamente como una sierra, hasta que en el último momento lo pone recto. Enseguida nos despedimos con un abrazo, y Leigh me muestra una sonrisa amable, diciéndome que tenemos que repetir esto en un futuro próximo.

Las veo alejarse por el sendero de ladrillo del parque, rodeadas de un túnel de árboles que pronto perderán sus hojas, y de los que volverán a brotar otras nuevas, y vuelvo a pensar en lo que Leigh ha dicho hoy. «Lo mejor que puedo debería haber sido suficiente —me digo a mí misma—. ¿Y por qué ese suficiente nunca fue bastante para mí?»

HENRY

Nos mudamos a Westchester cuando yo ya estaba embarazada de cinco meses, seis semanas después de que yo dejara mi trabajo en la agencia, justo cuando mi abdomen se había convertido en una barriga bien curva y mis pechos estaban llenos como cántaros. Henry decía que estaba radiante, y la verdad es que es lo que intentaba con todas mis fuerzas: estar radiante anticipándome al nuevo ser. Quería que mi piel estuviera más rosada, mi pelo más lustroso, mi aura más iluminada. Y, durante mucho tiempo, la cosa funcionó: logré convencer no sólo a Henry, sino también a mí misma, me engañé creyéndome que no me aterraba infligir a mi bebé el daño que mi madre me había causado y que no estaba predestinada a tener cicatrices profundas y permanentes.

Henry estaba más preparado que yo para el cambio.

O, a lo mejor, lo que ocurría era que para Henry el cambio era mínimo (la única diferencia ahora en su vida era el tamaño de la casa y que tardaba más en llegar al trabajo); pero, para mí, todo había cambiado. O estaba cambiando. Bien mirado, quizá todo empezó a cambiar cuando nos mudamos, como la arena que se mueve bajo nuestros pies en la playa. La tierra estaba ahí, claro, seguíamos de pie, pero la arena se escapaba bajo nuestros pies, aunque siguiéramos ahí y apenas lo notáramos. Sólo después miraríamos hacia atrás y veríamos la playa completamente erosionada.

La casa nueva se me hacía muy grande, demasiado grande para alguien como yo. La recorría de habitación en habitación mirando el reloj y preguntándome cuánto faltaría hasta que Henry volviera y me ayudase a absorber todo el aire que contenía, a asimilar todo ese espacio. Ahora sé que debería haberle contado lo vacía que me sentía, lo demolida y sola que me sentía. Pero, por aquel entonces, me preguntaba de qué me serviría. Nos habíamos mudado y no nos íbamos a volver a mudar. Ahora, no. Así que me dediqué a vagar por esa mansión, a llamar a Ainsley para hacer *power walking* y a decorar toda la casa para transformar paredes, suelos y techos en algo que esperaba que fuera mi hogar. Además, me decía a mí misma, enseguida llegaría Katie y sería toda la compañía que necesitaba. Al menos, eso es lo que me decía a mí misma en mis mejores días.

A medida que las noches se fueron haciendo más frías y las hojas de color escarlata se desprendían de los árboles y Henry llegaba a casa no demasiado tarde, nos paseábamos por las tranquilas calles de nuestro barrio cogidos de la mano y hablábamos de nuestro futuro: el cuarto de Katie en tonos melocotón, el olor a polvos de talco, los sonidos del bebé que aprende a gatear, los pasitos de nuestra criatura empezando a corretear por el mundo. A veces nos sentábamos en el banco del porche trasero con los pies entrelazados, las manos de Henry sobre mi estómago, asimilando sin palabras la nueva vida que crecía en mi interior.

De alguna manera aprendí a dejar a un lado mi aislamiento. Leería cómo hacerlo en una revista (ahora no recuerdo cuál). Me imaginé a mí misma cogiendo mi soledad y dejándola en el suelo, a un lado de la carretera, junto a la tienda de comestibles o junto al centro comercial de Pottery Barn. Después de depositarla mentalmente allí, me alejé quemando llanta, exhalando de alivio, pero con demasiado miedo para mirar por el espejo retrovisor por si acaso descubría que no lo había dejado todo ahí, que de hecho mi soledad se las había apañado para volver a meterse de nuevo en el coche, de nuevo en mi interior; y que, dejarla a un lado de la carretera, dejarla en alguna parte, era del todo imposible.

13

Cuando Jack vuelve del lecho de dolor de su madre, también vuelve con ganas renovadas de seguir con su novela, en la que lleva trabajando a intervalos irregulares desde que nos conocimos. En la universidad, las aspiraciones de Vivian lo empujaron a escribir, reescribir y volver a reescribir montones de borradores, muchos de los cuales eran admirados por profesores; aunque ninguno resultó lo bastante bueno para conseguir que lo publicasen o para obtener galardones como los que daban a algunos de sus compañeros.

A veces, después de un vaso de vino y de asegurarle que no lo iba a juzgar en absoluto, nos sentábamos en el futón a leer juntos lo que él había escrito, él anotaría cosas o murmuraría para sí mismo y luego me pasaría una página, y así estábamos, pasándonos páginas de atrás hacia delante como si fuéramos una entidad que fluye. Después de licenciarse y de que le ofrecieran ese puesto tan buscado en *Esquire*, volvía a su «novela», si es que se podía llamar así porque, por lo que yo sé, sólo constaba de diferentes principios de diversos capítulos, cuando le embargaba el sentimiento de culpabilidad, o cuando Vivian alimentaba una vez más su ambición.

—Al verla ahí en la cama, tan frágil —me cuenta Jack esta noche entre tragos de Heineken—. Ya sabes, me he dado cuenta. Es hora de cagar, o de levantarme de la taza.

—¡Eso es fantástico! —le contesto, sólo medianamente interesada; ya he oído antes esta salida en falso. Muchas, muchas veces antes. Me abrocho los cordones de las zapatillas para salir a correr antes de que anochezca.

—¡Ah, por cierto! —sigue—, Leigh me ha dicho que os lo pasasteis genial ayer en el zoo. Ya tengo el sello de aprobación de mi familia.

—¿Necesitas el sello de aprobación de tu familia? —Me pongo de pie, intentando que no se me note lo ofendida que me siento—. Tienes veintisiete años, Jack, ¿de verdad necesitas su aprobación?

Me acuerdo de Henry y de que, cuando se me declaró, dijo que se había ido a tomar unas copas con mi padre antes de nuestro viaje a París, no tanto por pedirle permiso como para asegurarle que su intención era cuidar de mí hasta el fin de mis días. No buscaba su aprobación, y yo siempre lo admiré por eso, por su confianza en sí mismo, por no tener dudas, por estar tan seguro de sus decisiones; porque, para él, las decisiones se tomaban con sentido común, como un problema matemático que se resolvía de la manera en que debía resolverse.

—Pues claro que necesito su aprobación —suelta Jack, como si fuera la cosa más evidente del mundo—. La familia es lo primero y, si tú vas a formar parte de ella, tengo que asegurarme de que todos nos llevemos bien.

—Pero llevamos dos años saliendo, ¿y ahora te preocupas por que nos llevemos bien? —pregunto secamente. El cordón de mi zapatilla izquierda parece flojo y me detengo a atarlo otra vez.

—Bueno, tal vez ahora —dice y me coge de las caderas— esté preparado para que esto dure más de dos años.

Abro la boca para contestar, pero estoy tan desconcertada por sus insinuaciones (porque eran insinuaciones, ¿no?) que decido pasar por alto mi enfado ante su necesidad de aprobación familiar. Me he acostumbrado tanto a hacer la vista gorda, que no ha sido demasiado difícil.

—Venga, vete a correr —sigue él—. Yo voy a enchufarme al ordenador y a ponerme a escribir. Creo que, si lo hago todos los días durante un mes después del trabajo, para Acción de Gracias tendré algo que mover por agencias.

—¡Genial! —le respondo—. Manos a la obra. Como siempre.

—¿A qué te refieres? —inquiere, inclinando la cabeza a un lado.

—A nada. —Me encojo de hombros. Demasiado tarde. Se me había escapado el comentario antes de que pudiera detenerlo.

—No, venga. ¿Qué has querido decir con eso? —continúa.

—Nada, déjalo —le digo, y me dirijo a la puerta para salir a correr antes de que se haga de noche.

—No, en serio, ¿Qué narices has querido decir con eso?

«¡Mierda!», pienso. El comentario que ha hecho antes sobre su familia me ha sacado de quicio, pero es que además sigo estando resentida por haberse negado a llevarme con él a visitar a su madre el fin de semana anterior. Por mucho que lo intento evitar, siento que me hierve la sangre. Su incapacidad para darse cuenta de sus errores me deja pasmada.

«¿Por qué no lo dices? —me pregunto a mí misma—. ¿Por qué no le sueltas la verdad?»

—Es que a veces parece que siguieras un patrón: empiezas, paras, vuelves a empezar, pero luego nunca perseveras. —Me detengo, observándolo—. A veces creo que me cuestiono por qué te molestas en escribir, si no parece que sea algo que, para empezar, te interese tanto.

Exhalo, aliviada de haber mellado su armadura, igual que ha hecho él con la mía, incluso sabiendo que esto, estas agotadoras discusiones, es lo que he estado evitando (como si caminara entre vidrios rotos) desde que he regresado a esta extraña vida pasada.

—Eso ha sido un golpe bajo —dice, elevando la voz y separando las cejas—, y que conste que no podrías estar más equivocada.

—¡Perfecto! —Suspiro—. Me he equivocado. —Me quedo con la extraña sensación de que no me importa en absoluto, una especie de pasividad que me resulta poco familiar, como si me hubiera castrado a mí misma.

—¡No! —Vuelve a subir la voz—. ¡No me puedo creer que tengas tan poca fe en mí! ¡Que me tomes por un puto aficionado que no sabe ni limpiarse el culo!

—¡Oh, Dios! —exclamo—. ¡Cálmate! No he dicho nada así.

Ya veía que esto se iba a convertir en una de las peleas que teníamos en la otra vida, de las que acababan con amargos silencios, disculpas a medio gas y restos de culpabilidad que fueron minando la relación hasta que un día nos despertamos y vimos las cicatrices, auténticas cicatrices, y entonces me largué a un bar a conocer a Henry, quien se suponía que sería mi salvación.

—Mira, lo siento, no era eso lo que quería decir —le imploro, aunque la verdad es que no lo siento en absoluto—. Lo que quería decir es que, aunque tu madre quiera que te conviertas en un gran escritor, ésa tampoco tiene por qué ser tu vocación. Eres tú el que deberías elegir tus pasiones, no ella.

—¿O sea que lo que me estás diciendo ahora es que esto lo hago por mi madre? —Jack se sienta en el alféizar de la ventana, y veo que el sol se empieza a poner en el horizonte. Recuerdo algunas de mis discusiones con Henry, lo rápido que las cosas se pueden malinterpretar, tergiversar y desfigurar, como una anguila que escapa del anzuelo.

—No —le contesto, con ganas de acabar esta discusión, como es normal en mí—. Lo único que te digo es que tú eres el responsable de tu propia vida, eso es todo. No lo soy ni yo ni ella. Tú eres el responsable.

Aprieta los labios y suelta:

—Como si no lo supiera.

—Muy bien —le respondo y le doy un leve beso, eso sí, evitando su mirada. Luego me dirijo a la puerta, salgo y empiezo a correr, correr, correr, como si Jack fuera el único que necesitara aprender a ser responsable, a no ser posesivo y a desempeñar el papel que a cada uno le toca desempeñar en la vida.

Cuatro días más tarde es un lluvioso viernes por la tarde. La temperatura ha bajado de repente y en la oficina nos ha pillado a todos desprevenidos, en ropa de verano; nos hemos pasado todo el día tiritando, frotándonos las manos e intentando calentarnos con chocolate caliente que alguien ha desenterrado de la alacena de la oficina. El parte meteorológico advierte de la posibilidad de lluvias torrenciales, lo que sirve a la gente de excusa para marcharse temprano a casa. A las cuatro y media de la tarde, la oficina enmudece y las paredes se tornan del gris de esas nubes increíblemente bajas que veo a través de la ventana.

La nota de mi madre sigue en el cajón, debajo de bolis y papel de cartas de la agencia, y cada día me reclama como una alarma que sólo yo pudiera oír. Al final, me rindo.

Rebusco entre clips y rotuladores sin tapas, tropiezo con la invitación a la fiesta de Coca-Cola, pesco la carta de mi madre y la saco a la superficie.

«¿Cómo puede ser que haya estado siempre aquí?», pienso al mirar su letra, una letra que conozco tan bien como la mía. Es la misma pregunta que hice a mi padre cuando le conté que había recibido esta nota, pero él no sabía la respuesta. Se quedó callado al teléfono, tartamudeando, me imagino que tan asombrado como yo de que mi madre no necesitase irse muy lejos, sino sólo alejarse de nosotros. Cuando al hacerme mayor pensaba en ella, y era algo que hacía lo menos posible, siempre imaginaba que se habría fugado a París o habría abierto una tienda en la costa de Santa Lucía o un restaurante en Madrid. Jamás se me habría ocurrido pensar que estaría tan cerca. Al fin y al cabo, si quisieras escapar de tu vida, ¿no huirías a un lugar lo más alejado posible para que no tuvieras oportunidad alguna de arrepentirte y regresar?

Muy débilmente, tecleo su nombre en el buscador. El corazón me late a toda velocidad. Pulso la tecla de «Intro», sabiendo que me estoy abriendo puertas que había cerrado hace casi dos décadas, puertas que en mi vida anterior había dejado felizmente cerradas a cal y canto. Recuerdo que le conté a Henry todo eso en nuestra tercera cita ante un plato de espaguetis a la boloñesa servido en un pequeño restaurante italiano de Little Italy decorado con luces navideñas, justo antes de ir a su casa y dormir juntos por primera vez. Y cómo absorbió toda mi angustia y desinfló mi amargura, sin juzgarme por ello. Recuerdo que por fin me sentí purgada; y, al hacerlo, pude dejar que las heridas se curaran. Pero no se curaron. Este tipo de heridas no cicatrizan de la noche a la mañana y desaparecen para siempre. Porque, una vez que se han curado, incluso cuando apenas se notan las cicatrices, los recuerdos del dolor siguen presentes en el cerebro, como el estrés postraumático después de sufrir un atraco. Le dices a todo el mundo que estás bien, e incluso tú te convences a ti misma de que así es, hasta que un día un hombre se te acerca demasiado en la calle y te invade el pánico, y entonces revives el momento del atraco. Así era un poco vivir con el recuerdo del abandono de mi madre. Seguía ahí, pese a haberlo apartado de mi mente, como un mal olor al que te has acostumbrado tanto que ya no lo notas. Y luego, una vez casada, Henry tampoco me ayudaría a olvidarlo; él creía que recuperar el vínculo con mi madre curaría todos mis males.

«¿Cómo puede alguien ser tan invisible que ni siquiera Google pueda rastrearlo?», me pregunto.

—¿Todavía estás aquí? —pregunta Josie, asomándose a la puerta. Entra y se desploma en la butaca que hay delante de mi escritorio—. Pensaba que era la única que todavía quedaba en la oficina.

—Aquí, aguantando la vela —le digo, girándome hacia ella sin apartar los ojos de la pantalla.

—Ya veo —dice, quitándose un zapato y masajeándose el pie—. Por cierto, acabo de hablar con los chicos de Coca-Cola...

—¿Qué ha pasado con Bart? —interrumpo.

—¡Oh, nada! —contesta, haciendo un gesto con la mano y poniéndose como un pimiento—. Es que había bebido un poco más de la cuenta —mueve la cabeza, y su voz se desvanece— o algo...

—O algo —concedo.

—Bueno, tengo noticias, buenas e importantes. Coca-Cola ha decidido contratarnos no sólo para esta campaña, sino para toda su publicidad: prensa, radio, televisión.

—¡Caray! —exclamo—. ¡Eso está muy bien! ¡Felicidades, Jo!

—No me felicites a mí, tú has sido la que lo ha logrado. Así que... —se detiene para impresionarme—... a partir del lunes, considérate directora de cuentas.

—¿De veras? —«Esto sí que no pasó en mi otra vida.» Entonces sólo me dieron unos golpecitos en la espalda y me dijeron «buen trabajo», pero no me consideraron un genio publicitario, que es más o menos lo que significa este ascenso (y con dos años de antelación).

—¡Gracias, Jo! —Me balanceo en mi silla que, a modo de exclamación, cruje por ese efecto.

—De nada —responde mientras se calza—. Te lo has ganado a pulso. Ahora vete a buscar a ese novio tuyo para celebrarlo juntos.

—Bueno, la verdad es que está en casa de sus padres. A su madre se le rompió la cadera y a él le gusta estar a la cabecera de su cama. —Noto que se me va de golpe todo el entusiasmo, como el aire de un neumático pinchado—. Pero tú sí que deberías irte a casa. A disfrutar de los críos.

—La verdad es que están con Art en San José. Son sus últimos días de vacaciones este verano, antes de que el curso empiece la semana que viene.

Las dos nos quedamos mirando al suelo, abochornadas porque hay algo que es obvio: ninguna de las dos tenemos otro sitio adonde ir, ninguna tiene a alguien que la necesite lo suficiente para abandonar oficinas vacías y tristes.

—Bueno, supongo que eso es todo —dice por fin para romper el silencio. Se levanta para marcharse—. No trabajes todo el fin de semana, ¿eh?

—Te lo prometo. —Sonrío, pero la sonrisa se desvanece en cuanto Josie sale de mi despacho. Cojo el teléfono para llamar a Jack y contarle lo de mi ascenso, pero me lo pienso dos veces. Siempre que Jack está con su madre, siento como si mis llamadas fueran una intromisión, como si me diera la razón hasta que puede deshacerse de mí y volver a lo que es su prioridad.

Remuevo papeles en mi escritorio, buscando algo que hacer, hasta que me doy cuenta de que los resultados de mi madre en el buscador (o la falta de ellos) siguen en la pantalla de mi ordenador. Cojo la carta y la vuelvo a leer, como si no me supiese de memoria cada palabra y no me hubiera cuestionado antes su significado un millón de veces. Me muerdo el labio inferior y reconsidero mis tácticas de búsqueda, y entonces introduzco su número de teléfono en el buscador de Google. Aparece un resultado:

Ilene Porter. Quinta Avenida, número 120.
Nueva York, NY 10011.

Me quedo mirando esa información tanto tiempo que se vuelve borrosa y me marea.

Porter. 120. Ilene. 10011. Nueva York.
Quinta Avenida.

Intento que lo que veo tenga sentido, pero no lo consigo. Porter no es su apellido de soltera y, desde luego, tampoco el de casada. Y entonces lo comprendo tan rápidamente que me sorprende no haberlo averiguado antes: mi madre se ha vuelto a casar. Ha rehecho su vida y quizá formado su propia familia con alguien nuevo, alguien que no es mi padre, hijos que no somos ni Andy ni yo; no es que no quisiera una familia, es que no quería a nuestra familia.

Respiro hondo, como si eso me purificara o pudiera borrar mi nuevo descubrimiento; pero de nada sirve, de nada más que para que me quede dando bocanadas. Estoy mareada y me levanto tan de repente, que tiro la silla al suelo. Abandono la oficina, bajo el ascensor, y salgo a la calle y a la tormenta. Llueve con tanta fuerza que creo que me voy a ahogar con los goterones, lo cual me imagino, mientras corro por la calle, que no está tan mal, porque así nadie verá mis lagrimones.

14

El tiempo se niega a cambiar. Me he pasado todo el fin de semana oyendo el goteo del aparato de aire acondicionado, situado justo fuera de la ventana de la sala; me paso una cantidad enorme de tiempo mirando por esa ventana. El tiempo pasa despacio, es un tiempo que no tengo que dedicar a nadie más que a mí misma (no hay marido al que apoyar, ni criatura a la que limpiar), y eso me sigue resultando extraño incluso dos meses después de haber regresado a mi pasado, como una piel que no se ajustara a mi propio cuerpo. Me apetece volver a la oficina, pero me preocupa volver a encontrarme a Josie, me da vergüenza encontrármela y reconocer que me estoy convirtiendo en otra versión de ella: todo es trabajo, nada de vida privada.

En nuestra enorme casa de Westchester no había momentos ociosos. Siempre tenía coladas que hacer, pañales que reponer o cereales que recoger de debajo del sofá. Por las noches, cuando Henry estaba de viaje, que era casi siempre, intentaba meterme en la cama con un libro, después de haber bañado a Katie («¡baño de pompas de jabón!»), y de haberla acostado («¡Buenas noches, Luna!»). Pero nunca lograba desconectar de mi rol de «madre a jornada completa», así que la mayor parte del tiempo me pasaba las noches mirando revistas o leyendo páginas en Internet, aprendiendo nuevas recetas y juegos o aprendiendo a organizar una fiesta de cumpleaños que fuera un éxito total, aunque todavía faltaran cuatro meses para el cumpleaños de Katie.

Y ahora no tengo que responder ante nadie. El silencio es tan profundo que parece casi tangible. Jack está con su madre; Meg y Tyler se han marchado a su casa de la playa para, como me susurra Meg al teléfono, «encargar el bebé». Ainsley ya se ha mudado al norte, a Rye. Mientras miro por la ventana la cantidad de agua que cae del cielo, me doy cuenta de que la soledad no es algo que se materializase cuando Henry y yo nos casamos, o al nacer Katie, sino que es algo que me ha estado persiguiendo durante toda la vida, como una sombra de la que no me puedo librar.

Cualquier terapeuta me diría que esto proviene del abandono de mi madre, pero yo no estoy tan segura. ¿No hay rasgos que nos son innatos? Cuando Katie nació, fue tozuda desde el primer momento. Sus alaridos podrían haber roto el cristal, y parecía que padeciera constantemente de cólicos. Durante semanas, yo funcioné como un piloto automático: me despertaba con sus lloros en una marea de delirio agotador, intentaba consolarla dándole el pecho, luego la cogía en brazos y la mecía hasta que dejara de llorar. Cuando eso no funcionaba, la sacaba a pasear por el barrio; yo, desesperada por ver si el ruido del cochecito la calmaba, y ella, negándose a calmarse. Henry trataba de ayudar, no es que no lo intentase. Pero no era él el que la alimentaba, no era él el que la había llevado dentro durante nueve meses. «No eres su madre», murmuraba cuando él intentaba consolarla y no lo lograba, o cuando la cambiaba para poner el pañal al revés o cometer algún pequeño error de los que yo, y me vanagloriaba de ello, nunca cometía. Ahora me doy cuenta, desde mi posición en este apartamento junto a Jack y siete años antes, de que habría sido un milagro no haberme sentido resentida con él.

Los días después de que naciera Katie se me hacían eternos. Me sentaba en el porche delantero esperando a que el

142

sol se pusiera de una vez; «cuanto antes anochezca, antes pasará este horrible día», pensaba, sin pensar que al día siguiente me despertaría y todo volvería a ser exactamente igual. Me mecía en el columpio del porche y pensaba: «Nadie te dice que esto va a ser así. Nadie te comenta que esto es la cosa más dura que hayas hecho jamás; que no se trata sólo de algodones rosas y ruiditos de bebé o mejillas sonrosadas. ¿Por qué nadie me advirtió?» Pero entonces, cuando Katie se quedaba callada y yo le acariciaba la espalda mientras dormitaba en su cuna, sentía de forma palpable la ausencia de esa soledad que tan fuertemente había sentido; y me ruborizaba de vergüenza, me abochornaba por haber tenido momentos de flaqueza y arrepentimiento. Entonces dejaba de pensar en todo lo demás y me metía de lleno en el papel de madre perfecta. Por encima de todo, eso era lo que mejor hacía.

Así que ahora, haya o no haya terapeuta que culpe a mi madre por mis sentimientos de alienación, una parte de mí sabe que, sencillamente, es así como he salido. Que el daño que me hizo tuvo su impacto, claro, pero que la cosa no empezó ahí; y ahora tampoco estoy muy segura de dónde acaba. O cómo acaba.

«¡Acaba aquí! —intento advertirme a mí misma—. Con esta segunda oportunidad. Sal y haz algo con esto, con la buena suerte de que te hayan dado otra ocasión para que intentes que funcione lo tuyo con Jack.»

Me quedo mirando la tormenta y deseo con todas mis fuerzas que así sea.

Al final, durante un breve segundo, el cielo pierde ese tono gris metálico y se vuelve blanco; y, con la energía que de pronto bulle dentro de mí, me ato las zapatillas para salir a correr. Entonces, sorprendida, caigo en la cuenta de que ésta será la primera vez que deje el apartamento en todo el fin de semana.

Corro por las calles, sin ningún destino en concreto.

Aunque normalmente voy a un circuito para hacer *jogging* que discurre al lado del río; hoy, sin saber por qué, me dirijo hacia el este, pasando por las calles empapadas, saludando con la cabeza a los pocos peatones que también han aprovechado el breve paréntesis entre lluvias para salir de sus guaridas y respirar un poco de aire fresco. Corro por delante de rebosantes tiendas *delicatessen* y finas *boutiques*, y por encima de charcos que amenazan con frenar mi paso pero nunca lo consiguen. Siento la sangre y la adrenalina en mis piernas, como un potrillo salvaje que se niega a que lo domen. Sigo por el East Village y llego a las avenidas, hasta que ya tengo claro adónde me dirijo, adónde me ha estado llevando mi cuerpo todo el rato, aunque mi cerebro no lo admitiera. Me he estado engañando a mí misma. Todo el mundo sabe que en eso soy una experta.

Me paro bruscamente delante de su edificio, su edificio. En el toldo leo «QUINTA AVENIDA, 120». Es una impresionante estructura blanca que, ya desde fuera, apesta a riqueza, el típico edificio al que no te mudas a no ser que tengas unas buenas rentas o un empleo en Wall Street. A la entrada hay un hombre pulcramente uniformado barriendo hojas que han caído con la tormenta; se da la vuelta y saluda con la cabeza a una mujer rubia con un elegante impermeable de color verde oliva y botas hasta la rodilla que sale por la puerta acristalada del edificio. La veo desaparecer por la esquina y no puedo evitar preguntarme, a pesar de que el pelo de mi madre es azabache, si no será ella. Si su color de pelo no será una de las muchas cosas que han cambiado. Vuelvo a mirar al portero mientras otra canción empieza en mis auriculares, y entonces un trueno me pone en acción de un salto. Sin ningún preámbulo, la lluvia se desata y en cuestión de segundos estoy totalmente calada hasta los huesos.

«¡Mierda!», digo entre dientes, mientras las gotas me bajan por la frente y retomo la marcha. Tres manzanas más abajo diviso un Starbucks y me meto en él, con las zapatillas empapadas y la ropa que podría tenderse a secar. Estoy en la entrada, sacudiéndome el agua de los brazos como un perro después de tirarse al agua, cuando oigo que alguien me llama a mi espalda.

«¡Pues claro!», pienso, mientras me giro para saludarlo.

Y ahí está, Henry. Siguiéndome casi tan de cerca como mi propia sombra de soledad.

—Tenemos que dejar de vernos así —me dice sonriendo.

Fuerzo una sonrisa, pero me temo que, con el rímel corrido y el pelo pegado a la cabeza, me parezco más al personaje de una película de terror que a la mejor versión de mí misma.

—¿Quieres tomar algo? —me pregunta, y me acerca unas servilletas como si sirvieran de algo. Intento secarme con ellas, pero me doy cuenta de que es inútil: es como si acabara de salir de la ducha y quisiera secarme con papel higiénico.

—N-no, gracias —tartamudeo—. No puedo quedarme.

«Claro que no puedes —me digo a mí misma—. Tienes un novio que, aunque ahora mismo esté más enamorado de su madre que de ti, parece estar lo suficientemente enamorado de ti. ¡Y tú ya SABES qué es lo que pasa después con Henry! Aprovecha esta oportunidad para encontrar tu camino. No te quedes.» Tres gotas de agua me resbalan por la nariz y caen al suelo. Noto cómo se me acelera el corazón, y no estoy segura de si esas gotas son de lluvia o del sudor que de pronto me sale por todos los poros.

—¿Vas a volver ahí fuera? —me pregunta Henry—. ¿Sólo para huir de mí? —Me quedo mirándolo un instante antes de percatarme de que no ha podido leerme la mente y, en realidad, está bromeando, o incluso flirteando. No recuerdo la última vez que Henry flirteó conmigo.

145

—¡Oh, no!, no es eso —replico—. Es que... bueno, ya sabes, tengo cosas que hacer.

En ese preciso instante, retumba un trueno que hace que la gente que está detrás de nosotros grite, y yo doy un bote en el aire y me oprimo el pecho, asustada. Al caer, mis zapatillas hacen un sonoro «¡chof!».

—¡Dios mío! —grito.

—Bueno, que te vaya bien —dice Henry—, aunque la verdad es que creo que te va a ir mucho mejor aquí dentro que ahí fuera. —«¡Sigue flirteando!»

Lo miro fijamente a los ojos y me siento como en un episodio de *Barrio Sésamo*. Ése en que Caponata se estrella una y otra vez contra un muro porque no se da cuenta de que tiene que saltarlo en lugar de intentar atravesarlo. Sólo que, esta vez, yo soy Caponata y el muro está cerrado por los cuatro costados.

—Vale —le digo de mala gana, justo antes de que caiga otro rayo atronador—. Supongo que todo lo que tengo que hacer puede esperar.

«¡No! —me insta mi cerebro—. ¡Huye! ¡Corre lo más rápido que puedas! ¡Maldito sea el trueno! Deja que te lo repita —me digo a mí misma—. ¡No... Te... Quedes!»

Cuando Henry llega y me suelta: «No me lo digas, deja que lo adivine. —Y prosigue—: ¡Ya lo tengo! Eres una chica de té *chai*», me saca tanto de quicio que no puedo marcharme. Porque, en realidad, tiene razón: me ha calado, aun sin saber nada sobre mí, y él se siente como si ya me conociera.

Nos sentamos a una mesa en la parte delantera. Henry dobla el *New York Times*, de forma que las páginas queden bien estiradas y el periódico totalmente plano, como hará cada fin de semana durante los siguientes siete años de nuestras vidas, y yo trato de ignorar el sentimiento de familiaridad que ese gesto me produce. Entonces se atusa el cabello, como hace cuando está nervioso, y una pequeña parte de mí va bajando la guardia, como si hubiera estado hibernando y se preparara para la primavera.

Y, aun así, me digo a mí misma que esto no es buena idea. «¡No... Te... Quedes!»

—Bueno, Jillian, esto es lo que sé de ti —dice Henry dando un sorbito a su doble *espresso*—. Haces la publicidad de Coca-Cola. Coges el autobús. Tienes un novio que, según parece, no está en ninguna parte. Creo que te gusta correr, y... —inclina la cabeza y se detiene, pensando en qué añadir después— resultas adorable, incluso cuando pareces un ratoncillo empapado. —Sonríe triunfalmente, y yo me muerdo el labio inferior para no hacer lo mismo.

—Has acertado en todo —le digo y luego, pensándolo mejor, le suelto—, excepto en lo del novio, que sí está en alguna parte.

—Tomo nota —me contesta—. ¿Hay algo más que deba saber sobre ti?

—Creo que eso es todo. —Me río—. Ésa es la versión fascinante de mi persona, en un resumen de diez segundos. —Y me doy cuenta de que es cierto. La persona que soy en el pasado no es tan diferente de la que sería en el futuro: vidas que siguen un patrón, aburridas, que se pueden empaquetar, envolver con un lacito, guardar bajo la cama, olvidar hasta que alguien se las encuentre al limpiar el polvo.

Se queda mirándome con insistencia y me responde, muy serio:

—No, eso no es todo.

—Pues a mí me parece que sí —le comento encogiéndome de hombros, y entonces recuerdo dónde he ido a finalizar mi carrera. Antes de que pueda arrepentirme, le digo—: Bueno, también está el hecho de que mi madre me abandonara a los nueve años y que ahora quiera reconciliarse conmigo.

Se me ponen los ojos como platos ante mi comentario, y enseguida desearía no haberlo hecho. «¿Qué eres tú? ¿Una chica loca que hace este tipo de revelaciones en la primera cita? ¡Ese tipo de chica que repele a los hombres porque nunca cierra la boca!», grito para mis adentros. «¡Pero si esto no es una cita!», me recuerdo a mí misma, y me enfado conmigo por siquiera haberlo pensado. Doy un sorbito a mi té para disimular y espero que él no lo note. Tengo una pequeña baba en la boca y me la seco con el dorso de la mano.

En vez de asustarse por mi confidencia o de que le repelan mis modales en la mesa, Henry frunce el ceño y me mira con lástima.

—Lo siento mucho —dice—. Eso debe de dar mucho miedo.

Quiero dar un salto por encima de la mesa y abrazarlo, apretarlo contra mí tan fuerte que me clave la barba de dos días que lleva. Porque en todo esto, nadie, ni Jack, ni Megan, ni mi padre, ni siquiera yo misma se ha acercado a lo más espantoso de todo el asunto: que el regreso de mi madre a mi vida no sólo es algo que me ponga nerviosa o me desarraigue emocionalmente, sino que me da muchísimo miedo, más que nada de lo que haya sentido antes. Descubrir la verdadera razón por la que nos abandonó puede ser peor que no saberlo nunca, y ahora que tengo la oportunidad de desvelar este misterio, el miedo es sobrecogedor.

De pronto, le estoy contando la historia de mi madre, mi propia historia; de cómo nos dejó una fría mañana de otoño, y cómo ha regresado de la misma manera, y de que ahora me siento como la infantería atacada por obuses sin aviso. Las palabras salen de mi boca de forma atropellada y, cuando he acabado, me siento purgada. Aunque sé que Henry me ha hecho sentir así más veces de las que yo recuerdo antes de que la relación se enfriase, estoy sentada en un Starbucks tratando de recordar cuándo alguien, tanto en esta vida como en la anterior, me ha hecho sentir así, como si volviera a nacer.

Al final, en el momento justo, se acaban los truenos y la

tormenta se convierte en una fina lluvia. Trato de controlar mis emociones, recordándome a mí misma que Henry es una cuerda resbaladiza con la que ya me he tropezado antes.

—Tengo que irme —anuncio, y me levanto de repente.

—¡Ah, vale! —La decepción se le nota en la cara—. Bueno... —sigue él—, me encantaría saber cómo acaba esto. Lo de tu madre, claro.

—Tengo novio, Henry. —«Sí, eso. Tienes novio.»

—Ya lo sé —dice sin un ápice de arrepentimiento, sin inmutarse—. Es que no es muy frecuente encontrar a alguien con quien hablar tan fácilmente. Contigo es... no sé, no lo puedo explicar —confiesa sin ningún pudor.

Asiento con la cabeza, porque a mí también me pasa.

—¿Amigos? —le comento mientras le extiendo la mano—. ¿Y si lo dejamos en amigos?

—¡Amigos! —responde, y me coge la mano. Espero que no haya notado cómo me he estremecido al reconocer su tacto.

Me doy la vuelta para marcharme y abro una puerta de cristal surcada de gotas.

—¡Nos vemos! —me llama.

—Bueno, la verdad es que me has seguido muy bien últimamente.

—Entonces no hay dudas de que te volveré a ver muy pronto. —Sonríe.

—¡A ver si es cierto! —le respondo, antes de darme cuenta de que probablemente no debería tontear con Henry.

KATIE

A Henry lo nombraron «El socio más joven de la empresa» cuando yo estaba embarazada de siete meses. De treinta y una semanas, para ser exactos. Lo sé porque me habían hecho una ecografía ese mismo día. Vino a casa con una botella de champán y me convenció de que unos sorbitos no iban a hacer ningún daño al bebé, y yo estaba tan agradecida por ese sorbito de vida de antes de mi embarazo que me bebí toda la copa. Aunque, a decir verdad, estaba tan aterrada por las consecuencias de mi exceso que me pasé toda la noche sin pegar ojo por el sentimiento de culpa.

—Esto no cambiará nada, es sólo un poco más de trabajo por un enorme beneficio —me aseguraba Henry, después de haber hecho el amor por tercera vez desde que concebimos a Katie. Acarició ese balón que yo tenía por barriga. Yo asentí, embriagada por esa química poscoital que logra convencer a la más compungida de las mujeres de que su matrimonio no se está yendo al garete.

Dos semanas más tarde, cuando yo ya estaba de treinta y tres semanas, Henry partió en lo que se convertiría en un interminable viaje de negocios: se iban apilando unos sobre otros como si fueran una baraja de cartas, y el poco tiempo que estaba en casa lo pasaba durmiendo, lavando la ropa y volviendo a hacer la maleta. Ainsley dio a luz ocho semanas antes que yo, cuando Henry estaba en Hong Kong, así que me pasaba el día en su casa, observándola atentamente y deseando que lo que parecía una destreza maternal innata se me pegara a mí por ósmosis o algo. La habilidad de Ainsley seguro que tenía que ver con el hecho de que su marido estuviera en casa; él había pedido la baja por paternidad para poder mimar tanto a la madre como al hijo.

—¿Baja por paternidad? —Se rio Henry cuando se lo conté. Todavía olía al aire viciado del avión—. ¿De veras? Creo que es lo más estúpido que he oído nunca. Nadie haría eso en mi empresa.

Me encogí de hombros y me pregunté cómo se me

había ocurrido ni comentarlo. No es que me fuera a creer que Henry pudiera (o quisiera) dejar de trabajar tres semanas para quedarse con nosotras. Tal vez tendría que haberle pedido tres días. Seguramente. Debería haberle pedido al menos tres días. Tres días para ayudarme a acostumbrarme a mis miedos, a mis nervios y a las atroces sombras que me iban insinuando que en esto de la maternidad la había fastidiado. Pero, en lugar de eso, no dije nada. Supongo que debió de parecerme más fácil.

A medida que la fecha del parto se iba acercando lentamente, mis tobillos se hincharon, se me aceleró el pulso y el ritmo de vida que Henry llevaba seguía siendo igual de frenético. Me regalaba vales para masajes y, de vez en cuando, se acordaba de traerme flores a casa, incluso aguantó toda una tarde en Prenatal; pero eso sólo eran parches, y costaba no admitir que, aunque yo sonriera de oreja a oreja y me acariciara la barriga con cariño, estos parches no podían reparar la grieta que se había abierto entre nosotros.

Cuando rompí aguas estaba en la cocina preparando lasaña (¡Gourmet!), Henry iba camino del aeropuerto. Todavía faltaba una semana y le había asegurado que no, que de ninguna manera me iba a poner de parto mientras él estuviera de viaje de un solo día en Chicago. Al fin y al cabo, lo había leído mil veces: las madres primerizas se suelen retrasar.

Las contracciones siguieron viniendo como una marea, así que lo llamé desesperada, deseando encontrarlo antes de que su vuelo despegara; luego llamé un taxi, que llegó al cabo de doce minutos y tres series de contracciones y que apestaba a curry y Old Spice. Y así fue como ingresé en la sala de partos de la clínica de Westchester.

Henry apareció por la puerta diez minutos más tarde, frenético y sudoroso, y cuando lo vi, sintiéndome culpable pero también esperanzada, olvidé las grietas y los cambios que había sufrido nuestro matrimonio y a los que no habíamos logrado adaptarnos. Si es que alguna vez había percibido yo esos cambios. En lugar de eso, me concentré en mi respiración, Henry contaba conmigo; y, más tarde, me sujetaría las piernas y gritaría conmigo. Tras once agotadoras horas de parto, Katie vendría a este mundo.

15

Es lunes por la mañana y Gene y yo estamos celebrando nuestros respectivos ascensos (ahora él es, oficialmente, mi ayudante) a base de dónuts, cuando me llaman de recepción para decirme que me ha llegado un paquete.

—Ya voy yo —se ofrece Gene, y se levanta de un brinco, chupándose los dedos.

—Oye, que no eres mi chico de los recados, ya puedo ir yo. —Pero, justo cuando me levanto, aparece Josie por la puerta con cara de «no te vayas», así que Gene sale corriendo a buscar mi paquete.

—Bueno, sé que éste es tu primer día en tu nuevo puesto de trabajo, pero creo que ya nos hemos tropezado con un contratiempo —me dice, y arroja un montón de fotos encima de mi mesa. Van a parar encima de pequeñas tarrinas de mantequilla de las que normalmente me abstengo, pero que hoy me permito a modo de celebración—. A los de Coca-Cola no les ha gustado nada el chaval que hemos elegido para los anuncios en prensa. —Se deja caer en la silla que todavía está caliente de Gene y se rasca el puente de la nariz—. Justo lo que necesito ahora mismo.

—¿Estás bien? —le pregunto; porque, desde luego, eso no supone la crisis monumental que ha anunciado.

—Sí —dice, y hace un gesto con la mano, como quitándole importancia—. Mira, he estado observando todas esas fotos y no he encontrado ningún rostro que me llame la atención; así que, ¿por qué no les echas tú un vistazo y encuentras a la próxima gran estrella de la publicidad?

Eso lo comenta con un sarcasmo que no es propio en ella. Puede que no estuviéramos creando grandes obras de arte, pero Josie era la primera en creer que lo que hacíamos importaba. Que las horas que pasábamos recluidas en nuestras oficinas cambiaban el mercado y los hábitos comerciales, y que dejar a los clientes satisfechos era tan importante como cualquier otro trabajo en cualquier otra industria.

—Tranquila —le contesto, perpleja—. No puede ser tan difícil encontrar a un niño gracioso o a una cría mona.

—Es más difícil de lo que te crees —me dice—. Me he pasado todo el fin de semana mirando montones de fotos y mandándoselas por fax a Bart, pero no le ha gustado ninguna.

—¿A Bart? —le pregunto.

—No es nada —me contesta con una determinación que, o es auténtica o deprimente, así que me abstengo de seguir por ahí—. Harán las fotos en un par de días, así que hay que encontrar a alguien que les guste, arreglar al chaval, hacerle las fotos de prueba, darle el guión... —Suspira—. En fin, que les eches un vistazo, a ver si alguno te llama la atención.

—Sí, claro —le respondo.

—Bien —dice sin entusiasmo y se levanta para salir de mi despacho.

Meneando la cabeza, acerco la silla al escritorio y empiezo a pasar las fotos. Aunque los chavales difieren en cuanto a color y peinado, estatura y peso, todos ellos tienen un aire similar: sonrisas forzadas, miradas ensayadas, expresiones de plástico que no me dicen nada, y lo más importante, que tampoco le dirán nada al consumidor. Vuelvo a mirarlas una a una, y comprendo por qué Bart no estaba contento.

Justo cuando miro por segunda vez la foto de un adorable afroamericano de seis años, Gene entra tambaleándose con un enorme jarrón de flores en las manos, es un ramo tan grande que bien se podría comparar con un árbol. Un árbol pequeño, pero un árbol.

—Retira un poco la mierda de tu escritorio —grita frenéticamente—. ¡Rápido, antes de que se me caiga todo!

Pongo parte del correo viejo en el suelo, y él se inclina hacia donde yo estoy, depositando el jarrón en un espacio (ahora vacío) con un golpe seco que hace que los tallos tiemblen por la vibración.

—¡Caray, hay alguien que te adora! —comenta Gene, dando un paso hacia atrás para observar la jungla floral.

Cojo la tarjeta que viene atada a un lirio naranja y abro el sobre con un dedo.

Jill:
Estoy muy orgulloso de tu ascenso y siento haber estado un tanto distraído últimamente.
¿Qué tal una cena esta noche en «nuestro garito»?
Te quiere,

JACK

Se me ensancha la cara de la sonrisa y muevo la cabeza maravillada.

Dejé dos mensajes en el teléfono de Jack cuando volví a casa después de mi interludio con Henry en el Starbucks café. En el primero le contaba lo de mi ascenso y, en el segundo, preocupada ante el hecho de que no podía quitarme a Henry de la cabeza, le dije lo muchísimo que lo echaba de menos y cuánto me gustaría que volviera a casa esa misma noche, en lugar de coger el primer tren al día siguiente, a pesar de que el sol ya se había puesto hacía mucho y de que se me caían los párpados por el cansancio y sabía que había pocas probabilidades de que me hiciera caso.

Me acosté, pero no dormí bien; al cabo de una hora, a

medianoche, me desperté y vi que no había mensajes. Pero, ahora, me venía con esto. ¡Y además un lunes! Sabía que los lunes por la mañana eran los días que Jack tenía más trabajo, llenos de reuniones de Redacción, fechas límite de entrega y excusas baratas de sus colaboradores externos; así que, cuando esta enorme obscenidad floral fue a parar a mi mesa, bueno, parecía que era algo. No lo era todo, pero ya era algo, algo de lo que estar segura; y, para mí, que tan desesperada estaba por eliminar a Henry de mi mente, de expulsarlo como si fuera un desecho podrido, realmente era algo significativo.

—Me imagino que los problemas amorosos ya se han resuelto —suelta Gene, prácticamente cegado por mi deslumbrante sonrisa.

—¡Correcto! —le aseguro, inclinándome para oler las rosas.

—Son buenas noticias —dice—, porque no había querido decirlo antes, pero ahora sí que lo digo: los ex novios siempre son un problema.

—No siempre —le replico—, sólo la mayoría de las veces.

—Siempre —sentencia—. Desde tiempos inmemoriales. No te engañes.

—No lo hago —digo mientras Gene sale por la puerta con aire serio.

Hasta que me doy cuenta de que era justo eso lo que yo estaba pensando, que los ex son siempre un problema. Entonces me embarga una ola de gratitud. Caigo en la cuenta de lo cerca que he estado de tirarlo todo por la borda. Y ahora, con Jack a mi lado, cómo no se me va a ocurrir pensar en Henry, en que era un problema. Pero no volverá a serlo.

—Ya puedes dar por superada tu crisis —anuncio, al entrar por la puerta del despacho de Josie.

Ella alza un dedo y me hace un gesto que indica que me

espere un momento, mientras aprieta el teléfono contra la oreja. Yo me dedico a mirar las estanterías del despacho que están llenas de trofeos y placas de premios, y docenas de libros sobre marketing, publicidad y consumismo.

El despacho de Josie está en medio de la empresa, y no es muy grande. Esto se debe a que ella es la socia más reciente, y éste era el único espacio que quedaba. A diferencia de mi despacho, que parece fruto de múltiples ataques, el de Josie es angular, ordenado y totalmente impecable. Paso la mano por la estantería de pino y me pregunto si no preferirá quedarse hasta tan tarde sólo para comprobar que todo está en su debido sitio, en lugar de regresar a su casa y a su familia. Pero entonces recuerdo mi propia vida, mi otra vida, en la que mi casa era la encarnación misma de la perfección, como si las sábanas almidonadas y los centros de flores representaran de alguna manera un alma robusta, y me da escalofríos pensar que tal vez Josie y yo tengamos algo más en común que el don de la publicidad.

—Lo siento —me dice mientras cuelga el teléfono—. Es Art —susurra, negando con la cabeza y de forma tan inaudible que no sé si el problema es su marido o el director de arte de la campaña de Coca-Cola. Se pasa las manos por la cara, se acaricia las cejas y resopla—. Le han ofrecido un trabajo fijo en San José.

—¡Oh... eso es genial! —es todo lo que a mí se me ocurre, aunque no parece que me oiga.

—¿Y ahora qué? ¿Eh? ¿Qué? —grita, y entonces me doy cuenta de que no me ha oído—. ¿Que tengo que renunciar a este puesto para que Art pueda ser el director creativo de la puta ópera de San José? ¿Y qué más?

—No...

—No, de verdad. No sé, ¿parezco una mala esposa? ¿Y ahora que mi marido por fin ha conseguido un trabajo fijo desde... no sé, desde hace dos décadas, a mí no me alegra en absoluto?

—No sé, Josie... —le digo en voz baja—. Pero estoy segura de que eso no te hace ser una mala esposa.

—Yo tampoco lo sé —suspira—. Me he sacrificado mucho por mi familia y, ahora, después de años rompiéndome la espalda para que a mis hijos no les falte de nada y puedan ir a la universidad, él coge y me suelta esto, como si dijera: «Muchas gracias por tu tiempo, pero ahora me encargo yo, así que haz el equipaje y vente a San José». —Y canturrea—: ¡El puto San José!

Pienso en Henry y en mi terrible soledad, en cómo me llevó a las afueras sin que yo me pensara mucho lo que dejaba atrás, en cómo me intentaba convencer de que me reconciliara con mi madre sin considerar siquiera las razones por las que yo simplemente no podía hacerlo, y me resulta fácil comprender a Josie.

—Pero olvida ya mis problemas —me dice Jo, y hace un gesto con la mano—. ¿Qué crisis es esa que dices que has resuelto?

—¿Tienes más de una? —le pregunto.

—¿No es obvio? —Me echa una sonrisita.

—Bueno, he resuelto la crisis de Coca-Cola: he encontrado a la chavala. Bart ha aceptado, y ya está todo listo para las pruebas.

Cuando menciono el nombre de Bart, los ojos de Josie se abren levemente, pero de manera tan imperceptible que me pregunto si seguirá por ahí. No lo hace.

—¡Gracias a Dios! —dice, y tacha algo de la lista que hay en el calendario. «Yo solía hacer ese tipo de listas», pienso. Listas de la compra. Listas de cosas pendientes. Listas para Katie. Listas de la maldita mejor madre del año.

Una hora antes, después de haber visto varias veces las mismas fotos de niños con rostros de plástico, aparece un e-mail en mi bandeja de entrada. Es de Jack, que me confirma nuestra cita de esta noche. Y entonces, de pronto se me ocurre que ya tengo al infante ideal: Allie. Así que he lla-

mado a Leigh, a quien no le hacía mucha gracia que su retoño fuera prostituida por una de las principales empresas
productoras de comida basura y refrescos, pero que ha cometido el error de mantener esta conversación cuando recogía a Allie del colegio, y se ha visto, por tanto, arrinco-
nada por una cría de seis años.

—¡¡¡¡Quiero salir en las revistas!!!! —la oía gritar desde
la parte de atrás del Volvo. Leigh ha suspirado y me ha preguntado si podíamos dejar las fotos hasta la tarde, para que
no se perdiera las clases. Le he mandado a Bart una foto
de Allie en su cumpleaños, vestida con una falda de flores
y una camiseta verde, y de repente ya estaba todo hecho.
Así de fácil.

—¡Dios, has obrado un milagro! —me felicita Josie
cuando le cuento la secuencia de los hechos.

Pienso en lo lejos de donde he venido, en cómo he acabado aquí media década antes de haber hecho todo esto
antes.

—Y eso que tú no sabes ni la mitad... —le digo y me levanto.

Ella me sonríe con tristeza y justo entonces, cuando me
dispongo a salir de su despacho, me doy la vuelta y veo las
últimas trazas de alegría desvanecerse totalmente de su
rostro.

«Nuestro garito», como Jack lo llamaba en su nota, era
un antro en el que hacían falafels sito en la calle 114 con
Broadway. Las mesas de linóleo estaban cubiertas por manteles de papel barato, y las sillas de aluminio rayaban el
parqué cuando las movías para sentarte. De un par de al-
tavoces próximos al techo salía música de sitar. El establecimiento olía al inequívoco aroma de hummus y aceite de
oliva refrito, y cada vez que entraba allí, abriendo la ruido-
sa puerta de cristal, recordaba nuestra primera cita.

Si ese día hubiera prestado más atención, pensaría después, mucho más tarde, cuando ya me había enamoriscado de él, podría haberme dado cuenta de algunas de las señales. Señales de que él no iba a ser mi salvador o de que no sería ese escritor romántico que de alguna forma yo había imaginado en esa primera cita. Por la forma en que hablaba de sus vagas ambiciones, de que nunca sabía lo que quería en la vida. «¡Qué *joie de vivre*!», pensaba yo, con euforia. Por cómo su madre lo llamó cuando me acompañaba a casa, y porque no se nos ocurriera a ninguno de los dos que él no contestara a esa llamada. «¡Qué hijo!», pensé con el corazón henchido de emoción. Y entonces lo invité a subir y nos tiramos el uno sobre el otro como cuando acabas de conocer a alguien, y a la curiosidad sólo la supera la pasión desenfrenada; y, a partir de ahí, dejé de hacer preguntas. Al menos, hasta que ya habíamos ido demasiado lejos para obtener respuestas.

Jack ha llegado hoy antes que yo, y me lo encuentro en una concurrida mesa en una esquina de la parte de atrás. Aunque ya hayan pasado meses desde que regresé al pasado, todavía me sorprende, y hasta me impone, cada vez que lo veo. Alza la vista del aperitivo que se está tomando y se levanta hacia mí. Sonríe y los ojos parpadean cuando me ven, como si fueran un abanico chino.

—¡Dios, estoy tan orgulloso de ti! —dice y me abraza, luego se separa y me mira, dejándome las manos en los hombros como hacen los abuelos con los adolescentes que han pegado el estirón—. ¡De veras, Jill! ¡Es maravilloso!

Protesto y cojo la carta, aunque aquí siempre pido lo mismo: un plato combinado de pollo, y eso es lo que le pido al camarero con perilla, que probablemente esté cursando un máster en poesía y se pague el curso sirviendo mesas, cuando me sonríe abiertamente y me pregunta qué quiero.

A mitad de la cena, Jack saca dos sobres de la bolsa tipo mensajero que lleva consigo.

—¡Para ti! —me dice, y me desliza un sobre por encima de la mesa.

Con el ceño fruncido, lo arrastro por el lado del plato y, cuando lo tengo delante, lo abro.

—¡Oh, no sabía que al final querías que fuéramos! —exclamo. Veo el billete de avión a Miami, justo encima de la lista de actividades que Jack ha escrito a mano: esquí acuático, South Beach, inauguraciones de algunos restaurantes.

—¡Pues claro! —contesta, y me coge de la mano—. Lo tengo todo planeado: lo único que tienes que hacer es la maleta, y llegar al aeropuerto a tiempo.

—¿Y todo esto lo has preparado el fin de semana? —le pregunto, inclinando la cabeza—. Creía que estabas cuidando de tu madre —me detengo un momento, no muy segura de si he de estar sorprendida por que Jack logre cosas si se lo propone o disgustada por que no tenga aspiraciones profesionales— y... escribiendo.

La verdad es que me había imaginado que estaría todo el día o inclinado sobre el lecho materno o sobre el portátil. No se me había ocurrido que pudiera haber estado convenciendo a agentes de viaje para que nos subieran de categoría en el avión u obteniendo reservas casi imposibles en restaurantes asiáticos atestados de famosos.

—Lo de la escritura va un poco más despacio de lo que me esperaba —me suelta y se encoge de hombros.

—¿Cuál es el problema? Tal vez pueda ayudarte... —Pongo un poco de tabulé en el tenedor y pincho un pimiento verde.

—No hay ningún problema —me dice—. Bueno, ya sabes que mi madre es una distracción, y quería estar seguro de que la atiendo lo mejor que puedo.

Como tengo la boca llena, asiento con la cabeza en lo que espero que se tome como un gesto de apoyo; aunque sospeche que, con madre o sin ella, Jack siempre va a en-

161

contrar una excusa para que su escritura vaya más lenta de lo que espera.

—De todas formas —sigue él—, no hablemos de mi escritura. ¡Hablemos de Miami!

—¿Estás seguro —le pregunto— de que no prefieres pasarte ese fin de semana en el taller para escritores del que ya hablamos? ¿No alcanzarías así la meta que te habías propuesto para Acción de Gracias?

—¡Jillian! ¡Por favor! ¿Estás de broma?

—Sólo intento ayudar —le digo.

Pero no añado que es porque, cuando rompimos hace siete años, tú me echaste en cara que habías descuidado tu obra para estar conmigo, y me dijiste que si no le hubieras dedicado tanto esfuerzo a lo que era ahora una relación hundida, tal vez ya habrías conseguido cumplir tu sueño. Ni que yo te acusé a ti de no tener ninguna intención de cumplir tal sueño porque no era más que un espejismo, un objetivo mítico establecido por ti y por tu madre como una ilusoria zona muerta a la que no pensabas acercarte. Y que tú te desmoronaste, no sé muy bien por qué: rabia, fracaso o auténtico dolor, cuando te dije esas cosas tan horribles. Pero una parte de mí nunca dejó de preguntarse si no tendrías algo de razón en que no te había animado lo suficiente, o apoyado, aunque hubiera podido hacer lo uno y lo otro, y que cuando te ibas por la noche al salón y yo te pedía que regresaras al cuarto, odiando tener que dormir sola, quizás inconscientemente estuviera reteniéndote a mi lado, evitando que te sumieras en una nueva trayectoria que me dejara a mí atrás. Es algo que he pensado demasiadas veces.

—Lo sé —dice Jack con amabilidad—. No te preocupes por mí. Ya escribiré cuando toque. —Alza la copa y brinda—: ¡Por Miami!

—¡Por Miami! —repito, entrechocando su copa con la mía.

Miro hacia abajo, y entonces reparo en la fecha del billete. El 3 de octubre. Dentro de tres semanas. Con sólo mirarlo se me altera el cuerpo, mi Chi se vuelve a tensar. Porque ésa es la fecha del día en que entraría en el bar del East Village, me pediría un Cosmo con el que lamerme las heridas después de que Jack y yo estuviéramos casi a punto de separarnos, y me sentaría al lado del hombre que me curaría. El hombre que resultaría ser mi futuro. Henry.

Vuelvo a mirar la fecha. Cojo el ticket y lo meto dentro del bolso. 3 de octubre. Ahora que las fechas y las horas han perdido todo su significado, me digo a mí misma que esto también puede perder todo su significado.

16

Allie ha resultado ser una supermodelo nata.

—Es que cada noche practico delante del espejo —me confiesa, mientras el fotógrafo hace una pausa para cambiar el carrete, masticando unos Fritos. La grasa de sus dedos brilla bajo los focos del estudio.

—Allie, ¡no puede ser! —exclama Leigh mientras abre los ojos de par en par con expresión horrorizada.

—Sí, mamá, ¿qué pasa? No es para tanto. Quiero salir en *Victoria's Secret* —comenta moviendo los hombros, imagino que como ha visto que lo hacen mujeres espléndidas, semidesnudas e inhumanas en horas de máxima audiencia.

—¡Esto es el colmo! —suspira Leigh—. Vamos a deshacernos del televisor.

Vuelven a llamar a Allie al plató y, mientras posa, un maquillador aparece de pronto para retocarle el brillo de labios y quitarle las migas de la cara.

—Ya basta de maquillaje —le urge Leigh—. ¡Dios mío! —me dice a mí—, si hubiera querido que pareciera una chica de calendario, la habría apuntado al concurso de Little Miss New York.

Yo me encojo de hombros. De hecho, en mi otra vida, me planteé muchas veces enviar una foto de Katie al concurso de niños modelos de la revista *Ser Padres*, así que no entiendo muy bien por qué Leigh está tan disgustada. ¿No quieren todos los padres que el mundo entero haga gor-

goritos a su retoño, como si así se demostrara que sus genes son el vivo retrato de la perfección del ADN, ante la envidia de otras parejas cuyos hijos no están a la altura?

Suena el móvil de Leigh y, justo cuando se excusa para hablar desde una esquina del blanquísimo estudio, entra Josie por la puerta. Mira a su alrededor y me saluda con la mano.

—¡Eh!, ¿qué estás haciendo aquí? —le pregunto, mientras ella corre hacia mí en tejanos desteñidos y una camisa tipo Oxford rosa—. Lo tengo todo bajo control.

—Ya lo sé —responde, mirándolo todo—. Sólo quería echar un vistazo.

—No está aquí, Jo —le digo.

—¿Qué? ¿De qué me estás hablando?

—De Bart —prosigo con firmeza—. Que Bart no está aquí.

—¿Y eso qué tiene que ver? —pregunta sin convicción, poniéndose como un tomate—. Sólo he venido para asegurarme de que todo va bien.

Leigh se me acerca corriendo, sin darme tiempo a contestar.

—Ha surgido un problema —exhala—. Me acaba de llamar mi vecina para decirme que ha explotado una de las tuberías del sótano y que se me ha inundado la casa. ¡Mierda! —Se queda mirando el teléfono, como si intuyera que fuera a sonar—. He llamado a Liam, pero no lo encuentro. ¿Necesitáis a Allie mucho más tiempo?

—¡Dios!, al menos una hora más. Tal vez dos. Quieren sacarle fotos con diferente vestuario, así también la podrán utilizar para la campaña de invierno.

—¡Mierda! —me repite. Y se me queda mirando fijamente—. Bueno... —añade, y hace una pausa—, ¿y si se queda contigo?

—Perfecto, ningún problema —le digo—. Me firmas un papel que diga que yo me hago responsable y la vienes a buscar cuando la sesión de fotos termine.

—No, no me refiero a eso. —Niega con la cabeza—. Ya son las cuatro y media de la tarde y, para cuando acabe con el fontanero, será tardísimo, y... bueno, Allie te adora, y yo confío en ti, así que ¿no se podría quedar a dormir en tu casa esta noche?

—¿A dormir?

—Sí, bueno, para ella será todo un acontecimiento. La recojo mañana a primera hora para llevarla al colegio.

—Bueno, vale, cla-claro... —tartamudeo—. Jack está en Filadelfia por temas de trabajo, y yo iba a cenar con una amiga, pero... —Me lo vuelvo a pensar: tiempo máximo con la sobrina de Jack. Eso no puede ser malo para nuestra relación—. Vale, sí, claro, perfecto. Ningún problema.

—¡Menos mal! Muy bien, tienes mi número de móvil. Llámame si pasa cualquier cosa, ya te aviso cuando acabe todo este follón. —Inspira y añade—: Lamento todo este lío.

—Mujer, no seas boba —le digo, despidiéndome con la mano.

Leigh se acerca a Allie, se despide de ella y desaparece como un rayo: un segundo aquí y al siguiente ya no está.

—¡Buena suerte! —le dice Josie una vez que las puertas del estudio se han cerrado detrás de ella.

—¿Tan difícil es? —Pienso en Katie y en cómo he llegado a dominar el arte de ser ama de casa.

—Más de lo que te crees —contesta con sequedad—. Tú no eres madre.

No estoy de acuerdo, pero me doy cuenta de que lo que ha dicho no es incorrecto: pese a todo, ahora no soy la madre de nadie. Me entristece este hecho más de lo que cabría esperar.

—Bueno, me largo de este agujero —suspira Josie, y mira el reloj. Es imposible detener su amargura.

—Jo... —empiezo, pero no sé qué más decirle. Porque sé que en el futuro, en el futuro real, Jo será feliz con Art y que, cualesquiera que sean las decisiones que tome respecto a su vida, por duras que sean, se sentirá satisfecha. También sé que, si yo no hubiera regresado al pasado, nunca habríamos conseguido esta campaña en prensa y, por lo tanto, ella no se habría sumergido en esas fantasías románticas con Bart. No habría vuelto a rondarle la cabeza, como una vía de escape de su vida cotidiana, de la ópera de San José, de un marido que ahora le parece la segunda mejor opción.

Sin embargo, antes de que yo le diga nada, Bart aparece por la puerta del estudio con la misma mirada nerviosa que Josie tenía al entrar un rato antes. Los dos se miran a los ojos, y Jo empieza a soltar una risita de loca y se acerca a saludarlo con un beso en la mejilla.

La observo durante un momento, y luego me vuelvo hacia Allie, que ha hipnotizado al equipo y al fotógrafo con su impecable carisma. Me sorprende mirándola, me guiña un ojo y me lanza un beso. Yo hago como que lo atrapo y ella se ríe encantada. Mucho después de que ella haya vuelto a posar, noto el beso en la palma de la mano, como una obstinada cicatriz que, por mucho que lo intentes, no logras que desaparezca.

Megan se reúne con nosotras en el Serendipity para cenar.

—Pues claro que no me importa —me dice cuando le explico el cambio de planes—. Es una buena ocasión para empezar a practicar.

—¿Hay noticias en ese frente? —le pregunto por teléfono. Intento recordar cuándo Megan nos anunció que volvía a estar embarazada, pero no lo logro.

—Hasta dentro de unos días no me puedo hacer la prueba —responde, con esperanza y nerviosismo: en las dos vidas que he tenido, son dos cosas tan íntimamente ligadas que resultan prácticamente indistinguibles.

El restaurante recuerda a un salón de té de los tiempos de mi abuela. Del techo cuelgan lámparas de estilo Art

Déco de brillantes colores azul, rojo y púrpura, elegantes sillas de hierro forjado tapizadas en tonos pastel y colocadas bajo mesas con el tablero de mármol. El inconfundible aroma a chocolate envuelve todo el espacio y, alrededor de nosotros, los pequeños habitáculos están llenos de familias enteras, niños de apenas dos años sentados encima de sus hermanos mayores, madres que se apoyan en sus maridos y ríen con ellos. Este tipo de risa sólo te sale cuando estás en un sitio así de pintoresco, tan inocente que resulta difícil creer que al otro lado de la puerta de cristal existe un mundo totalmente distinto.

—¿Puedo pedir un tazón de chocolate de cena? —pregunta Allie. Al fin y al cabo, Serendipity es famoso por sus enormes helados y su chocolate caliente.

—Pues claro que no —la recrimino con dulzura—. Primero una cena sana y después el postre. —Cojo una servilleta y mojo la punta en mi vaso de agua helada. Luego le limpio con ella las manos.

—¡Venga! —lloriquea—. ¡Por favoooor!

—Ni hablar del peluquín. —Echo un vistazo al menú infantil y algo de mi otra vida vuelve a mí, estoy horrorizada con la oferta: croquetas de pollo (fritas en abundante aceite), perritos calientes (a saber de qué carne) y pasta con mantequilla. «Jamás dejaría que Katie comiera esta basura. ¡Jamás!»

—¡Síiiiiiiiiiii! —chilla Allie—. Porfa, porfa, porfa, ¡porfaaaaaaa!

—¡No! —le contesto tajantemente—. Primero la cena. Lo siento, Al.

—¡Oh, venga, mujer, Jill! Hay que celebrar su primera sesión fotográfica. Ya es casi una estrella. —Megan sonríe a Allie, que está de pie encima de un cojín de cuero rojo, como si fuera a conquistar el mundo o a saltar para convertirnos en su presa. Lo que venga antes.

—¡No! —le respondo—. Su nutrición es muy importante. En su cena tiene que haber un equilibrio de fibra y proteínas. Eso la ayuda a dormir y le asegura un R.E.M. más profundo.

Megan se vuelve para echarme una mirada sospechosa.

—¿Y tú cómo sabes eso?

—Lo leí en *Ser padres* —contesto, y me encojo de hombros.

—¿Y por qué lees eso? —me pregunta Megan muy despacio.

Sólo entonces me doy cuenta de que no tengo excusa para saber del tema en profundidad; así que, como distracción, cedo ante Allie.

—Vale, Allie, puedes cenar un chocolate caliente —le digo, pero Megan me sigue mirando de una forma muy peculiar—. ¿Qué? —le pregunto al final.

—No estarás embarazada, ¿verdad?

—Dios, ¡no! —Me río.

—¿Entonces por qué ese conocimiento sobre nutrición infantil y revistas para padres? —Por razones que no comprendo, parece que le moleste.

—No, por nada —me excuso, mientras espero que se me ocurra algo—. El otro día estaba esperando en la oficina para entrar en una reunión y vi la revista encima de la mesa, así que estuve hojeándola, ya sabes, para matar el tiempo.

Meg no responde, sino que se queda mirando la carta en silencio. Transcurrido un minuto, me suelta:

—¿Por qué me mientes? Nos conocemos desde que éramos unas crías. ¿Te crees que no sé cuándo me estás mintiendo?

—¡Meg, venga ya, que no pasa nada! —Alzo la mano para llamar al camarero.

—Ahora en serio, ¿estás embarazada? —me pregunta mientras me mira muy seria, sus ojos son inevitables.

—¡Oh, no, Dios, Meg! ¡¡NO!! —Coloco mi mano encima de la suya—. De verdad que estás exagerando. Sólo era un estúpido artículo que leí de pasada. —Me vuelvo hacia Allie—. ¿Sabes qué, Allie? No sólo te vas a tomar un chocolate, sino que además le vas a añadir un *banana split*.

—¡¡YUPIIIIIII!! —grita Allie, todavía de pie en el asiento, arrojando su cuerpo de veinticinco quilos al aire.

—Al menos, el plátano es sano —le digo a Megan con cara de culpable.

—¡Eh!, que yo no juzgo a nadie —me replica, juntando las manos, justo cuando llega el camarero—. Dale a la niña lo que quiera. Ése es mi lema. No le va a faltar de nada a mi propio retoño.

Dice esto y de pronto me recorre una especie de escalofrío, la idea de que eso quizá nunca será cierto. Que, a no ser que algo haya cambiado en esta alterada nueva realidad, los helados o el chocolate y la oportunidad de concederlos, o prohibirlos, no forman parte del futuro de Megan. La veo con Allie, a quien ha animado a que se baje del asiento, se han puesto a jugar juntas y trato de convencerme a mí misma. «Tantas cosas han cambiado esta vez... Todo. Así que, a lo mejor esto también.»

Más tarde, después de haber estado en Central Park correteando y llevando a Allie a caballito, y de que se le pasara el subidón de azúcar por el que me puso la casa patas arriba en más o menos diez minutos, Meg y yo le quitamos el vestido a cuadros rosa, pasándoselo por encima de la cabeza, y las sandalias blancas que calzaban sus diminutos pies. La llevo a mi cama, la arropo y veo que los párpados le van pesando cada vez más, como si les pusieran arena encima. Apago la luz de la mesita, pero ni Meg ni yo nos movemos. Estamos como en trance.

—Siento lo que te he dicho antes —se disculpa—. Es todo esto.

No le contesto y me quedo mirando a Allie respirar.

—Es que no pienso en otra cosa, ¿sabes? —sigue Meg—. En quedarme embarazada, tener un bebé...

La agarro de la mano.

—A veces hasta a mí me parece demasiado —se le rompe la voz—, como si fuera lo único que quiero en este mundo.

Le aprieto la mano más fuerte, afirmándole tácita y firmemente que la comprendo y que no está sola.

Al final, salimos de la habitación no porque nos apetezca sino porque, al cabo de un rato, resulta extraño estar mirando dormir a una niñita que no es tuya. Aunque parezca un ángel. Y aunque te recuerde tanto, tantísimo, al ángel que tuviste en el pasado o al ángel en el que tantas esperanzas habías puesto.

Cuando se va Megan me siento en el sofá (maldito sofá lleno de arañazos) y me esfuerzo en quedarme dormida, esperando no soñar con nada y, en realidad, soñando toda la noche con Katie. Un ángel que ya no está a mi lado.

17

El pegajoso octubre de Miami me ha alterado el cuerpo, de forma que cada poro de mi piel se ha amotinado y sudo de manera profusa e imparable. Para el segundo día, prácticamente me he instalado en la piscina del hotel en un intento de dar algo de alivio a mi maltrecho cuerpo. No salgo del agua hasta que tengo los dedos como ciruelas pasas, y entonces me tumbo en la hamaca y me lleno de protector solar. Me embadurno todo el cuerpo con protección solar total.

—¿No piensas coger algo de color o qué? —me pregunta Jack, dejando el libro que está leyendo en la mesita que hay entre nuestras tumbonas.

—¡Claro que no! —Frunzo el ceño mientras me cubro la frente con crema.

—Pero... ¡si te encanta ponerte morena! —me dice, mientras le alargo el bote de crema con el fin de que me la extienda por la espalda—, por eso elegí precisamente este lugar.

—¡El sol es malísimo para la piel! —exclamo, mientras me pongo una pamela cuya circunferencia es bastante más grande que una sandía. Y es cierto: lo he aprendido todo sobre los horrores del sol, gracias a la extensiva lectura de revistas de mi vida anterior. Arrugas. Líneas faciales. Melanoma. Leería la revista y luego me inspeccionaría cada lunar del cuerpo, cogiendo un espejo para observar los que tengo en la espalda, y los compararía con las espantosas y terribles fotos que aparecían en la revista. Y Katie nunca salió de casa sin una capa de crema de factor 50 de protección. Incluso cuando llovía. En *Allure* había una cita de un famoso profesor de Stanford que decía: «Mejor prevenir que curar.»

—¡Ah, bueno! —responde Jack confuso, poniéndome crema en la espalda—, pero te has pasado buena parte del verano tomando el sol en el parque.

«¡Ni me lo recuerdes!», pienso, y noto cómo la piel se me queda tirante con sólo recordar el daño que le he afligido en el pasado.

Sigo tumbada boca abajo, hundo la cara en la tumbona y le respondo con un gruñido. Noto cómo sus dedos pasan de los hombros a las axilas, y de ahí al pecho.

—¡Ahora, no! —intento mantener la seriedad, pero se me escapa una risita.

—¡Ahora, sí! —me dice al oído.

—¡Si estamos en mitad de la tarde! —Sus manos se adentran en la parte de arriba de mi bikini.

—¿Y qué más da?

«Tiene razón —me digo a mí misma—, que con Henry nunca hiciera el amor en mitad de la tarde o, si lo hacía, era porque coincidía con el único momento en que Katie dormía, no quiere decir que no pueda subir a nuestra *suite* y follarme a Jack hasta quedarnos sin sentido.»

Me levanto, me pongo una toalla a la cintura y nos apresuramos a nuestra habitación, corriendo, empujándonos y pellizcándonos. Veinte minutos más tarde estoy desnuda en la cama, aspirando el dulce aroma de sexo y loción solar y, por fin, gracias al aire acondicionado, parece que he dejado de sudar. Justo cuando me empiezo a quedar dormida, oigo a Jack removerse a mi lado en la cama.

—¡Dios! —dice—, podría estar así siempre, tumbado a tu lado.

«Siempre —pienso—. ¿Y eso qué es?»

Pero, en lugar de contestarle, le coloco la mano sobre el pecho y me quedo dormida al momento.

El restaurante que Jack ha elegido para la cena es el no va más, con paredes de granito pulido, cañas de bambú por doquier y modelos que no sé si conozco personalmente o es que me suenan sus caras de las muchísimas revistas que he leído.

Estamos en la parte de atrás, lejos del vibrante bar y de la aún más vibrante música, y aunque llevo ya casi tres meses en mi nueva vida, de pronto todo me parece increíblemente surrealista. Una especie de *déjà vu*, o ni eso, ya que yo nunca he estado aquí. Porque tal noche como hoy hace siete años, no sólo no estaba en Miami, sino que además fue la noche que el destino hizo que yo, armada con la seguridad de haber conocido a Henry, dijera adiós a Jack para siempre.

En las semanas que precedieron a la ruptura, habíamos pasado de la molestia a la crítica, y cuando anunció que volvía a visitar a su madre, y no me invitó a ir con él, salté. Ahora, echando la vista atrás, me doy cuenta de que si me hubiera ahorrado los comentarios respecto a su falta de logros en la escritura y a su familia superprotectora, podría haber evitado la confrontación. «A lo mejor me pasé de la raya», pienso ahora, mientras me tomo un mojito y miro a Jack, cuyo bronceado resalta el azul de sus ojos y cuyo cabello se ha puesto mucho más claro en sólo un par de días.

Por aquel entonces, Jack me pidió que me lo pensase bien.

—¡Eso es ridículo! —gritaría, lo suficientemente alto como para que nos oyeran los vecinos—. ¡Es mi madre! ¡Y sólo es un fin de semana!

—¡No es por tu madre! —chillaría yo—. Es por... —Negaría con la cabeza y haría aspavientos con los brazos—. ¡Esto! ¡Por todo esto! —No mencionaría al amable hombre que había conocido en un bar y que parecía complementarse conmigo a la perfección.

—¡Tú no quieres que vaya a verla! —gritaría él y cerraría la maleta encima de la cama—. ¿Es eso? ¡Porque, si es así, no voy!

—No es eso —diría yo calmadamente—. Es mucho más que eso.

—¿Es porque discutimos? —me preguntaría él—. ¿Es por culpa de nuestras estúpidas peleas? Porque todo el mundo se pelea, ¡todos!

—No es por las peleas, Jack —le dije, y después me lo pensé mejor—. Bueno, sí, por las peleas, y porque creo que ya no encajamos —le solté, y volví a pensar en Henry.

—¡Y una mierda! —dijo, aunque había dejado de gritar y parecía que iba a ponerse a llorar—. ¡Y una puta mierda! Dos años de mi vida y, de pronto, esto. Así, de un día para otro.

—No ha sido precisamente de un día para otro —le dije, sentándome en la cama.

—Sí que ha sido de un día para el otro —contestó. Cogió la maleta y se dirigió hacia la puerta—. Igualita que tu maldita madre. Un día aquí, y al siguiente ya te has ido.

Cerró con un portazo y entonces empecé a llorar yo. Porque él podía haber sido cruel, pero no le faltaba razón. Tan sólo el día anterior habíamos estado tomando cócteles con Meg y Tyler, brindando por nuestro futuro y nuestra vida, y luego, de pronto, eso. Sí, entendía por qué a Jack le parecía que había sido de un día para otro.

«Pero ahora no —pienso, dándole un sorbo al mojito—, ahora estoy aquí, en un restaurante en el que la mujer de clase media que yo era no se habría atrevido a entrar con un vestido que no le habría entrado a la mujer de clase media que era yo, y con un hombre al que la mujer de clase media que era yo jamás habría dejado descansar.»

Saco ese recuerdo de mi mente en el momento preciso en que el camarero nos trae los platos. «Ahora estamos aquí. Esto es el presente —pienso—, y éste es el momento de mi vida.»

Más tarde, tengo el estómago feliz y lleno de mahimahi, de crujiente pan y pastel de chocolate fundido y quizás algún mojito de más, cuando Jack me coge de la mano.

—He elegido este sitio porque arriba tiene una terraza con unas vistas espectaculares —me explica—. Venga, subamos.

Me retira la silla, agarrándome de la cintura, me dirige al ascensor. (¡A ver si te enteras, Marie Claire, de que la caballerosidad no es una virtud extinta!)

La puerta se abre con un ruidito metálico cuando llegamos a lo alto del edificio y salimos a una terraza tenuemente iluminada por pequeñas luces blancas en las paredes que me recuerdan a las luciérnagas de mi infancia, llena de palmeras y plantas. Un trío de jazz toca en un escenario que hay a la derecha y, justo delante de nosotros, el mar: las olas que se adentran en la playa, que se alejan y se vuelven a acercar. Elegantes clientes revolotean a nuestro alrededor y el aire huele a salitre, como a recién lavado por el mar.

Nos apoyamos en la barandilla y contemplamos la incesante marea, cuyo rugir se oye por debajo de las conversaciones. Jack se vuelve hacia mí:

—Jill, ya sabes que te quiero, ¿no?

—Sí, lo sé —le contesto, y sigo mirando al mar. Estoy hipnotizada por su ritmo, me fascina que, cuando parece que no vaya a haber ninguna otra ola y la mar se vaya a quedar completamente plana, de pronto surja la espuma blanca de la nada, y ahí la tienes: toda la fuerza del océano una vez más.

—Mírame, cariño. Tengo algo importante que decirte.

—Me vuelve la cara hacia él con la mano. Jack respira hondo—: Ya sé que al ser escritor se me debería dar bien decir las cosas de la manera correcta, pero he estado pensándolo detenidamente y no encuentro las palabras adecuadas para este momento.

Entonces, de manera repentina y visceral, entiendo qué es lo que está ocurriendo.

—Así que —continúa, mientras pone una rodilla en el suelo— todo lo que puedo decir es que te quiero, Jill, y que me harías muy feliz si me aceptaras como esposo. —Se aparta un mechón rubio de la frente y saca una caja del bolsillo del pantalón.

Noto que se me han vuelto a abrir todos los poros y el sudor me cae a raudales, como si fuera un ejército incontrolable; y tengo los ojos muy abiertos, tanto que soy incapaz de pestañear. Siento que me ruborizo y que la boca se me seca. Sigo sin decir palabra cuando me pone el anillo en el dedo.

—¿Quieres casarte conmigo? —me pregunta, mientras se incorpora para besarme.

Debo de haber asentido con la cabeza o haberle dado alguna indicación de que sí, aunque yo no lo recuerde, porque lo siguiente que recuerdo es el sonoro aplauso de los otros clientes que durante un segundo dejaron a un lado sus Martinis para notar el efímero destello de un momento único en la vida. Jack me da un abrazo de oso y me da vueltas a su alrededor mientras produce algún tipo de grito de guerra, haciéndome recordar a un antiguo guerrero que acaba de matar una bestia; el rugido suena más fuerte, y luego más suave, como las olas de la playa.

Jack me besa en la oreja, mordiéndome lo justo para que me dé un escalofrío, y se va al bar a por dos copas para celebrarlo. «Invita la casa», nos dice la camarera del bar de cócteles tras darnos la enhorabuena.

Me apoyo en la barandilla y alejo la mano para echar un buen vistazo al anillo. Es un anillo que destaca, es brillante, redondo, grande y está lleno de esperanzas, y yo debería estar que me salgo, estoy que me salgo, con ese anillo. Me abrazo a mí misma con fuerza para protegerme de una brisa que ha empezado a soplar de no se sabe dónde. Pasa la ráfaga de aire y yo me libero de mi propio abrazo para volver a admirar el anillo.

«Ha sido perfecto —me digo a mí misma—, no ha sido una propuesta íntima, como la de Henry, ¿y qué más da si las palabras no han sido tan poéticas, no han sido las que me habría imaginado que oiría cuando alguien me pidiera que uniera mi vida a la suya? Ha sido casi perfecto. Lo suficientemente perfecto.»

Paso el pulgar por encima del anillo, tratando de girarlo de un lado a otro como me acostumbré a hacer con el de Henry, y es entonces cuando noto que el aro está estrangulándome el dedo. Que lo aprieta tanto que casi todo mi dedo anular parece una salchicha a punto de reventar. Acerco la mano a la luz y la miro. Al principio es difícil verlo, pero entonces siento las punzadas: ahí, justo a la derecha del nudillo, hay un pequeño corte, del estilo que te haces cuando te cortas con papel. Jack ha debido de hacérmelo sin querer al ponerme el anillo.

Me meto la mano en la boca y me chupo el corte, se me llena la boca del inconfundible sabor de la sangre y, al cabo de un minuto, se me pasa el dolor. Me vuelvo a examinar los nudillos, moviendo la mano de adelante para atrás bajo la pequeña luz blanca y, por lo que a mí respecta, el corte ha desaparecido.

Tropiezo con la mirada de Jack, que me mira desde el bar y sonrío.

Y, de pronto, como si escuchara a alguien más sabia, a la mujer acomodada que era yo y que cuando la dejaba seguía habitando en mi cerebro, me decía que, aunque la herida era ahora invisible, en realidad jamás desaparecería.

Cuando Katie cumplió los siete meses, muchas de las fantasías que tuve durante el embarazo se hicieron realidad. La casa olía a polvos de talco y su sonrisa me derretía el corazón, pero también los temores me acuciaron: el miedo a hacerle daño, que se manifestaba en una sobreprotección; el ascenso laboral de Henry, que absorbió el poco tiempo libre que pasábamos juntos sin Katie; las monótonas conversaciones que manteníamos, que versaban (únicamente) sobre Katie.

—¡Hoy Katie ha hecho caca cinco veces! —decía, mientras nos preparábamos para disfrutar de una cena a base de salmón que yo dolorosamente había marinado la noche anterior (¡Cocina Ligera!)—. ¿Qué te parece? ¡Cinco veces!

—¿No deberías decírselo al pediatra? —preguntaba Henry, no muy interesado.

—Parecía caca normal —explicaba yo—. No era diarrea, ni nada.

—Bueno, será que le gusta comer.

—Como a su padre —replicaba yo sonriendo—. Caga y come como su padre.

Henry sonreía y clavaba el tenedor en el pescado, mientras yo buscaba algún otro tema en el que ponerlo al día.

En la vida real, la mayoría de los matrimonios no se deshacen por una explosión repentina. A diferencia de las películas, la mayoría de las esposas no se encuentran de pronto con carmín en la camisa o con el recibo de un hotel en el bolsillo de la americana de su marido. La mayoría de las mujeres no descubren deudas de juego, adicciones ocultas o de pronto reciben maltratos y de un día para otro la cosa se desmorona. A algunas les pasa, pero a muy pocas. La mayoría de los matrimonios se destruyen poco a poco, gota a gota, como el agua en la palma de la mano que se te escurre entre los dedos, hasta el día en que miras hacia abajo y de repente descubres que tienes las manos completamente vacías. Así es como se disuelven y se secan la mayoría de los matrimonios. Y, en retrospectiva, sé que eso es lo que le pasó al mío.

—¡Oh! —solté con sorpresa esa noche en la cena—. ¡Casi se me olvida decírtelo! ¡Ya casi se arrastra! Bueno, la verdad es que, hacia atrás, se arrastra... hoy ya se lo he visto hacer dos veces. Dice Ainsley que Alex hizo eso mismo la semana antes de que lo hiciera hacia delante.

—Ya podría matricularse en Harvard —comentó Henry, y alzó la copa en un falso brindis.

—Pues, ahora que lo dices, deberíamos ir pensando en el jardín de infancia —le contesté yo.

Y seguimos así. Dos personas que han creado círculos concéntricos alrededor de ellas y que ahora, lo único que las unía era su hija. Seguimos así, dando vueltas; sin llegar a ninguna parte.

18

Estamos a finales de octubre y me doy cuenta de que ha llegado el momento de hacer algo con mi vestidor. Cada mañana me pierdo en un mar de ropas desordenadas y arrugadas, zapatos desparejados, abrigos pasados de moda, y bolsos y bufandas que ya no uso. «Si ordenas tu espacio, ordenas tu vida», me digo a mí misma un triste sábado por la tarde (una cita sacada de *Woman's Day!*).

Desde nuestro regreso de Miami hace dos semanas, hemos estado haciendo planes para la boda sin parar, casi todos por cortesía de Vivian.

Jueves a las 02:00 p. m. Justo cuando me dirijo a una reunión muy importante sobre la campaña de invierno de Coca-Cola:

—Jillian, cielo, ¿cuándo vais a fijar la fecha? ¡Es muy importante! Si no reservamos el club ahora mismo, ¡nos lo quitarán! ¿Qué tal el 9 de abril?

Lunes a las 8:47 a. m. Al salir del metro para entrar en la oficina:

—Jillian, cariño, soy yo. Si vamos a celebrar la boda en primavera, se me ha ocurrido que podríamos elegir rosas inglesas y lirios blancos. ¡Quedará precioso!

Viernes a las 09:29 p. m. Cuando por fin estoy a punto de dejar la oficina para reunirme con Megan y otras amigas de la facultad para tomarnos una muy bien merecida copa:

—Hola, guapa, ¡es superimportante que pidamos hora al modisto lo antes posible! Ya vamos con el tiempo justo, necesitamos al menos seis meses para que el vestido quede bien.

Cuando Henry y yo nos prometimos, llamamos a mi padre y se lo contamos, luego hicimos lo mismo con los padres de Henry. Y luego los dos estuvimos de acuerdo en que queríamos una boda íntima y tranquila.

—Que no se trate de un circo, sino de una celebración —había dicho Henry, y yo había estado totalmente de acuerdo con él.

Así que estuve echando un vistazo a revistas sobre bodas, y pedí a Megan y Ainsley que me acompañaran a probarme el traje; pero dejé que mi padre y su novia, Linda, se hicieran cargo del asunto. Todo parecía muy trivial: que si jazmín de Magadascar o azucenas, pastel de crema o de chocolate, pollo o solomillo. ¿Habrá alguien que al recordar una boda piense: «¡Menos mal que elegí el pastel con la guinda en medio porque, si no, habría sido un completo desastre para todos los invitados!»? Pues no. O, al menos, eso es lo que entonces me dije yo a mí misma; y lo mismo opinaba Henry, que, con su sensatez, hizo que resultara muy fácil de creer.

Pero a lo mejor ahora sí que importan esas cosas, pienso mientras saco unos pantalones de chándal que no había visto desde terminada la universidad. Quizás el entusiasmo de la celebración se te pegue durante la primera fase del matrimonio, y quizá si yo hubiera participado más en la preparación de la boda, habría estado más enamorada de Henry y nuestra relación no se habría estancado tanto. Además, después de haber pasado años leyéndome *Todo Bodas*, he acumulado un conocimiento nada despreciable sobre el tema: para ser una esposa aburrida en una elegante urbanización sin ninguna esperanza de organizar ninguna boda, sabía más de lo que debería sobre planificación nupcial. Así que después de estudiar concienzudamente las llamadas de Vivian, quedé en reunirme con ella a finales de mes para discutir los detalles con la persona a la que había encargado que organizara todo el evento.

«¿Cómo puedo vivir así? —pienso para mis adentros mientras observo el descontrol que hay en mi vestidor—. ¿Cómo no me vuelvo loca cada mañana al abrir la puerta del vestidor?»

Me pongo de puntillas y llego a un suéter semidoblado cuyas mangas cuelgan como los brazos de un cadáver y que no me he vuelto a poner desde el año en que Jack y yo nos conocimos. Cojo ese suéter y una lluvia de objetos cae a mi alrededor. Se desmorona todo el estante, y yo doy un salto hacia atrás para evitar el desastre en la medida de lo posible.

—¿Estás bien? —me grita Jack desde el salón, donde intenta trabajar un poco en su manuscrito.

—¡Sana y salva! —le contesto.

—¿Ya has acabado? Tengo una sorpresa para ti.

—Enseguida acabo —suspiro. «Bueno, no tan enseguida», pienso mientras recuerdo con cariño la revista *Mi Casa*, con todos los trucos que ahí vienen para organizar bien el espacio.

Doy una patada a un par de Levi's que me puse para mi vigésimo tercer cumpleaños y me acuclillo entre los trastos que hay por todas partes: jerséis de cuello vuelto, rígidos por no haberse usado en años; el libro del último curso de bachillerato, con las páginas dobladas por una gotera que venía del apartamento de encima; fulares que me compré en Chinatown, cuando uno de cada color no era suficiente; cintas de vídeo de novios cuyos apellidos apenas recuerdo.

De pronto, asoma una esquina de las Páginas Amarillas, «¡He guardado las Páginas Amarillas!», una foto que me llama la atención. Muevo la cabeza para asegurarme de que estoy viendo lo que creo que estoy viendo, pero la foto es inconfundible. Noto cómo la adrenalina me recorre todo el cuerpo, y cómo me empiezan a temblar las manos. La saco de entre las páginas de color orina, y me pongo de rodillas en el suelo, embelesada y a la vez asqueada.

Aunque he borrado de mi mente toda imagen, todo recuerdo de mi madre, es imposible olvidarla del todo; y, desde una infancia en residencias de estudiantes hasta una vida adulta de apartamento en apartamento, siempre conservo una foto en blanco y negro, al igual que un alcohólico reformado lleva una chocolatina siempre encima por si la necesita. Cuando Jack y yo rompimos en mi anterior vida, me fui de su casa y, al ir a recoger mis cosas, tropecé con esa foto. Seguía rabiosa y dolorida por lo de la carta que mi madre me había enviado, así que puse la foto donde había puesto la nota, en la basura. ¡Adiós muy buenas!

Pero ahora volvía a estar aquí, como un irónico *Día de la Marmota* para los emocionalmente inestables.

La foto había sido tomada el verano en que mi madre y yo estuvimos cazando luciérnagas al anochecer hasta quedar exhaustas. Las dos en el jardín, su «templo», como a ella le gustaba llamarlo. Al cabo de un rato, aun después de ducharse y ponerse crema de la marca *Charlie*, olía como a tierra húmeda, e incluso hoy en día me sigo acordando de ella cada vez que ese olor a tierra flota en el aire. Estamos entre sus tomateras y sus plantas de albahaca y de judías verdes, y ella, con un pañuelo en la cabeza y la mejilla manchada de barro, me abraza por detrás. Yo sonrío a la cámara; pero ella, en lugar de mirar al objetivo, me mira a mí, con una gran sonrisa en la cara, una sonrisa más llena de sentimiento que de exaltación. Mi madre nos abandonaría tan sólo cinco semanas después.

Ahora miro la foto con nuevos ojos, los ojos de una madre, y es como si la viera por primera vez. En años anteriores, endurecida por la rabia, siempre me había parecido que esa foto era una prueba de su traición: que fingiera quererme tanto para que, llegado el momento, pudiera desengancharse de ese abrazo y marcharse para siempre. Pero ahora veo mucho más: que quizá lo que estuviera haciendo ese día no fuera abrazarme sin una pizca de amor, sino más bien aferrarse a mí como si yo fuera una boya, la única cosa que podía evitar que se hundiera. Mirando de nuevo la foto, me parece increíble que no se me hubiera ocurrido nunca antes.

Jack asoma la cabeza al vestidor, sacándome de mi trance:

—¿Estás lista?

—Una foto de mi madre —le digo, y se la doy para que la vea.

Él la coge y se la acerca. Veo que algo le ha sorprendido.

—Dios, eres igualita a ella —me comenta.

Me encojo de hombros, guardo la foto en el cajón de los calcetines y me alejo literalmente del desastre.

—Su sorpresa, señora —me dice Jack mientras me arrastra hacia la puerta de entrada al piso.

Fuerzo una sonrisa y lo sigo, intentando olvidarme de la foto. Porque lo que me preocupa no es lo mucho que me parezco a ella o lo bien que recuerdo ese día en el jardín. No, lo que de verdad me inquieta es cómo ahora, años más tarde, puedo reconocer de manera inherente la expresión cariñosa pero llena de dolor y cansancio de mi madre, porque es la misma que yo llevé como una máscara desde el día en que nació Katie.

La sorpresa de Jack, ¡quién lo habría dicho!, es en realidad un sofá. Algo que a primera vista no resultará muy romántico ni para tirar cohetes pero para él es una concesión que me hace, y, por lo tanto, para mí es muchísimo.

—Mi regalo de compromiso —me dice mientras entramos en el segundo piso de Habitat. Abre los brazos de par en par y añade—: ¡Es tuyo, elige el que quieras!

—¿Dónde está mi novio? ¿Qué has hecho con él? —le pregunto frunciendo el ceño.

—Tu prometido —me corrige.

—¿Dónde está mi prometido y qué has hecho con él? —Le doy un beso, aún no me sale llamarlo así.

—Bueno, creo que, ahora que nos vamos a casar, reconozco que habría que jubilar el sofá de mis días de soltería.

Lo miro con cara de que aquí hay gato encerrado.

—Está bien. —Se ríe—. Y Vivian ha hecho algún que otro comentario sobre el asco que le dio cuando lo vio el mes pasado.

«Pues claro», pienso yo, pero me lo callo.

Me acerco a un sofá de dos plazas de cuero finísimo y me siento en él. Jack abre la boca para dar su opinión, yo levanto un dedo y la cierra con una sonrisa.

—¡Esta vez elijo yo! —le digo, y él se sienta a mi lado como un perrito obediente. Si algo he aprendido durante mi matrimonio con Henry ha sido a decorar con buen gusto.

En el otro extremo de la planta veo un sofá de tres plazas de color arena, que es justo lo que necesitamos para el salón, así que agarro a Jack de la mano y me lo llevo hasta allí, pasando entre sofás, sillones y butacas de todo tipo. Justo cuando estamos a punto de sentarnos los dos en él, veo un andar que me resulta familiar justo delante de mí. Ese torso desgarbado, ese paso torpe, lo habría reconocido en cualquier sitio.

—¿Henry? —lo llamo y lo lamento al instante. Llevo el pelo recogido bajo una gorra de béisbol, y la sudadera me huele que apesta a cerrado.

—¡Jill! —exclama, y se le ilumina la cara al verme. Mira a Jack y extiende la mano—: Y Jack, ¿verdad?

—Sí, así es —responde Jack, dándole la mano pero sin acordarse en absoluto de su breve encuentro en la fiesta de Coca-Cola. Antes de que pueda explicárselo, aparece una pelirroja menuda que se coloca al lado de Henry y le mete la mano en el bolsillo de atrás.

—¡Eh! —le dice como si no estuviéramos delante, ¡como si no estuviera metiéndole la mano en el bolsillo de atrás del pantalón a mi marido!

—¡Eh, hola, Celeste! Te presento a Jill, una amiga del barrio. —Se coloca un mechón que le cae por la frente detrás de la oreja—. Y a su novio, Jack.

—En realidad, su prometido —corrige Jack—. Nos hemos prometido hace unas pocas semanas.

—¡Enhorabuena a los dos! —chilla Celeste, como si nos conociera desde hace años—. ¡Qué bien! ¿Y cuándo es la boda?

—Bueno, aún no hemos fijado la fecha —murmuro yo

Henry tiene esa sonrisa que tantas veces he visto en horribles cenas que se alargan demasiado; en cuanto ponía esa cara, yo ya sabía que era el momento de empezar a despedirse de nuestros anfitriones. Su sonrisa de «antes que aquí preferiría estar a las puertas del infierno» es como habíamos bautizado esa expresión una noche al salir de casa de los Holland, un matrimonio en el que ambos se acostaban con compañeros de sus respectivos trabajos y en toda la noche no hicieron ningún esfuerzo por disimular la antipatía que se profesaban. Nos pasamos todo el camino a casa riéndonos como locos en el coche.

—Mira que eres boba —dice Jack, acariciándome la espalda—. ¡Nueve de abril! ¡Apuntadlo! ¡Hemos invitado a todos nuestros conocidos!

—Bueno, a todo el mundo no... —objeto.

—En el Club de Campo hay sitio para cuatrocientas personas —informa Jack a Henry y Celeste de una manera que casi raya en la fanfarronería.

—Suena bien —dice por fin Henry.

—A mí me gustaría algo más íntimo —digo, demasiado incómoda para mirarle a los ojos. Fijo la vista en el suelo.

—¡Ay! ¡Cuando yo me case, quiero que sea la boda más grande y decadente que nadie haya visto jamás!

—¿Ves? ¡Eso es lo que yo pienso! —Se ríe Jack—. Sólo

se hace una vez, ¿no? ¡Pues se hace a lo grande! —Se detiene un momento y les pregunta—: ¿Cuánto hace que salís?

Henry niega con la cabeza de manera casi imperceptible, pero Celeste contesta por los dos:

—Sólo unas semanas. Nos conocimos en una cita a ciegas, y apenas podíamos creérnoslo, ¿verdad, Hen? —Le da un codazo—. Lo que quiero decir es que por fin una cita de la que no te tienes que escapar en mitad de la cena.

—Sí, es verdad —dice Henry, que parece haber recuperado un poco la compostura y le ha pasado el brazo por los hombros—. He estado en tantas tan malas que ya me merecía una recompensa. Dios sabe que he trabajado duro.

Sonrío de oreja a oreja.

—¿No es maravilloso? —exclamo—. ¡Genial! —añado, y junto las palmas para darle más énfasis.

—Sí que lo es, ¿verdad? —Celeste me mira de manera conspiratoria, como si yo estuviera en el ajo—. ¡Estaba tan harta de citas a ciegas!

—O sea, que ya estáis eligiendo los muebles para vivir juntos, ¿no? —no puedo evitar soltar.

—No, qué va, aún no. —Celeste mueve la mano que tiene libre. La otra sigue firmemente arraigada en el culo de Henry—. Necesito un sofá nuevo y, como este fin de semana estamos juntos, Henry ha venido conmigo. —Si no lo hubiera dicho tan como quien no quiere la cosa, la habría odiado.

«Seguro que es una de esas mosquitas muertas que luego en la cama se vuelve una tigresa», pienso, y casi vomito sólo de imaginármela. De hecho, miro a mi alrededor para asegurarme de que no se han oído las arcadas, pero parece que nadie lo ha notado. Entonces Celeste saca (¡por fin!) la mano del bolsillo de Henry y se pone de puntillas para besarlo.

—Venga, vamos —le dice, apoyándose en las trabillas del pantalón de Henry—, que tenemos que encontrar el sofá de mis sueños y se nos hace tarde. Hoy tenemos la fiesta de Darren, ¿te acuerdas?

«¿Darren? —me pregunto a mí misma—. ¿Y quién narices es Darren?»

Sonrío aún más si cabe y me doy cuenta de que debo de parecer un chimpancé retrasado. Noto las arrugas de las axilas y de los codos húmedas y pegajosas.

—¡Felicidades! —dice Henry, y se acerca para besarme la mejilla. El corazón me late con tal fuerza que estoy segura de que los dos lo oímos—. Volveremos a vernos pronto, —Niega con la cabeza y se ríe—. Vaya a donde vaya, siempre acabo encontrándome contigo, Jillian Westfield.

—Lo mismo digo —le contesto y me toco inconscientemente la mejilla que me acaba de besar.

Celeste y él se alejan, y veo cómo él le susurra algo a ella al oído. Ella se toca la melena pelirroja y suelta una risita, el sonido de su alegría nos llega hasta donde estamos Jack y yo.

—Bueno, a lo que íbamos —suelta Jack, y señala al sofá de cuero que tenemos delante—. ¿Éste es el que quieres?

Me siento en el sofá y escondo mis húmedas manos debajo de las piernas.

—Sí —le respondo, sin poder mirarle a los ojos—. Éste es el que quiero.

19

He cogido el teléfono para llamar a mi madre al menos once veces antes de atreverme a marcar el número. La verdad es que no sé qué decirle ni cómo empezar a decirlo. Ni siquiera sé muy bien qué es lo que ha cambiado en mi interior para que ahora decida bajar la guardia y hacer las paces.

Probablemente tenga que ver con Katie.

Katie, con quien ahora soñaba casi cada noche; Katie, a quien buscaba en los cochecitos que pasaban a mi lado; Katie, a quien tantísimo extrañaba. Me sentía herida sin ella. Me preguntaba si me perdonaría por haberme marchado, por haber sido tan egoísta como había tenido que ser para conservar la cordura, y por haberla abandonado al hacerlo. Cuando pensaba en eso, recordaba el abrazo de mi propia madre aquel día de verano en el jardín, y era imposible no ablandarse.

Pero ahora, mientras escucho el tono de llamada con la carta extendida sobre la mesa, no se me ocurre qué decirle. ¿Cómo empiezo? ¿La llamo «mamá»? ¿Dónde habrá estado todo este tiempo? Estas preguntas me agobian y no estoy segura de tener la fortaleza para plantearlas. A veces, me faltan agallas.

Justo cuando estoy a punto de volver a marcar, aguantando la respiración como si me fuera a zambullir en agua helada, Josie aparece en mi despacho. Cuelgo de pronto, aliviada por la excusa de que no ha sido culpa mía.

—Creo que me voy a acostar con Bart —me suelta, tan rápido que la frase más bien parece una sola palabra.

—¿Qué? ¡No puedes hacer eso, Jo!

—Pues claro que puedo —me dice, y cruza las piernas con tanta indiferencia como si estuviéramos discutiendo si pedir ensalada de atún o de pollo—, y creo que debo.

Me doy cuenta de que se ha hecho mechas y de que su piel está mejor que en muchas semanas. No se le notan las ojeras y, tanto si es un nuevo maquillaje como si hay algo más, el caso es que está radiante, parece hasta feliz.

—Mira, Jo. No puedes hacerlo. Eres feliz con Art.

—No, no lo soy —confiesa, y se encoge de hombros.

«¡Sí, lo eres, y lo has sido durante siete putos años!»

—E-eso te lo puede parecer ahora a ti —tartamudeo—, pero con el tiempo se te pasará. —Busco a ver si se me ocurre algo más convincente—. De hecho, leí un estudio en el que decían que, si volvías a preguntar a matrimonios desgraciados cinco años más tarde, el 82% decía que ahora eran felices (¡*Redbook*!).

Josie se mueve:

—Yo no lo veo así. No creo que esto tenga ya solución. Art quiere mudarse a San José y yo... —Se le rompe la voz y abre las manos en un gesto de desesperación.

—Lo comprendo.

—Te lo agradezco mucho, Jill, de verdad. Pero hasta que no te cases, no sé... es más duro de lo que te crees. Algunas cosas... bueno, a veces la gente se distancia.

«Lo entiendo. ¿No lo pillas? ¡Ya lo creo que lo entiendo!»

—¿Y te crees que acostándote con Bart las cosas van a mejorar?

—Quizá —murmura, y se encoge de hombros otra vez, aunque no parece muy convencida.

—Bueno, puede que sí —admito—, pero también puede que no. Tal vez tu relación con Bart acabe tan mal como tu matrimonio.

—¿Así que me reconoces que mi matrimonio va mal? —Se ríe Jo—. ¡Dímelo a mí! —suspira—. Probablemente no debería estar contándole todo esto a alguien que se acaba de prometer. No quiero quitarte la ilusión.

—Creo que sé muy bien en lo que me meto. —Me reclino en la silla y me masajeo la nuca.

—Ése es el problema —prosigue Jo—, que te crees que sabes en lo que te metes. Vamos, que aunque te digas a ti misma que sabes que por supuesto no todo va a ser un camino de rosas, llega un día en el que te despiertas y te encuentras con que tu puto marido se ha transformado en alguien que no conoces. Y tú te lo quedas mirando mientras se rasca los huevos sentado a la mesa de la cocina y piensas: «Esto no es para nada lo que habíamos acordado. Vamos, ¿quién sabe si amo siquiera a este rascapelotas de aliento apestoso?», y te preguntas a ti misma si no lo querrás más por costumbre que por otra cosa. —Se muerde el labio inferior y, pensativa, añade—: Y a partir de ahí, puede pasar cualquier cosa.

—¿Y no crees que un día te puedes levantar y pensar lo mismo de Bart? —le pregunto—. ¿No puede decepcionarte él también de la misma forma?

—Nunca podría decepcionarme de la misma forma... —contesta, de manera muy solemne.

—Bueno, pues de forma distinta —le digo, mientras juego con mi anillo de compromiso. De pronto me doy cuenta del simbolismo que eso conlleva y dejo de hacerlo.

—Tal vez —responde—, pero yo ya sé que Art me va a decepcionar; mientras que, con Bart, aún existe la posibilidad de que no sea así. —Se levanta de la silla—. Bueno, sólo me lo estoy pensando. No voy a hacer nada al respecto, al menos ahora mismo.

La veo marcharse.

—Ten cuidado con lo que deseas —le digo cuando ya ha salido y se vuelve a asomar a mi despacho—, nunca se sabe con qué te puedes encontrar.

195

Asiente con la cabeza y se va.

Cojo el teléfono y vuelvo a marcar con determinación el número de mi madre. Mientras lo hago, intento no pensar en Jack. Ni en Henry. Ni en la decepción que me pueden acarrear mis deseos.

Mi madre y yo hemos convenido, durante una fría conversación de dos minutos en la que casi se me sale el corazón del pecho, encontrarnos en un salón de té de la calle 18 el sábado a mediodía. Lo que significa que tengo que cancelar una visita a Saks con Leigh, Meg y Ainsley para buscar el vestido ideal para las damas de honor, lo que no va a hacer muy feliz a Vivian.

—Por favor, ¿le puedes explicar tú lo que ha pasado? —pregunto a Jack la noche anterior, después de haber ignorado el tercer mensaje que Vivian me ha dejado en dos días. Hemos pedido comida china y hemos pospuesto salir con Austin, un compañero de trabajo de Jack, y su mujer, porque estoy demasiado cansada para conversaciones triviales y Martinis. Como tantas otras cosas de mi antigua vida, había olvidado que una intensa vida social es divertida hasta que te pasas, y siempre hay un límite.

—¿Por qué no la llamas tú? —me sugiere—. Sé que quiere llegar a conocerte mejor. —Y yo sé que él me está ofreciendo un remedio; pero, dada la ansiedad que siento por el almuerzo que tengo al día siguiente, lo que quiero es estrangularlo.

—Porque —le respondo y un trocito de brécol se me escapa de la boca— tengo cosas más importantes a las que enfrentarme con respecto a mi familia, ¡y ahora mismo no las quiero discutir con tu madre!

—Pues a lo mejor te sorprende —me contesta Jack, totalmente ajeno al pánico galopante que me embarga—, se le dan muy bien esas cosas.

—¡Por el amor de Dios, Jack! —Dejo de un golpe los palillos y uno sale rodando sobre sí mismo, como con una voltereta lateral en la clase de gimnasia—. Ya sé que tu madre es tu psiquiatra personal, pero no quiero que también sea la mía. Y no quiero tener que explicarle por qué no podemos ir mañana a ver vestidos de damas de honor.

—Tú misma, sólo intentaba ayudarte —dice con cara de pocos amigos, pero sin pizca de malicia.

«Probablemente lo creía así —pienso hoy mientras salgo del metro para dirigirme al salón de té—. Seguro que creía que su madre podría solucionar esto, como soluciona todas las mierdas de Jack.» Me río en voz alta, sin saber muy bien por quién sentir lástima, si por Vivian, por Jack o por mí.

De pronto, demasiado pronto, estoy delante del pintoresco local que elegí por teléfono, «terreno neutral», pensé, como si el salón de té fuera Suiza, y mi madre y yo, señores de la guerra.

El aroma a mantequilla derretida llena el establecimiento, y se oye música clásica de algún compositor que no reconozco aunque debería, ya que cuando Katie nació le puse música de todos los compositores famosos. Los clientes que venían a desayunar ya se han marchado, y si bien me había imaginado que reconocería a mi madre al instante, me veo observando cada mesa, con el estómago a punto de salírseme por la boca y deseando, por un lado, que mi madre me haya dado plantón y, por otro, que por favor no me vuelva a abandonar.

Mis ojos recorren todas las mesas, todos los compartimientos, hasta que veo al fondo una mano que me saluda. Me giro hacia allí, y ahí la tengo. La reconocería en cualquier parte, aunque hayan pasado dos décadas y me haya intentado convencer a mí misma de que la he borrado de mi memoria. El pelo negro le llega hasta los hombros, no tiene ni una arruga y está ligeramente bronceada; y su cara, aunque tensa por la inevitable situación, parece más calmada de lo que yo recordaba, como si se hubiera dulcificado con el tiempo.

Mi primer instinto al verla es salir corriendo. Mis pies se giran y noto cómo se me mueven las piernas, invitando a mi cuerpo a ir en cualquier dirección excepto hacia donde está mi madre, pero me resisto a huir. «No, eso ya lo hemos hecho antes. Ya sabemos cómo acaba esa versión. Además, hay que pensar en Katie.»

Así que exhalo, trago saliva y me obligo a acercarme a donde está mi madre.

—¡Jillian! —me llama con la voz quebrada, y se levanta para saludarme.

Nos quedamos la una al lado de la otra, sin saber muy bien qué hacer. Le ofrezco mi mano, pero ella me da un inesperado y casi claustrofóbico abrazo. Inhalo y trato de percibir su olor a tierra, ese aroma que durante tanto tiempo me la ha recordado; no hay ni rastro de algo que me resulte familiar.

—Me he tomado la libertad de pedir té y sándwiches —me informa mi madre en cuanto nos sentamos. Se detiene, sintiéndose tan incómoda como yo—. Estás guapísima. Muchas gracias por haberme llamado.

Asiento con la cabeza y miro a otro lado.

—Tengo muchas cosas que explicarte —añade.

Vuelvo a asentir, sin mediar palabra. Sobre todo, intento no echarme a llorar.

Ella niega con la cabeza.

—No sé por dónde empezar, la verdad. Han pasado tantos años... tantas cosas... no sé... —Se calla y recobra la compostura—. Debería empezar por pedirte perdón. Lo que hice en el pasado... bueno, ahora comprendo, por razones que luego te explicaré, lo mucho que debió de doleros a ti y a tu hermano.

—Gracias —le digo calladamente, mientras se me escapa una lágrima de mi ojo izquierdo. Quiero estar furibunda, rabiosa, y enfadada; pero ahora, al verla así, más nerviosa que un ratoncillo, aterrorizada y arrepentida, me resulta más fácil hacer que la ira se me vaya disipando, como el aire que se escapa poco a poco de un globo, hasta que no quede nada de ella. Nada que la mantenga a flote.

—Es muy difícil de explicar —vuelve a empezar, pero se corrige a sí misma—. No, no lo es. Ésa es mi excusa, pero no es difícil de explicar. Me he estado diciendo a mí misma que es complicado para no tener que enfrentarme a mi culpabilidad, cuando en realidad no es nada complicado. Tomé una decisión terrible. Ésa es la verdad. —Suelta una pequeña risita—. Mi terapeuta estaría orgullosa de mí, si me viera aceptar mi responsabilidad.

Aparece el camarero con el té y unos sándwiches diminutos. Cojo uno y le quito la corteza.

—¿Qué fue lo que pasó? —le pregunto por fin, obligándome a hacer la pregunta, pero arrepintiéndome también de haberla hecho, por miedo a la respuesta. «¡Es porque nunca ordenabas tu habitación!»

—Bueno, es que... esto va a sonar fatal, pero es lo que hay; eres libre de odiarme y de juzgarme por ello, es algo que comprendo. —Baja la vista y se queda mirándose las manos—. Pero no estaba preparada para todo eso: ni para la maternidad, con las obligaciones que eso conlleva, ni para el matrimonio y las complicaciones que teníamos...

Me seco un par de lágrimas que me surcan la mejilla. Las lágrimas se derraman al azar, así que parece que se me ha metido algo en el ojo, no que esté llorando.

—Eso no quiere decir que no te quisiera a ti. O a Andy —dice mi madre con firmeza—. Yo era joven... y no sabía... no podía más. Tu padre y yo nos casamos con veinte años, y cuando... —se aclara la garganta—, cuando me fui, aún no había cumplido los treinta, y se me había metido en la cabeza que había tanto por hacer ahí fuera, mucho más que ser un ama de casa y una madre... —Se le apaga la voz, pero

199

entonces vuelve a recuperarse—. Lo estoy contando fatal. Me lo había preparado todo muy bien, pero ahora me está saliendo todo al revés.

—No sé qué decir —observo.

—Lo comprendo —responde—. Tómatelo como quieras, pero mi amor por tu hermano y por ti... nunca se ha debilitado. Os he echado de menos cada día de mi vida. Intenté compaginar esas dos cosas: mi amor por vosotros y mi necesidad de librarme de lo que percibía como cadenas. —Se encoge de hombros, aunque no hay nada espontáneo en ese gesto—. Era joven. No es una excusa, pero no sabía qué otra cosa podía hacer.

La primera vez que sostuve a Katie en mis brazos, después de un parto brutal que no se parecía en nada a lo que había leído en numerosas revistas, tras haber empujado lo que me había parecido que no se podía empujar y notar cómo salía su cabeza, y los hombros y luego las piernas, acabé tan destrozada físicamente que mi cuerpo quedó totalmente entumecido. Entonces me pusieron esa cosa sanguinolenta e hinchada encima y me dijeron: «¡Ahí tienes, mamá!» y, en lugar de quedarme embargada por una infinita emoción, no sentí nada de nada... por supuesto no se lo conté a Henry, que lloraba de felicidad tras la cámara de vídeo; de hecho no mencioné nada de esto a nadie. Ni siquiera a Ainsley, que aún seguía sufriendo los efectos de la depresión posparto y que podría haberme comprendido, ni a mis nuevas amigas, también madres, cuyas vidas parecían tan brillantes como sus cochecitos para bebés de por lo menos mil dólares.

Sostuve a Katie bajo la dura luz de la clínica mientras sonreía y la mecía en mis brazos; ella se intentaba zafar de mí y lloraba, y la volví a mirar para ver si me llegaba esa esperada oleada de emoción. Pero no sucedió. De hecho, sentí alivio cuando se la llevaron las enfermeras para darle su primer baño.

Cuando nos la llevamos a casa, seguía esperando que me

llegase esa sensación. Le metía el pezón en esa diminuta boca suya y la acunaba para que se durmiera y le cantaba cuando se despertaba. Y seguía esperando que me inundara esa oleada de emoción que todo el mundo describía como el incondicional amor de una madre. Desde el primer momento, Henry, el más estoico y lógico de los seres humanos que jamás haya conocido, estaba como unas castañuelas, y mírame a mí, la viva imagen de la perfección maternal, con un vacío donde debería estar mi completa adoración.

Por fin, cuando cumplió las seis semanas, la oí un día moverse en la cuna, y empecé con la rutina habitual: pañales, darle el pecho, que suelte los gases, canturrearle, acostarla y vuelta a empezar. Katie estaba mirando a la barandilla de protección con adornos florales, debía de haberme oído llegar; pero se pegó un susto y empezó a berrear, y a mí se me revolvieron las entrañas. Entonces me asomé a la cuna y ella giró la cabeza y nuestras miradas se encontraron. «¡Me ve!», pensé. Se calló de inmediato, y una pequeña sonrisa se dibujó en sus labios rosados. Y entonces lo sentí: ese sobrecogimiento y ese subidón que las madres consideran indescriptible, ese profundo amor que no conoce límites.

Una vez descubierto, sería como el bajo en una canción: siempre estaría ahí, aunque en ocasiones se mezclara con el batiburrillo que es la vida, como ocurriría cuando tenía que aguzar el oído y concentrarme en sentirlo para saber que seguía ahí, manteniendo el ritmo.

Hoy, mirando a mi madre, no puedo evitar recordar esas primeras semanas de Katie, y de pronto se me ocurre que quizás haya cometido un error que no se puede remediar. Es imposible no ver que las dos estamos cortadas por el mismo patrón.

Comemos los sándwiches en silencio, pensativas.

Por fin, abro la boca y pregunto:

—¿Y por qué ahora? Han pasado dieciocho años, ¿por qué ahora?

—Bueno, eso es lo que tengo que contarte —engulle.

Asiento y espero, mientras ella coge su bolso y saca una foto que coloca encima de la mesa.

—¿Qué es esto? —pregunto y niego con la cabeza. Es una foto de mi madre en un barco de vela, con una niña sentada a su lado y un hombre que me figuro que será su marido cogiéndola por los hombros.

Mi madre se aclara la garganta y habla muy despacio:

—Ésa es tu hermana. —Se detiene para observar mi reacción, pero no se ha producido ninguna; me siento como si me hubieran pateado el estómago, como si me hubieran atacado con un pico para romper hielo que primero me rasga la piel para adentrarse luego en mi abdomen; así que prosigue—: Ahora tiene nueve años, la misma edad que tú tenías cuando me marché. —Se detiene, buscando la forma de expresar correctamente lo que me quiere decir, aunque me corroe la rabia y me dan ganas de decirle que lo deje, que pare ya porque no hay manera posible de que le salga bien—. Ahora la veo, lo preciosísima que es, Jill... —Intenta cogerme de la mano, pero yo la retiro bruscamente—. La miro y no me puedo creer que alguien tan joven, tan inocente, tenga que soportar una vida sin su madre.

Me quedo mirando a mi madre y, como si me hubieran pegado un puñetazo, me percato de que todo esto ha sido un error, que todo el bien que pensaba que esta reunión me podría hacer, toda la sabiduría que creía que había dejado de lado la otra vez por haber evitado a mi madre, bueno: «¡A la mierda!», pienso, sorprendida por mi propia rabia.

—¿Así que por ella merece la pena quedarse, pero no por mí? ¿Proteges su frágil naturaleza, pero nos dejas a Andy y a mí, que nos las apañemos por nuestra cuenta? —le suelto por fin, mientras cojo el bolso—. Que sepas que esto es todo, Ilene. No sé qué es lo que querías sacar de esto; pero, fuera lo que fuese, yo no formo parte. —Me pongo en pie para marcharme, aguantándome las lágrimas de rabia.

—Jillian, por favor, deja que te lo explique. No te vayas así, por favor —me ruega—. Intento compensarte por lo que os hice.

—¡No hay nada con lo que puedas compensarme! —grito furiosa—. ¡Nada!

Mueve las manos en un gesto de impotencia, y yo corro hacia la salida antes de que me vea desmoronarme. Ése es el problema que tengo con la gente a la que quiero: que o los abandono o me dejan a mí, aun cuando nuestras intenciones prometen lo contrario.

20

—¡Éste es, éste! —grita entusiasmada Ainsley en la tienda de Vera Wang desde una butaca de color crema. Da un sorbo a su café descafeinado y añade—: Definitivamente, éste es tu vestido.

—¿Tú crees? —Me giro ante un espejo de tres lunas para poder verme bien la parte de atrás. Me deja una buena parte de la espalda al aire, y debajo hay docenas de botones cosidos a mano—. ¿Qué, Meg? ¿A ti te gusta?

—Sí —contesta, aunque no parece muy convencida.

Me giro para volver a mirarme por delante.

—Me gusta —digo, mientras me paso las manos por el corpiño tocando los bordados de seda—, ¿pero no debería, no sé, reconocer el vestido ideal en cuanto lo viera?

Ainsley niega con la cabeza y añade:

—Yo creo que encuentras uno que te gusta y ya está. No tienes que llorar de la emoción, ni presenciar la epifanía, ni nada similar. —Mueve la cabeza—. Yo ya llevaba probadas unas cinco docenas de vestidos cuando mi madre y yo decidimos que ya estaba bien, que ése mismo que llevaba era perfecto y que a por él. —Se encoge de hombros—. A mí me funcionó.

—Muchas gracias por venir, chicas —les digo esa tarde por décima vez. Vivian había intentado apuntarse, pero no la dejé. En cierto modo, es como si ahora que me he comprometido a casarme con Jack, estuviera por fin dispuesta a

205

considerarme de la familia y, al hacerlo, tuviera que perdonarle yo todas las afrentas previas y humillaciones pasadas. Aunque trataba de hacerlo en muchas ocasiones (contestando a sus llamadas diarias, consintiendo sus grotescos planes para la boda), lo hacía principalmente por Jack, o mejor dicho, lo hacía para que Jack y yo pudiéramos pasar página en lugar de estancarnos y estallar como nos pasó la última vez. Sin embargo, ahora que tenía dos mujeres que ansiaban ser mi madre, no quería yo que ninguna de las dos me acompañara a probarme mi traje de novia. Había alejado de mi mente cualquier pensamiento que tuviera que ver con mi madre, pensar en ella en un día como hoy era darle más importancia de la que esa mujer se merecía.

—Pruébate un velo —sugiere Deidre, una impecable dependienta morena—. Te ayudará a ver cómo queda en conjunto.

Ainsley y yo asentimos, y ella se va corriendo a la parte de atrás mientras Meg hojea desinteresada una revista.

—Meg, ¿estás bien, guapa? —Me subo el vestido para poder bajar del pedestal.

—Sí —asiente y trata de sonreír, pero no abre la boca y tampoco da muestras de alegría—. Estás preciosa, Jill, preciosa.

Me siento a su lado en el sofá de dos plazas de color marfil. Oímos el frufrú de mi vestido, por los dos lados.

—¿Seguro?

«¿Estará embarazada? ¿Es ahora cuando vuelve a pasar?», trato de recordar, pero no lo consigo. La verdad es que hace siete años, estaba tan ocupada lamiéndome las heridas tras la separación con Jack y enamorándome de Henry, que le perdí un poco la pista a Meg. Quedaríamos de vez en cuando para tomar una copa y nos mandaríamos e-mails con los detalles más jugosos de nuestras respectivas vidas, pero el tiempo me acabó alejando de ella, y supongo que a ella le pasó lo mismo. Por lo tanto, no recuerdo la fecha exacta en que tuvo su segundo aborto. Me acuerdo vagamente del momento, pero no es una fecha permanentemente fija en mi memoria como debería serlo, ya que yo era su mejor amiga.

—Estoy bien. —Y entonces se lleva las manos a la cara, como si eso pudiera detener el torrente de lágrimas—. Me acaba de venir la regla esta mañana, eso es todo.

—¡Oh, Meg! —La abrazo y mi vestido cruje.

Ella menea la cabeza y se separa:

—No, éste es un gran día para ti, y no quiero estropearlo. ¡Llevo veintisiete años esperando para acompañarte a probarte tu vestido de novia! —Sonríe ampliamente, sin egoísmo, y veo que es una sonrisa sincera.

Le aprieto la mano, justo en el momento en que Deidre regresa con un velo vaporoso que llega hasta el suelo. Me vuelvo a subir al pedestal y ella me lo coloca en la cabeza con impresionante destreza.

—¡Ohhhh! —Aplaude Ainsley—. Es perfecto.

—Lo es —confirma Meg—. Estás exactamente como te había imaginado que llegarías al altar.

—Ah, sí? —pregunto.

—¡Sí! —gritan las dos al unísono, y Deidre asiente detrás de ellas con elegancia y vehemencia.

Para mi boda con Henry, me fui sola a comprar el vestido nupcial. No fue intencionado, sino que la casualidad hizo que un fin de semana que estaba con Henry en Sag Harbor me tropezara en una *boutique* retro con lo que se convertiría en mi traje de novia. Henry (esto era cuando aún tenía tiempo libre) se había ido a dar una vuelta al mercado agrícola que había unas calles más arriba, mientras yo me adentraba en las pintorescas calles, visitando tiendecitas curiosas donde vendían abalorios, cometas y mantas hechas a mano. Al final, me metí en Rock of Ages y, mirando el género, fui a dar con un sencillo vestido ajustado de los que nunca pasan de moda. Me metí tras el biombo oriental que hacía las veces de probador, me lo puse y salí para mirarme al espejo.

Era, como dicen hoy Ainsley y Meg, perfecto. Los finos tirantes se curvaban en el cuello, y la seda se me ajustaba al pecho y a la cintura. Me miré al espejo y lo supe, sencillamente lo supe, como se dice por ahí. Era, ahora que lo pienso, una de las pocas cosas a las que me aferraría en los próximos años de matrimonio.

Y ahora, de pie ante el espejo de Vera Wang, parece que también todas lo sepan. Sólo que saben únicamente que este vestido, con organdí y puntillas, sin tirantes y de princesa, tan diferente al que llevé cuando juré matrimonio a mi otro amor, es «el vestido».

Así que me giro hacia Dreide y le digo que me lo quedo. Mi instinto se equivocó la primera vez, así que ahora me siento feliz de que alguien haya decidido por mí.

Mi madre me ha llamado tres veces al trabajo, pero yo no le he devuelto las llamadas. Pedí consejo a Jack, y tampoco fue de gran ayuda.

—¿No crees que a lo mejor estoy cometiendo un error? —le pregunté hace dos noches. Jack estaba inclinado sobre su portátil, intentando, creo yo, pulir su manuscrito, pero aliviado de que entrara yo en el cuarto y lo interrumpiera.

—¡Dios!, no lo sé —dijo, y movió la silla. Yo me tumbé en la cama y me puse una almohada en la cabeza.

—¡Sólo quiero que alguien me diga lo que tengo que hacer! —Apenas se me oía a través de la almohada. «¡Dime qué he de hacer, Jack!», pensé y me sorprendió mucho esa idea, dado el resentimiento que sentía hacia Henry siempre que él intentaba hacer precisamente eso.

—Bueno, ya sabes que es una situación dura... —me contestó—. Todo eso de tener una hermana...

—Ya lo creo —dije, y me incorporé en la cama—. Vamos, que ha tenido una hija durante todo este tiempo (y yo, una hermana), ¿y espera que lo acepte así, sin más?

—A decir verdad, ¿qué más podía hacer la mujer?

—No sé, ¿decírmelo?

—Pero si ha intentado decírtelo —replicó—, y ahora te niegas a hablar con ella. Las cosas no son siempre blancas o negras.

—Vale, entonces dime: ¿le devolverías la llamada?

Jack se subió a la cama, y su respuesta fue un beso en la parte interna del codo, que subió hasta llegar al cuello. Y hasta ahí es hasta donde llegamos con el asunto de mi madre.

Luego, cuando Jack estaba durmiendo, volví a repasar el comentario que había soltado de pasada: «blancas o negras». Me acordé de cómo me sentí cuando dejé a Jack hace siete años, después de una pelea, y cómo sucedió de pronto, como si me hubieran desconectado o algo, y luego pensé en cómo había vuelto a acabar otra vez aquí: cansada, sola y harta de mi monótona vida, tanto que mi voluntad me había sacado de ella. O blanco o negro. Tal vez algo de eso fuera cierto.

Hoy y ahora, una vez más, el número de mi madre aparece en la pantalla del teléfono; su cuarta llamada desde que la dejé ahí con sus minisándwiches, el té y la foto de mi monísima hermanastra a quien, si hubiera observado con más detenimiento, habría encontrado demasiado parecido con mi propia hija, lo cual me habría producido arcadas.

Pienso en las palabras de Jack y hago un pequeño amago de coger el teléfono, que justo en ese momento deja de sonar. Le habrá saltado el contestador, pero seguro que no dejará un mensaje. Lo sé porque me estoy dando cuenta de que mi madre y yo no somos tan diferentes. Aunque tenga el suficiente valor para marcar mi número, tampoco está tan segura de sí misma para dejar constancia de que me ha estado llamando.

Suspiro con alivio, aunque también me da un poco de

pena, y entonces me fijo en la hora que es. «¡Mierda!» Voy muy atrasada con las aprobaciones de las imágenes y los textos para los anuncios en prensa de Navidad. Rebusco por el escritorio, entre viejos informes y barras de cereales a medio comer, hasta que doy con las imágenes y los textos. Me rasco el puente de la nariz y exhalo, obligándome a encontrar el espacio mental para concentrarme en esto y a la vez sintiéndome agotada. No recuerdo que el trabajo se me hiciera tan cuesta arriba en mi otra vida como se me está haciendo poco a poco en ésta. Me paso casi todas las horas del día en la oficina, dirigiendo al equipo y haciendo informes para Josie. Cada momento que no discurre alrededor de la boda, lo paso entre textos que corregir, nuevas ideas, *story boards*, imágenes retocadas con Photoshop y «tratando de encontrar a los modelos que representen más fidedignamente a Coca-Cola», como lo definió hace poco un ejecutivo, como si a esa gente le saliera el refresco por la nariz.

Recuerdo que hace media década disfrutaba de la camaradería y la alegría de lanzar una idea nueva, o la emoción de quedarse alguna noche trabajando hasta las tantas, como si fuéramos corredores olímpicos de relevos que aúnan sus esfuerzos para llegar a meta los primeros. Pero, como en tantas muchas otras cosas, me empiezo a preguntar si lo recordaré bien, si no habré pintado mi pasado de color de rosa porque resulta mucho más fácil que plantearse que, aunque el presente no es un cuadro feliz de Rockwell, tampoco lo fue mi pasado. Que, de hecho, así era mi vida, ni muy gloriosa ni muy sórdida; y que, por mucho que me gustara mi trabajo, no dejaba de ser un trabajo; y que, tal vez cuando me quedara embarazada y Henry sugiriera que lo dejase, aprovecharía la oportunidad, en lugar de verlo como una afrenta.

O tal vez no. Últimamente se entremezclan realidad y ficción, lo que pasa en esta vida y lo que me sucedió en la anterior, y ya nada tengo claro. Nada me parece concreto;

a menudo, me encuentro a mí misma intentando descifrar si algo es real, o si lo habré soñado o imaginado.

Estoy inclinada sobre mi mesa, con los hombros hacia delante, comparando muy concentrada una tipografía gris con otra plateada, cuando Gene me llama desde su despacho.

—Un chico muy mono ha venido a verte —dice, ocultando su entusiasmo para hacerme saber que todavía está mosqueado conmigo por haberlo tenido trabajando ayer hasta las once y media de la noche.

—Jack —le respondo—. Hazlo pasar. —Me masajeo el hombro donde tengo un músculo agarrotado.

—No es Jack —contesta Gene—, eso seguro. Y ya está de camino.

Antes de que pueda protestar, alguien llama a mi puerta y Henry asoma la cabeza. Doy un brinco, como la rata que ha caído en una trampa. Ni cuando empezamos a salir en mi vida anterior, Henry venía de visita a mi trabajo; así que verlo aquí, tan fuera de su elemento, me desconcierta pero también me encanta. Tampoco es que en mi vida anterior Henry tuviera que pasarse por aquí para verme, yo siempre llegaba a casa antes de las siete de la tarde, y él nunca llegaba más tarde de las ocho. Al menos durante los primeros años, hubo un cierto equilibrio.

—¡Eh! —Sonríe, y se le ilumina toda la cara. Es una sonrisa que apenas recuerdo. «¿En qué momento perderías esa sonrisa?», pienso. «¿La dejé de notar o es que la borré de tu cara?» Estaba en una reunión en el edificio y recordé que trabajabas aquí. Se me ocurrió pasar a saludarte —dice tranquilamente y se sienta, con aquella enorme sonrisa aún en su rostro.

—¡Hola! —lo saludo yo—. La verdad es que me iría bien un descansito. —Le señalo la pila de trabajo que hay encima de la mesa—. Me alegro de verte. —Y demasiado, porque noto que el corazón me late con fuerza.

—Yo también me alegro de verte a ti. ¿Qué tal el sofá?

«¿No será un eufemismo y estará llamando vago a mi novio?», me pregunto y frunzo el ceño.

—Bien —respondo—, cómodo. ¿Y el tuyo?

—Bueno, yo no necesito un sofá, era Celeste quien quería uno. Pero al final no se acabó comprando nada.

«¿No será un eufemismo de que hayan cortado?»

—¡Qué lástima! —me encojo de hombros—, porque había sofás estupendos.

—Sí —responde y sonríe. «¿Es eso un eufemismo de que te gusto?» Yo bajo las cejas, este código me esté empezando a confundir—. Bueno, ¿qué tal con tu madre? —me pregunta Henry.

«¡No me puedo creer que se acuerde! El Henry con el que yo me casé no era ni por asomo tan considerado.»

—No me puedo creer que te hayas acordado —digo en voz alta.

—¡Pues claro que me acuerdo! —Aparta las manos de debajo de su barbilla, como queriendo decir que recordar algo era lo más normal del mundo.

«¿Y entonces por qué coño no te acordabas de traerme leche cuando te lo pedía? ¿Por qué nunca te acordabas de las noches en que había quedado para salir con las chicas, que tanto necesitaba yo para volver a ser la que era, y precisamente en esas fechas siempre tenías cenas de trabajo?»

—Quedé con ella para almorzar... —hago una pausa—, y la cosa se complicó.

—¿Qué pasó? —me pregunta.

—Bueno, cosas que pasan; pero, en fin, me las apañaré —le digo, y me doy cuenta de que sigo uno de los patrones que tenía con él en mi vida de casada: hablar de muchas cosas, pero revelar muy poco.

—Háblame de esas cosas —me pide Henry, mientras cambia de posición en la silla—. ¡Venga, mujer!

«¿Quién eres tú y qué le has hecho al hombre con el que me casé?»

Suspiro.

—Mi madre tiene una hija, lo cual quiere decir que yo tengo una hermana. Una niña que tiene ahora la misma edad que tenía yo cuando mi madre me abandonó... —Se me quiebra la voz—. Me estuvo hablando de la niña y, no sé, fue demasiado para mí. Como si quisiera hacer las paces conmigo porque cada vez que miraba a la niña se sentía culpable, no porque fuera lo justo para mí.

—¡Dios, lo siento! —dice Henry—. Debió ser muy duro.

—¡Qué le vamos a hacer! —Me encojo de hombros—. Así es la vida.

—Sí, pero aun así, resulta muy duro. ¿Y qué vas a hacer ahora?

—¿Ahora? ¡Centrarme en la brillante campaña navideña de Coca-Cola! —Hago como si brindara en broma, pero Henry no se ríe.

—Lo digo en serio, Jill. ¿Qué vas a hacer?

«¡Tú no eres así! ¡No te preocupas tanto! ¡Ni te cuestionas cosas complicadas! Haces ver que las cosas en nuestra vida son siempre perfectas, pura fachada. ¡Detente ahora mismo! ¡Nosotros forjamos un matrimonio sin pedirnos el uno al otro ningún tipo de opinión sobre los problemas más dispares! ¡Nunca te paraste a preguntarme qué era lo que quería de mi madre! Todo era "Haz esto, haz lo otro" o "Yo creo que lo mejor es esto", como si fueras tú el que tenía que llevar el peso de tomar las decisiones.»

—¡Dios mío, no lo sé! —me aclaro la voz—. Ojalá alguien me dijera qué tengo que hacer... La verdad es que no soy muy buena averiguando qué es lo que quiero, qué es lo mejor para mí.

—A veces cuesta saberlo —asiente Henry—, gratificación instantánea contra satisfacción a largo plazo.

«¡Éste es mi Henry! ¡Juicioso a más no poder!»

—¿Qué es lo que harías tú en mi lugar? —le pregunto, sorprendida de lo fácil que me sale después de lo mucho que

213

me he rebelado contra sus consejos en la materia, y más sorprendida aún ante esta confianza que ha surgido entre nosotros. Entre las exigencias de Katie, el trabajo de Henry y mi obsesión por crear un hogar inmaculado y perfecto, no logro recordar cuándo fue la última vez que compartimos confidencias de este tipo.

—¡Pues no lo sé! Tendría que volver a pensar tranquilamente qué es lo que más me importa: si llegar a conocer a mi madre o arriesgarme a que me vuelvan a hacer daño. —Se calla un instante—. La verdad es que soy muy analítico, siempre estoy intentando buscar la solución más lógica. Mis padres son los dos científicos, así que me figuro que será por eso. —Se encoge de hombros.

«Lo sé —quiero gritarle—. ¡Ya basta de hablar de ti! Sé que tus padres son los dos profesores de la Universidad George Washington y que, a excepción de tu boda y de algún otro momento similar, haces un gran esfuerzo por clasificar tus emociones, a las que das brillo hasta llegar "al punto más racional", como solías decir cada vez que subíamos la voz discutiendo, momento en el que me pedías que me "compusiera". Así que dejé de ser irracional y me compuse, y por eso dejamos de pelearnos y finalmente dejamos también de comunicarnos; y por eso he acabado de regreso en el pasado, siete años atrás, para escapar del ahogado silencio que proviene de ser tan perfecta.»

No digo nada de todo esto.

En lugar de eso, le suelto:

—¿Ves?, ése es el problema: obviamente no quiero que vuelva a hacerme daño, y teniendo eso en cuenta, no sé cómo puedo llegar a tener algún tipo de relación con ella.

—Sí, claro, siempre conlleva un riesgo. Pero, ya sabes... —Se detiene un momento, como calculando las palabras precisas—. ¿No es eso lo que importa? Quien algo quiere algo le cuesta. —Se aclara la voz—. Mi padre es profesor de matemáticas («¡Ya lo sé!») y siempre calcula las probabilidades de las cosas, las probabilidades reales, no las que se deben al azar y esa clase de cosas. Por ejemplo, de que un autobús colisione con el coche que tiene delante en la puerta de un colegio, o de que de niños llegáramos al colegio a tiempo si salíamos de casa cinco minutos más tarde de lo habitual y él condujera a cuarenta y cinco millas por hora; bueno, cosas así.

Asiento. Ya he oído todo esto antes, sobre todo a Phil, el padre de Henry, alguien que podía convertir todo lo que le dijeras en un problema matemático, lo que hacía insufribles e inaguantables muchas cenas y conversaciones. Y tampoco creo que contribuyeran a desarrollar las cualidades más amables y benévolas de Henry. Pero ahora mismo me doy cuenta, mientras miro al que antes fue mi marido y mi antiguo amor, que tal vez su constante y continua insistencia con el tema de mi madre fuera su forma de protegerme. En mi otra vida, me lo tomaba como si me juzgara, como si me despreciara un poco, en lugar de ver que lo que estaba haciendo era cuidar de mí. Hoy no lo veo así, hoy sólo siento su compasión.

—En fin —prosigue—, lo que pasa es que esta decisión es más difícil porque implica emociones y demás, por lo que mi padre diría que se trata de una fórmula imperfecta... Pero tendrías que considerar si no te estarás arriesgando a más de lo que puedes llegar a ganar.

Me dispongo a contestar, cuando Gene me llama por el intercomunicador.

—Llegas tarde a la reunión de equipo —me informa sobriamente, y apaga la conexión.

—¡Mierda!, me tengo que ir corriendo. —Me levanto y recojo varios documentos que hay esparcidos por la mesa, más otros apilados en el suelo.

—Tranquila —me dice—. Oye, pase lo que pase, me lo cuentas, ¿eh? —Saca una tarjeta del bolsillo y está a punto de colocarla sobre mi escritorio, pero se lo piensa dos veces y se da cuenta de que tal vez ahí se pierda. Así que me la da en mano—. Ah, ¡y que pases un feliz Día de Acción de Gracias! —me desea mientras se dirige a la puerta.

—Tú también. —Le sonrío, y entonces caigo en la cuenta de que técnicamente éste debería ser nuestro primer Día de Acción de Gracias juntos, y que yo lo debería pasar en su casa de infancia conociendo a Phil y a Susan, la profesora de física que es su madre.

—¿Lo pasas con la familia? —me pregunta.

—Con la de Jack —le contesto, encogiéndome de hombros—. ¿Y tú?

—Con la de Celeste —replica, también encogiéndose de hombros y forzando una sonrisa—. Son cosas que a veces hay que hacer. —«Creo que, después de todo, esto no es un eufemismo de que hayan cortado, la verdad», pienso, dolida.

—Pásalo bien —me repite, sin mostrar ninguna prisa por marcharse—. Y no te olvides de la fórmula: quien algo quiere, algo le cuesta: ¿vale la pena el riesgo?

—No lo olvidaré —le respondo, mirándolo por última vez justo antes de marcharme por el pasillo hacia la sala de juntas—. De hecho, me lo estoy pensando en este mismo instante.

HENRY

Henry me empezó a incordiar respecto a mi madre cuando Katie tenía siete meses y medio. Lo recuerdo muy bien, porque fue justo cuando ella empezó a gatear, algo que cambió por completo la rutina de mi vida. Ya nada de dejarla en el suelo un momento mientras iba a la cocina a por té helado. La primera (y última) vez que hice eso regresé al salón y vi que había desaparecido. El pánico se apoderó de mí durante el minuto más largo de mi vida, recorrí toda la casa gritando su nombre, como si ella pudiera contestar: «Mamá, estoy aquí»; hasta que me la encontré debajo del asiento del piano, haciendo ruiditos y acariciando los pedales dorados.

No sé por qué empezó Henry con lo de mi madre, probablemente porque se le ocurría que yo encontraría más satisfactoria la maternidad si hiciera las paces con mi trastocada pubertad. Sacaría el tema poco a poco: que si había visto a una mujer en la calle que se parecía tantísimo a mí, que si había leído un artículo en el *New York Times* sobre la educación de los hijos en el que decían cómo, por mucho que intentáramos evitarlo, acabamos transmitiendo nuestros pecados a nuestros propios hijos. O la mencionaba cuando estábamos preparando la cena, preguntándome, como quien no quiere la cosa, si mi madre cocinaba bien, o si yo sabía si le gustaba la albahaca o si le daba náuseas como a mí.

Al principio, nada de eso me importaba demasiado. Era como si estuviera pelando una cebolla e intentara llegar a una capa más profunda de esa persona que era su esposa, y prácticamente todas las revistas dijeran que eso era algo bueno para la relación. «¡Oh, eso es que tu marido te sigue encontrando misteriosa!», pondría. Así que él iría soltando comentarios y yo intentaría que no se me agriase la cara, le sonreiría y evitaría sus preguntas.

Pero enseguida me quedó claro que los comentarios de Henry formaban parte de un plan más ambicioso, con un objetivo más importante: el de forjar algún tipo de reconciliación con la mujer que me había abandonado.

—Nunca me habías obligado a hacer esto antes —le dije una noche, con voz fría por la rabia reprimida, porque sólo quería que cerrara la boca y dejara el tema de una puta vez, sentimiento que esperaba que captase ante mi negativa a darme la vuelta y mirarlo mientras lavaba los platos.

—Sólo es que me parece importante —contestó—. Creo que es importante para Katie que conozca a su abuela, pero más importante es que tú obtengas las respuestas a todas tus preguntas.

—No tengo preguntas —repliqué sin emoción, frotando, frotando y frotando una maldita mancha de grasa que se resistía a abandonar la olla.

—Tienes muchísimas preguntas —me dijo de forma amable, aunque entonces yo no lo vi así—. Son cuestiones válidas que necesitan respuesta. —Se detuvo para pensar cómo seguir—. Hallar las respuestas te hará ser una persona más feliz. Te ayudará a resolver tus asuntos, ya sabes.

—Yo no tengo asuntos que resolver —estallé—. Y me hace daño que insinúes que estoy confusa o soy inestable, que no me siento feliz contigo y con Katie y sin esa mujer —escupí las palabras— en mi vida.

Tiré la olla al suelo, me saqué los guantes de goma y me fui a ver si Katie se había despertado. Me senté en la mecedora, balanceándome adelante y atrás, con la luz nocturna por iluminación, hasta que oí a Henry retirarse a nuestro dormitorio.

«¿Quién te ha preguntado a ti? —pensé furiosa—. ¿Quién te ha dado derecho? ¡Te crees que lo sabes todo!»

Me mecí sin parar, hasta que me hice un ovillo, puse los pies en el diván y caí en un sueño irregular. Ni una sola vez se me pasó por la cabeza que mi marido, que me amaba con locura, incluso cuando lo sentía tan remotamente lejano, pudiera tener razón.

21

Jack y yo estamos en el tren que nos lleva a casa de sus padres para celebrar Acción de Gracias, cuando suena mi móvil. El vagón está atestado de pasajeros que corren a ver a sus seres queridos (o no tan queridos) y a comer el obligado pavo. Nuestra respiración colectiva lleva el aire de tal manera que las ventanas están llenas de condensación y yo estoy que me ahogo con mi bufanda de lana marrón. El móvil sigue sonando, así que me quito la bufanda del cuello, dejo a un lado los informes que estaba revisando y me pongo a rebuscarlo en la bolsa que llevo con todo lo que necesito para pasar la noche fuera. Jack ni siquiera mira: está inmerso en la relectura de los cinco primeros capítulos de su novela. Es todo lo que ha logrado en los cuatro meses que han pasado desde que he regresado del futuro, pero algo es algo. Se lo va a enseñar a Vivian esta noche, e incluso ha llegado a admitir que está un poco nervioso.

—Pues no se lo enseñes —le sugiero mientras preparamos la bolsa.

—¿Cómo no voy a dejárselo leer? —contesta, y mete cinco pares de calzoncillos tipo bóxer en su equipaje, lo que me lleva a preguntarme cuántos días piensa quedarse o por qué necesita cambiarse tanto de ropa interior.

—¡Pero es que te estás volviendo loco! Te preocupa tanto su opinión que no puedes pararte a pensar si te gusta a ti.

—Me giro para sacar un suéter del armario y me sorprende

lo mucho que se adaptan a mí misma mis propias palabras: cómo estaría tan ocupada intentando complacer a Henry, que nunca me detuve a pensar en mi propia felicidad, o lo que es más importante, si para empezar él querría que se le complaciera como yo intentaba. Me veo reflejada en el espejo del armario y la sorpresa de mi rostro ante este repentino descubrimiento.

—Jill, esto es lo que hay —suspira Jack—. Por favor, no me lo restriegues más.

—Vale —asiento, y le meto un jersey de punto azul en la bolsa—. No se hable más del asunto. «¿Para qué intentar cambiarlo?», me digo a mí misma, aunque una parte más sabia de mi ser me susurra al oído que un cambio es algo sumamente importante.

Mi teléfono sigue sonando mientras la pareja que tenemos detrás discute sobre la ética del recuento de votos. Jack muerde el capuchón del boli, anota algo en el manuscrito y murmura algo para sus adentros.

—¿Diga? —grito por encima del sonido de la locomotora del tren, tan alto que saco a Jack de su trance. Me echa una mirada de mosqueo, pero yo me encojo de hombros.

—¡Estoy embarazada! —chilla Megan al otro lado de la línea—. ¡Embarazada! ¡Embarazada! ¡Embarazada!

Me meto el dedo en el oído y me vuelvo hacia la ventana para tener un poco más de intimidad.

—¡Cariño, eso es fantástico! —me oigo decir, aunque es como si se lo dijera desde dentro de un túnel, de tan alejada como me siento de mis propias palabras. Intentando recordarlo frenéticamente; me confirmo a mí misma que no, niego con la cabeza y pienso: «No, la otra vez no estaba embarazada en Acción de Gracias. Me acordaría. Seguro, no se me habría escapado ese detalle.» Mi mente va de atrás a delante, como un libro de dibujos para niños, buscando alguna información sobre esta nueva noticia, no sobre nuevas noticias que ya fueran viejas.

No, pienso muy seria. La otra vez, Henry y yo fuimos en coche a Washington D. C., paramos en un TBCY de la carretera para comprar helados, pese a que fuera caía aguanieve, y estuvimos cantando música country todo el viaje. Ahí supe que Henry desafinaba mucho, aunque eso no le impedía lanzarse a interpretar a grito pelado todas y cada una de las baladas sobre corazones rotos que sonaban en la radio del coche.

—No soy más que un muchacho de campo desarraigado —me confesó tímidamente en un momento del viaje.

—Y que no tiene ningún oído para la música —añadí, sonriendo.

—En fin, ya has descubierto mi primera tara. —Me guiñó el ojo y volvió la vista a la carretera.

Después, cuando la pasión inicial se esfumó, me empecé a hartar de su música country, y él ya sólo la escuchaba cuando estaba solo. A decir verdad, no tengo ni idea de si al oírla todavía seguía cantando, o si había dejado de hacerlo por mi culpa.

Pero de lo que sí estoy segura es de que, mientras nos dirigíamos a casa de sus padres ese miércoles para celebrar el Día de Acción de Gracias, Meg no llamó en ningún momento para anunciar su segundo embarazo.

Así que ahora, en el tren de camino a Vivian, aquéllas eran muy buenas noticias. Desde que he vuelto del futuro, a veces me he preguntado si no habré desatado con mi regreso una desastrosa cadena de acontecimientos que jamás habrían sucedido, que nunca deberían haber sucedido si yo no hubiera regresado. Es fácil sentirse así: al fin y al cabo, yo llevo un mapa del curso que tomaron los acontecimientos en el pasado, así que cualquier desviación del rumbo de otra persona es, sin lugar a dudas, culpa mía. Yo quería volver para cambiar mi vida, mi pasado, pero nunca se me ocurrió pararme a pensar hasta qué punto afectaría eso a muchos otros. Como Josie y Bart, o Henry y Celeste.

Pero ahora se trata de Megan y Tyler, así que mientras ella me cuenta que sólo está de cinco semanas, por lo que tampoco quiere hacerse demasiadas ilusiones, que se siente muy optimista y todavía no tiene náuseas por la mañana, pero que seguro que cualquiera de estos días empieza con los vómitos, yo no puedo evitar pensar que las cosas son tal y como deberían ser.

Fuera, el mundo sigue girando. Miro por la ventanilla del tren, los pinos se confunden con otros pinos, y los campos abandonados, helados por el invierno, se mezclan con otros terrenos desiertos y marrones. Lo veo todo pasar zumbando y pienso que mi regreso ha cambiado cosas, desde luego, pero que a veces un cambio es justo lo que se necesita. Como Henry a veces canturreaba: «Un cambio te va a venir bien.»

Ésta es mi primera celebración del Día de Acción de Gracias en el clan Turnhill. El año anterior estuve con mi padre, Linda y Andy en Florida, y el año anterior a ése, Jack y yo no llevábamos tanto saliendo para ver dónde pasábamos el puente. Así que, aunque me han aceptado en la familia gracias a la joya que luzco en el dedo, y Vivian me recibe con los brazos abiertos (antes cerrados en banda, pero ahora tampoco abiertos de par en par), yo sigo sintiéndome incómoda.

Sin embargo, he intentado venir preparada. Habría preferido enfundarme en unos vaqueros y llevar una camiseta, pero voy vestida como una estudiante de Connecticut, con una falda tubo de *tweed* y zapatos de tacón de aguja. «Tacones —me digo mientras me los pongo—, ¿quién lleva tacones dentro de su propia casa?»

Pues Vivian, quién va a ser; y, por lo tanto, también yo. De pronto, recuerdo alarmada la de veces en el pasado que llevé tacones en la cena: Henry aparecería por la puerta y le esperaba una exquisita ama de casa, impecable, con delantal y la cena preparada.

Bajo las escaleras del salón, Leigh me ve de repente.

—¡Dios mío! —Ríe—. ¡Pareces una de ellas! —Me señala la biblioteca, donde su madre y sus hermanas están sentadas alrededor de la chimenea. Veo que Leigh lleva pantalones negros, un cuello vuelto y zapatos planos con un pequeño adorno plateado. Mis pies se mueren de envidia.

—Trato de hacerlo lo mejor posible. —Me encojo de hombros.

—Mejor di: «Trato de parecer lo mejor posible» —me dice Leigh y, aunque las palabras podrían parecer afiladas, se nota que las ha dicho con la mejor intención del mundo. Me sonríe con amabilidad—. Venga, vayamos a por una copa. Va a ser una noche muy larga.

Dos *bourbons* más tarde, estoy ayudando a Vivian a recalentar el relleno del pavo (encargado en una casa de comidas para llevar), cuando de pronto se me acerca por detrás de manera inesperada.

Acercándoseme mucho, demasiado, me suelta:

—Jill, ahora que vas a ser parte de la familia, me gustaría que me llamaras «mamá».

Me doy la vuelta. Estamos tan juntas que, si esto fuera una película (y no se tratase de mi futura suegra), el público esperaría nervioso a que una de las dos se abalanzara sobre la otra y rompiera la burbuja sexual. Pero, en la vida real, retrocedo un paso y me asomo a la puerta del horno.

—¡Oh, Vivian, humm... la verdad...!

Me sonríe como un gato de Cheshire poseso, lo que me recuerda a *Alicia en el País de las Maravillas*, del que regalé un ejemplar a Katie en su primer cumpleaños, aun sabiendo que no había aprendido a leer, pero deseando igualmente contarle la historia de la niña que se metió en una madriguera persiguiendo a un conejo.

—Lo siento —le digo víctima del pánico, y me escapo

corriendo del aliento de Vivian y del calor del horno para refugiarme en el baño.

Me dejo caer encima de la taza y trato de respirar aire fresco, de evitar que el corazón me explote en el pecho. Me paso las manos por la frente y me toco las perlas que llevo en el cuello. Siento que todo se me echa encima y exhalo para evitar que no sea así; pero no: la claustrofobia persiste.

Oigo una vocecilla al otro lado de la puerta:

—¿Tía Jilly? ¿Estás bien?

«Allie», pienso.

—Estoy bien, cielo. Salgo en un minuto. —Mi voz es una octava más alta.

—Date prisa, tengo algo que quiero enseñarte. —Oigo sus pisadas al alejarse corriendo con desgana por el pasillo.

Me pongo en pie, sin hacer caso al repentino mareo, me lavo las mejillas con agua fría y me aproximo al espejo para mirarme de cerca.

Hace mucho que Acción de Gracias dejó de ser una de mis fiestas preferidas y, durante muchos años, en mi familia hicimos todo lo posible para sufrir esa fecha con estoico silencio, como si nada hubiera cambiado, a pesar del cubierto ausente en el lugar que antes ocupaba mi madre. El primer año apenas siete semanas después de que nos dejase, mi padre se pasó todo el día en la cocina con gran coraje pero sin mucha idea, para intentar regalarnos un festín como mi madre había hecho con aparente facilidad, que yo recuerde. Yo me quedaba de pie en la cocina a los cinco años, o a los siete, o cuando fuese, y la observaba moverse del horno a la encimera y de vuelta al horno, comprobando el pavo, o el relleno o la salsa, y nunca dejaba de moverse. Como si fuera lo más natural del mundo, como si estuviera la mar de contenta.

Y, de pronto, se había marchado.

Por mucho que lo hubiera intentado, el pavo de mi padre estaba muy seco, y la salsa demasiado salada, y los boniatos estaban tan duros que aunque eran lo que antes más me gustaba, los dejé a un lado. Pero no dejamos de sonreír durante toda la cena, aunque las lágrimas que los tres intentábamos retener dijeran más de nuestra miseria que todas nuestras sonrisas.

Ahora me miro al espejo en el cuarto de baño de Vivian y amortiguo mi llanto. Lloro por mis pies, aprisionados en zapatos de tacón alto; por mi padre, que intentó dotar de alegre felicidad nuestras fiestas, cuando él mismo lo único que quería era ponerse a gritar; por la mujer que fui en el pasado, que al parecer se despertó un día convertida en una supermadre pija, perfecta y siempre de buen humor, como un zombi que de la noche a la mañana se hubiera apoderado de mi mente y hubiera dejado mi cuerpo intacto; y ahora mismo por mí, que por mucho que lo intentara, cada vez me parecía más a esa mujer del pasado de la que intentaba alejarme.

Me dejo deslizar por la pared de color pastel hasta quedar sentada sobre las frías baldosas del suelo y me concentro en mi madre, en cómo tarareaba mientras cocinaba, tan ensimismada que a veces ni siquiera se daba cuenta de que yo estaba observándola. Y luego recuerdo que yo solía hacer lo mismo: canturrear mientras doblaba la ropa, silbar al realizar las tareas domésticas. Sin embargo, ninguna de estas acciones musicales me llenaba de alegría. Más bien enmascaraban sonidos más honestos, sonidos guturales que tenía demasiado miedo de que se me escaparan.

Estoy apoyada contra la pared y de pronto el radiador se enciende con un clic, emitiendo una inmediata ola de calor. Me quedo ahí sentada mientras el tiempo pasa. Me duelen los músculos de la espalda, y Allie vuelve a reclamar mi presencia al otro lado de la puerta del lavabo. Entonces tengo una repentina revelación: tal vez logre esconderme de mi madre, pero está claro que no puedo dejarla atrás; no, cuando de lo que huyo no es sólo de su recuerdo, sino de la forma en que su recuerdo ha echado raíces en mí y crece más fuerte con el paso del tiempo, hasta que lo que siento por mi madre está tan entrelazado con lo que siento por mí misma, que ya no puedo diferenciar quién es cada una.

22

Me he librado de una reunión de grupo para sacar unos minutos de tiempo libre, y mi madre ha acordado en reunirse conmigo en la Puerta Sur de Central Park para ir a almorzar juntas. Hace un día sorprendentemente cálido para ser principios de diciembre, y pese a haber nevado esta misma semana. El césped está recubierto de hielo y, en los senderos, hay charcos a cada esquina. Como en el día del salón de té, ella ya está ahí, la veo desde la esquina donde estoy mucho antes de que ella me vea a mí.

Se muerde el labio inferior y, aunque me imagino que esto tendría que enternecerme, en realidad me vuelve a poner furiosa y me arroja afilados fragmentos de su traición, de su petición de compasión, de las noticias de esa hermana mía que me atraviesan como si de un mortal rayo se tratara.

«Henry, mi viejo Henry, estaría orgulloso de mí», pienso. Él me había insistido sin cesar para que me reconciliara con mi madre, hasta que sus insinuaciones dejaron de ser sutiles o suaves; y, si me viera ahora, borrando la línea que separa definitivamente mi infancia de mi vida adulta, seguro que estaría muy orgulloso.

Sin embargo, mientras veo a mi madre escudriñando la gente que pasa, buscando una cara familiar, la mía, entre los rostros de los extraños, se me ocurre que complacer a Henry, «hacer que se sienta orgulloso de mí», no tiene que

227

ver con nada. Antes, en mi otra vida, me sentí así muchas veces; sólo que entonces no era en realidad la misma sensación. Yo estada encerrada en mi propia hostilidad, de una forma en la que es muy fácil caer cuando la persona más cercana a ti no te está diciendo lo que quieres oír o no se está tomando la molestia de escuchar atentamente lo que tú necesitas que oiga.

En lugar de haberme cerrado a Henry, me doy cuenta de que tendría que haberle escuchado más. Haber escuchado por qué esta reconciliación con mi madre le importaba tanto. Haberle explicado por qué era tan difícil para mí. Quizás entonces, en lugar de haber excavado tumbas emocionales para ambos, tal vez habríamos forjado un entendimiento mutuo que nos hubiera complacido a los dos por igual. Porque el Henry que he llegado a conocer en esta segunda oportunidad lo habría preferido, y ahora comprendo, mientras observo que mi madre me busca con la mirada, que a mí también me habría gustado.

Voy a dirigirme a donde está mi madre, pero hay algo que aún me retiene, como si estuviera atrapada en una enorme burbuja impermeable que no me dejara atravesarla. Me quedo quieta y exhalo, y por primera vez en mucho tiempo intento pensar en lo que debo hacer para estar bien conmigo misma, y no pensar en lo que creo que es mejor para el futuro, ni en lo que estoy haciendo para escapar de mi pasado. Sólo importa el aquí y el ahora. Sólo importo yo, y nadie más que yo.

«No estoy preparada —me digo a mí misma—. No estoy preparada para todo esto. Me gustaría estarlo, pero no es tan fácil. Dejar de simular que todo es muy fácil. Como si pudieras perdonarla sólo porque ella se ha dignado pedírtelo.»

Las palabras retumban en mi cabeza como un eco muy nítido, y sé que lo que pienso es cierto. Así que, en lugar de cruzar la calle y pasar por alto las cicatrices que aún llevo dentro, me pongo la capucha de forma que me cubra toda la cabeza, me doy la vuelta, me alejo por la avenida, y, como un fantasma, desaparezco.

—¡Oh, Dios! ¿A qué huele?

Esa misma noche, oigo la voz de Josie antes de que entre en mi despacho.

—A comida china —contesto, y le muestro todo lo que tenemos delante—. ¿Quieres un poco? Hemos pedido demasiado.

—Tampoco tanto —dice Meg, atacando con los palillos el interior del plato de papel que sostiene—, que tengo que comer por dos.

—¡Enhorabuena! —Josie la besa en la mejilla y se coge un rollito—. ¿Pero qué estáis haciendo aquí un viernes por la noche?

Meg trata de contestar, pero tiene la boca llena de comida, así que me hace gestos para que hable yo.

—Perdónala —le digo—. Está embarazada de nueve semanas y ésta es la primera vez que come en un mes.

—Cuando me levanto por las mañanas tengo muchísimas náuseas... —suelta Meg después de lograr tragar un bocado.

—¡Buf!, yo las tuve durante todo el tiempo que duraron los dos embarazos —dice Josie, cogiéndose un plato y uniéndose a la cena—. Todo el mundo decía que se me pasarían a los tres meses, pero nanay: seguí vomitando hasta que los traje al mundo.

—Sí, ¿pero no os parece que lo peor es el ardor de estómago? —les pregunto. Las dos se giran hacia mí sorprendidas, y entonces caigo en mi error—. Bueno, eso es lo que he leído, que el ardor de estómago es lo peor.

—¡Ay, todo es lo peor! —Josie agita los palillos en el aire, y reparo en que todavía lleva el anillo de casada. En estos dos meses, no ha vuelto a mencionar su aventura potencial con Bart—. Me importa un bledo lo que digan todos esos libros, el embarazo no es el mejor período de tiempo en la vida de una mujer.

Meg se queda parada durante un segundo mirándola fijamente, como si le hubiera dicho que la tierra es plana. Luego se calma.

—Bueno —dice con mucho cuidado—, a mí me parece maravilloso. Para mí es bestial saber que un ser humano se está gestando dentro de mí.

Sonrío, tratando de apaciguar el cinismo de Josie. Porque Meg, después de todo lo que ha debido de pasar, o mejor dicho, después de haber visto por todo lo que tuvo que pasar en mi vida anterior, no se merece ni pizca de cinismo. Aunque, pienso para mí misma, la verdad es que sí que suena un poco como la docena de libros que tenía apilados en la mesita de noche antes de que naciera Katie.

—¡Ya lo creo que es maravilloso! —exclamo—. ¡Y tú vas a crear al ser humano más mono que haya existido jamás! —«Después de Katie», me sorprendo pensando, sin poderme sacar de la cabeza sus mejillas regordetas.

—No, ahora en serio, Meg. ¿Qué haces aquí un viernes por la noche? —vuelve a preguntar Josie.

—Es culpa mía —respondo mientras vacío el recipiente de mu chu en mi plato, todavía con Katie en mente—. Todos los años, Meg y yo quedamos una tarde para las últimas compras de Navidad, pero esta vez... —señalo todas las cosas que me quedan por hacer dispersas por el despacho—, como no podía dejar el despacho, le he pedido que venga. Lo estamos comprando todo por Internet.

—No es la mejor forma de ir de compras, pero ¡eh!, hay que pensar que la comida china me ha salido gratis. —Se ríe Megan.

—Esos cabrones de Coca-Cola —suspira Josie—, yo ni siquiera he empezado mis compras.

Los ejecutivos de Coca-Cola nos cambiaron el anuncio para prensa escrita en el último minuto, así que tuvimos que volver a plantearlo empezando desde cero.

—Hablando de embarazos —suelta Meg, y rebusca dentro de su bolso.

—Que no es exactamente lo que estábamos haciendo —apunta Josie.

—Bueno, casi —contraataca y saca un sobre de su bolso—. Mirad, os lo quería enseñar. —Pasa el sobre entre los papeles y restos de recipientes con comida y lo deja encima de mi mesa. Lo abro y saco unas fotos en blanco y negro. Para los novatos podrían parecer instantáneas de marcianos sacadas por un cohete espacial, pero para una madre son la prueba tangible del ser y del amor que van creciendo en su interior.

—¡Oh, Dios mío, Meg! —Me llevo la mano a la boca y noto que me escuecen los ojos. Miro a Meg y veo que ella también tiene los ojos llenos de lágrimas.

—Nuestro pequeñín —dice y, por primera vez esta noche, su pálida piel de embarazada resplandece, como si pensar en su bebé le hubiera devuelto a la vida—. La sacaron la semana pasada cuando vimos cómo le latía el corazón. —Mueve la cabeza—. Es lo más increíble que he visto en mi vida.

Me quedo mirando esa especie de habita y recuerdo mi propia cita con el ginecólogo, a mediados del segundo trimestre. Se me estaba empezando a hinchar el abdomen, y la enfermera me había puesto gel en la tripa, así que me estremecí por el frío. Henry me cogía de la mano cuando yo estaba en la camilla de reconocimiento, y los dos mirábamos al monitor, esperando, mientras la enfermera iba moviendo el lápiz lector hasta que sentí que me apretaba y ¡zas! ahí estaba. Katie. En la pantalla. Con sus brazos y piernas diminutos, un estómago hinchado y una cabeza que era un círculo perfecto. Se dio la vuelta dentro de mí, aunque yo aún no podía notarlo, montándose su pequeña fiesta privada dentro de mi útero.

—Vamos a sacar un buen puñado —nos dijo la enfermera mientras observábamos en silencio, demasiado emocionados para responder. Me sequé una lágrima y pillé a Henry haciendo lo mismo.

Cuando nos fuimos, la enfermera nos dio unas cuantas fotos de nuestro bebé, de nuestro bebé en potencia; y, durante horas, estuve sentada en mitad de nuestro apartamento lleno de cajas de mudanza, mirando absorta las imágenes. Embargada por la sorpresa, la esperanza y la incredulidad. No podía hacer otra cosa que mirar y mirar, segura de que amaría a ese bebé más de lo que jamás había querido a nadie, pero menos segura de las cosas que traería consigo: la mudanza a Westchester que era ya inminente, el trabajo que pronto abandonaría, la madre en la que me convertiría con la sombra de mi propia madre todavía acechando en muchas esquinas. Pero amar a ese bebé, eso sí que lo iba a hacer.

Esta noche, Josie se acerca a mi mesa para ver la ecografía, y entonces Meg también se acerca. Estamos las tres alrededor de la imagen del futuro de Meg: Josie, la guerrera agotada que se siente que la vida ha sido injusta con ella; yo, la desesperada que no sabe con qué quedarse y qué dejar pasar; y Meg, la esperanzada a la que tanto le queda por descubrir. Pero las luces de la ciudad titilan al otro lado de la ventana, y las tres parecemos iguales: madres que esperan maravilladas a los críos que inevitablemente cambiarán sus vidas.

23

La nieve ha estado cayendo toda la noche y, cuando me despierto en la cama de mi infancia el día de Navidad, durante un segundo estoy desconcertada, perdida entre el presente y el pasado, entre mi juventud y la persona adulta en que me he convertido.

El dulce aroma a tortitas recién hechas me saca de la cama. Entro en la cocina donde mi padre se cierne sobre un fogón, con una bata verde a la que aún no ha quitado la etiqueta.

—¡Feliz Navidad, nena! —me dice, y se aleja del horno para darme un beso en la mejilla—. Las ha hecho Linda. Ha salido a buscar café. —Se da la vuelta y un pegote de mantequilla sale disparado de la espátula y va a parar a la puerta del frigorífico.

—Sí, claro —respondo, y levanto la cabeza al oír el sonido de agua corriente encima de nosotros.

—Andy —dice mi padre—. Llegó de Singapur anoche. —Le da la vuelta a un par de tortitas y las sirve en un plato que coloca en la mesa—. ¡Siéntate —me ordena— y come! No te creas que tienes muy buena pinta.

Les echo un buen chorro de sirope («¡Azúcar! ¿Por qué te acorta la vida cinco años?») y cojo un trocito de tortita con los dedos. Miro por la ventana desde el rincón donde está la mesa, y es como si el mundo se hubiera congelado ahí fuera. Cuelgan carámbanos como si fueran candelabros;

las ramas de los árboles se comban por su peso. El jardín de mi madre, que hace mucho que ha sido pasto de malas hierbas y plantas mortecinas, está cubierto por un manto de nieve, enmascarando la alegría y la traición que en el pasado simbolizaron cómo me defino ahora a mí misma.

Mi padre coge la silla de al lado y se deja caer en ella. Su plato golpea la mesa al hacerlo. Él también se queda mirando hacia fuera, y me pregunto si estará pensando en ella, en su jardín, al igual que lo estoy haciendo yo.

—La he visto —le digo—. He visto a mamá. Hace poco.

Deja de masticar e ingiere algo más que el desayuno, y en silencio, oigo cómo traga.

—Me alegro por ti —dice por fin—. Si es eso lo que quieres. —Se aclara la garganta.

—Es complicado —me encojo de hombros—, tengo una hermana.

Mi padre no reacciona como yo esperaba. En lugar de eso, asiente con la cabeza y suelta:

—Ya lo sé.

—¿Cómo que ya lo sabes? —Un petirrojo solitario aterriza en el patio mientras me giro para mirar a mi padre.

—Yo... —Se detiene y mira hacia abajo—. A veces he estado en contacto con tu madre.

—¿Qué? —Mi sorpresa se dispara como un petardo—. ¿Y por qué has hecho eso? ¿Por qué no me lo habías contado?

—¡Oh, Jilly...! —Suspira mi padre—. Tú estabas tan... —busca las palabras adecuadas— escéptica o amargada, no sé... con ella, que no quería que te enfadaras conmigo por haberla perdonado. Me parecía que era... más fácil que lo aceptaras cuando quisieras si es que alguna vez querías.

Me acaricio las sienes y veo que el petirrojo se ha ido, tan rápido como había llegado. Me meto un trozo de tortita en la boca, intentando oír, realmente oír, lo que me está diciendo mi padre. Lo de mi rabia hacia ella, cómo había intentado bloquearla; sin embargo, quizás había dejado que eso me consumiera.

—¿Cómo ocurrió? —le pregunto cuando por fin consigo tragar—. Quiero decir, ¿por qué?

—No es que haya una razón específica —me cuenta—. Ya sabes que el matrimonio es algo complicado. —Se muerde el labio—. Al cabo de un tiempo, aunque fue ella la que se marchó, empecé a pensar que tal vez yo no había hecho lo suficiente para retenerla.

—¡Eso es ridículo! —le digo. Un poquito de saliva se me escapa de la boca y aterriza en silencio—. Tú fuiste un marido estupendo.

—Unas veces, sí —reconoce—. Otras, no sé —dice y alza los hombros de manera torpe.

—Eso es ridículo —repito—. Fue ella la que se fue. Fue ella la que tomó las decisiones que nos destrozaron a todos.

La cara de mi padre reacciona como si le hubiera abofeteado.

—No nos destrozó —dice muy bajito—. Siento que tú lo sientas así: intenté darte toda la felicidad que pude.

Me paro a pensar de nuevo en mis palabras, tal vez dejara de creerme el mantra que me había estado repitiendo durante tantos años, ahora que yo había abandonado a mi propia hija y ahora que había conocido una soledad que era capaz de devorar tu vida entera.

—Lo siento, no quería decir eso —me disculpo—. Tienes razón, no nos destrozó. No sé por qué habré dicho eso.

—Lo has dicho —explica mi padre— porque te has pasado muchos años creyéndotelo. No querías ver que, aunque nos había abandonado, no nos había dejado totalmente desamparados. Un poco sí, pero no del todo. —Se las apaña para soltar una risa—. Además, creo que yo no lo he hecho tan mal.

—Lo has hecho genial. —Le sonrío—. De veras. —Me agacho para besarle la mejilla sin afeitar—. Pero deja que te pregunte una cosa: si has perdonado a mamá, ¿por qué no le has pedido a Linda que se case contigo?

—¿Estás de broma? —Mi padre se ríe—. Si se lo he pedido al menos media docena de veces... Lo que pasa es que nunca me dice que sí. Piensa que soy demasiado viejo y demasiado vago.

—¡Oh...! —Estoy desconcertada por la forma en que lo he interpretado todo, pero al revés—. Yo creía que tú no te querías volver a casar. Es lo que yo suponía. —Saco un poco de aire que tengo en el pecho y trato de recuperar el pulso.

—Pues no —dice, poniéndose de pie y despeinándome cariñosamente—, me casaría con Linda ahora mismo. —Se detiene—. Jill, no te agobies tanto, que acabas pensando que todo el mundo te va a abandonar como hizo tu madre. Y, aunque así fuera, también tendría sus razones. —Me besa en la coronilla—. El matrimonio no siempre es fácil, ¿sabes? Pronto lo descubrirás.

«Es verdad —pienso, mientras paso el dedo por el sirope y reflexiono sobre mi inminente boda con Jack—. Todo el mundo dice que es difícil, pero es difícil hasta que estás en ello. ¿Tan duro es? —te preguntas—. Pues sí: se dejará los calcetines en el suelo y a veces será un poco agarrado con el dinero, y tal vez hasta se tire pedos en la cena (lo que realmente me sacaría de quicio), pero vamos, ¿tan difícil es?»

Oigo que la ducha se cierra y los ruidosos pasos de mi hermano resuenan justo encima de mi cabeza. Linda aparece por la puerta con saludos de «Feliz Navidad» y ponche de huevo para todos.

Veo cómo mi padre y Linda se adentran en su hogar, cómo mi padre le pasa el brazo por el cuello. Me vuelvo a girar hacia el desolado paisaje dormido del jardín de mi niñez y me pregunto cómo he podido estar tan equivocada durante tanto tiempo. Y lo más sorprendente de estas revelaciones es con quién me gustaría compartirlas ahora: con Henry, el mismo hombre que me hizo salir huyendo, igual que mi madre hace dos décadas.

Tras años sin vivir con mi madre, mi padre se ha convertido en un experto cocinero. Le he estado intentando ayudar durante toda la tarde, pero él no ha hecho más que mandarme fuera de la cocina, con un: «¿Qué sabrás tú de alta cocina?»

«Te sorprenderías», me entran ganas de decirle, recordando *Gourmets*, *Bon Appétit* y *Cocina Ligera* que tenía ordenadas por temporadas en mi lujosa cocina de chef.

Mi hermano se ha vuelto a meter en la cama tras tomarse el ponche, y Linda se ha retirado a su habitación. Veo un poco de fútbol que ponen en la tele, luego me leo los titulares de los periódicos y, por fin, cuando la casa está silenciosa excepto por el ruido de cacharros y lo que mi padre murmura en la cocina, salgo por la puerta al helado mundo exterior; parece que estoy en otro planeta. La nieve cruje por el peso de mis pies mientras recorro la calle.

Pienso en la conversación que he tenido con mi padre y la adapto a mi vida anterior con Henry. A lo mejor, en cierto modo, nos fallamos el uno al otro.

Cuando a Henry lo ascendieron a socio, me llamó desde la oficina para darme la noticia. Yo estaba embarazada de siete meses, aburrida e hinchada en nuestra casa nueva, con los pies encima del sofá, *Days of Our Lives* de Queen sonando de fondo y una pila de revistas sobre cómo ser padres a mis pies.

—Esto supone mucho más trabajo... —me advirtió—, por lo que antes de aceptar quiero saber si tú estás plenamente de acuerdo.

—¡Pues claro! —chillé—. ¡Es fantástico! ¡Estoy muy orgullosa de ti! —Y lo estaba.

—¿Seguro? —insistió—. Porque tendré que viajar mucho. Muchísimo.

—Segurísima —contesté, sin escucharle, sin tener en cuenta la veracidad de sus palabras.

—¡Bien! —me dijo, y noté su sonrisa—. ¡Porque ya había dicho que sí!

Después, muchos meses después, cuando su agenda lo había alejado de la familia y mi resentimiento había aumentado hasta alcanzar el punto de ebullición y me obcequé aún más en ese resentimiento, como si poner una tapa a una olla fuera a evitar que cociese, reflexioné sobre esa conversación. Y sobre cómo, con esas pocas palabras, nos habíamos traicionado el uno al otro: yo, por fingir que tenía todo lo que necesitaba; y él, por creer que sabía lo yo necesitaba, sin comprender realmente lo que era.

«¿Por qué no dije nada? —pienso hoy, mientras subo sofocada la cuesta de la casa de mis vecinos, la misma cuesta por la que nos tirábamos Andy y yo con las bicis, con alegre abandono—. ¿Por qué no le dije: "Quédate aquí... Conmigo... Dame lo que necesito"? ¿Por qué fui incapaz de decir algo tan simple?»

Pese a las bajas temperaturas, noto el sudor en la cintura de los tejanos, mientras pienso en la gran diferencia que eso hubiera marcado en mi vida. «Tal vez me hubiera escuchado; tal vez yo habría empezado a escucharlo a él también.»

Al final los muslos me piden un respiro y regreso a casa, que huele a pastel de calabaza y nuez moscada, y subo las escaleras hasta mi cuarto. Rebusco en el bolso hasta encontrar mi cartera, de la que saco la tarjeta de visita de Henry.

Ha escrito su móvil por detrás, y, antes de que me dé tiempo a arrepentirme, marco el número en el teléfono rosa que hace juego con el papel de la pared y la ropa de cama de mi cuarto de niña.

Me salta el contestador y el mensaje me resulta muy familiar, como siempre. Es, pienso desde mi cama de fresitas, el mismo mensaje que tiene hoy en día. O en el futuro. Ahora todo se confunde un poco.

—Hola, Henry... soy Jill, Jillian Westfield. —Se me encoge el estómago. «¡Qué raro es esto!»—. Resulta que me he acordado de ti, y... bueno, quería desearte una Feliz Navidad. —«No, no es verdad, ¡querías decirle mucho más!»—. ¡Vale, *ciao*!

Cojo el conejo de peluche con el que duermo desde que tenía cuatro años y me quedo tumbada en la cama. Entonces, con un rápido movimiento, vuelvo a coger el teléfono. Marco rellamada, me pego el auricular a la oreja y oigo el ruido de la línea al conectar.

—¡Henry! Hola, soy yo, Jillian. Bueno, vas a pensar que estoy loca, pero te llamaba para ver si querías que quedáramos para tomar un café. —Me detengo para tomar aire—. Hoy no, claro, puesto que es Navidad —suelto una risita un poco de psicótica; si me conociera tan bien como me conocía en la otra vida, sabría que estoy a punto de vomitar de la ansiedad—, pero quizá mañana, en que vuelvo a Nueva York. Por supuesto, si tú estás, claro. No sé si te habrás ido con Celeste... —De pronto, me pongo como un pimiento, ni siquiera se me había ocurrido que podría estar en casa de Celeste. «¡Mierda!»— En cuyo caso, no hagas ni caso a este mensaje. ¡Sí! ¡Je, je! ¡Ni caso! ¡Como si no hubiera llamado! Bueno, vale. Ya tienes mi número. Bueno, no sé, me figuro que te saldrá en la pantalla. Bien. Gracias. Adiós.

Coloco el teléfono en su base y siento que el pulso se me ha acelerado como si hubieran soltado una granada. Creo que debería arrepentirme, desear volver atrás en el tiempo, a hace tan sólo unos minutos y borrar los mensajes que he dejado. Pero, sorprendentemente, no es así. Sorprendentemente, aunque el corazón me late con fuerza, por primera vez en mucho tiempo me siento bien y creo que tal vez vaya detrás de lo que realmente quiero.

Me doy la vuelta en la cama y suelto una risita de hiena que se hace más grande y se convierte en carcajadas de euforia que no cesan hasta que tengo la almohada empapada en lágrimas de júbilo. Me hundo en la cama de mi niñez, en el hogar en el que tantas cosas perdí, y me doy cuenta de que aquí es donde puede que halle algo importante: mi voz, lo que necesito, el camino a seguir.

A la hora de cenar, Henry aún no me había devuelto la llamada. Intento recordar en qué lugar pasó las Navidades ese primer año, pero ahora no sé si fue en Vail con sus amigos de la facultad o en casa de sus padres. Fue a esos sitios cuando salíamos o quizá cuando empezamos a salir, o puede que antes de salir, pero ahora todo eso se mezcla un poco en mi mente. Ahora y entonces. El pasado, el presente y el futuro.

Me entretengo llamando a Meg, luego a Ainsley, pero ninguna contesta. Se me ocurre enterrarme bajo la pila de trabajo que me he traído conmigo, pero no puedo enfrentarme a la depresión que lleva consigo redactar informes en la nevada víspera de Navidad.

Oigo el portazo que da Andy cuando va a reunirse con sus amigos del instituto. Seguro que regresa justo antes de que amanezca y se pasa todo el día durmiendo. Me imagino que es su manera de posponer al máximo la vuelta al hogar.

—Vamos a poner *¡Qué bello es vivir!* —me dice mi padre—, Linda ha hecho palomitas. ¡Venga, baja!

Había olvidado por completo la tradición navideña de mi padre. La empezó el año que mi madre se marchó. Creo que ésa era su forma de mostrarnos lo diferente que habría sido nuestra vida sin mi madre, aunque estuviéramos llenos de resentimiento y, al menos yo, me negara a admitir que el tiempo que había pasado con mi madre había sido maravilloso. Así que cada año mi padre nos cogía a Andy y a mí y nos traía al sofá, nos cubríamos los tres con una manta calentita y, recostados, disfrutábamos de la historia de George Bailey, que estuvo a punto de quitarse la vida y de pronto descubrió lo bello que es vivir. Al final, dejé de asociar la película con mi madre, y Andy y yo nos apresurábamos cada año a recitar los diálogos antes de que los actores dijesen las palabras. Ahora se ha cerrado el círculo: el hombre que se ha cansado de vivir y quiere quitarse la vida, mi madre y su abandono, yo y el mío.

Me levanto de mi cama de niña y bajo las escaleras, arrastrando los pantalones del pijama a topos que llevo. Como palomitas y miro las luces de la tele reflejadas en las paredes del salón, pienso en las decisiones que he tomado, en los percances que he sufrido, en las razones que me han traído hasta aquí, literalmente hasta aquí, el pasado de hace siete años, huyendo de mis responsabilidades, apartándome del camino que yo había elegido por voluntad propia.

«Es muy fácil rendirse —pienso, mientras Clarence, el ángel de la guarda de George, baja a la tierra para salvarle de sí mismo—, es muy fácil decir "ya está" y mandarlo todo a la mierda.»

Pero entonces me acuerdo de Katie, de las primeras navidades, cuando casi tenía un añito y gateaba por toda la casa, su mente tan decidida a dar esos primeros pasos, pero su cuerpo no tan preparado. La observaba pensando que era muy valiente: se caía una y otra vez, se levantaba riéndose y lo volvía a intentar.

Ahora miro al pobre George y me doy cuenta de que Katie lo había comprendido a la perfección: no es que fuera valiente, es que avanzaba en su corta vida.

Tropezando y volviéndose a levantar. Cayéndose, sin

dejarse intimidar. ¿Cómo es que yo, su madre, no lo vi? ¿Por qué escondí la cola y salí corriendo? ¿Cómo no se me ocurrió, pienso ahora, con mi padre medio dormido a mi lado y un bol de palomitas vacío delante, que tal vez Katie fuera mi ángel de la guarda?

24

Henry no me ha devuelto la llamada. Han pasado dos días desde Navidad e intento no pensar en lo que eso significa aplicándome sobre mi escritorio, haciendo como que trabajo, pero sintiéndome aburrida e inquieta. En lugar de no pensar en lo que eso significa, resulta que lo que he hecho ha sido obsesionarme con el teléfono: silencioso y callado. «¿Por qué no suenas de una puta vez?»

Es una zona muerta, la semana que va de Navidad a Año Nuevo. Jack está en Antigua con su familia, unas vacaciones que yo decliné hace meses, antes de que nos comprometiéramos, y el apartamento está tan silencioso que lo único que puedo hacer es pensar, así que he vuelto a la oficina por defecto.

Me he mirado todas las páginas de ofertas de Internet, he mirado el tiempo que hace tanto en Vail como en Antigua, y me estaba comprando unas copas nuevas de vino, cuando de repente me aparece un banner de publicidad con una novia muy atractiva y su no menos atractiva madre que me recuerda que ya va siendo hora de que empiece a hacer algo para iniciar mi curación en el terreno de mi propia madre. Yo soy la única responsable de mi bagaje emocional y la única que puede dejarlo a un lado. «La verdad —pienso—, es que a lo mejor era a esto a lo que Henry me intentaba empujar cuando insistía tanto en una reconciliación. Sólo que yo no fui capaz de verlo de esa forma, por eso siempre me parecía que sus palabras iban en mi contra. Pero quizá sus intenciones siempre fueron buenas, y eso tiene que contar para algo.»

Cierro la puerta de mi despacho con pestillo, y saco un cuaderno y una pluma del cajón superior del escritorio. Tal vez no esté preparada para empezar de cero; pero, al menos, estoy preparada para intentarlo.

Querida mamá:

Siento no haber podido reunirme contigo la semana pasada. No debería haberte prometido algo que no soy capaz de hacer. No era mi intención decepcionarte. Comprendo por qué quieres conocerme mejor después de todos estos años. Y quiero que sepas que una parte de mí te está muy agradecida de que tengas ganas de conocerme. Pero otra parte de mí siente que es demasiado, que todo esto es demasiado, o que es demasiado pronto.

Quiero perdonarte, de verdad que lo quiero. Incluso me gustaría decirte que estoy preparada para perdonarte, pero esto no es una pizarra que se pueda limpiar pasando un borrador. Cada día de mi vida recuerdo lo que me hiciste. Durante años me he intentado engañar con que no me afectaba, pero ahora me resulta muy claro ver que la persona que soy hoy viene definida por haber aprendido a vivir con el convencimiento, y el aislamiento que produce ese convencimiento, de que mi madre no me quería.

Soy un camaleón, madre. Me vendo a la persona que más me parezca que me va a querer. Si me ama lo suficiente, me puedo convertir en quien él quiera que sea. Con tal de que me prometa su cariño, soy suya y bloqueo mis instintos de llegar a ser quien quiero, de decir lo que quiero. Porque lo que me da miedo desde hace mucho tiempo es que, si me muestro tal y como soy, si hablo en voz alta y digo que no, puede marcharse como hiciste tú hace casi dos décadas.

Incluso ahora, con tu petición de empezar de nuevo, me siento como si lo volviera a hacer todo otra vez: dispuesta a entregarme a ti porque has aparecido preparada para darme tu amor. Un camaleón nunca puede dejar de camuflarse con su entorno, parece ser.

Sin embargo, ya va siendo hora de que empiece a meterme en mi propia piel, no solamente en la que los demás quieren ver; de que me enfrente a quien soy y quien quiero llegar a ser. No te puedo culpar siempre, ni tampoco quiero. Me gustaría convertirme en una adulta responsable de sus decisiones y de su felicidad. Y espero que un día de verdad podamos enmarañarnos la una en la vida de la otra.

Pero con mis condiciones y a mi ritmo. Y por ahora, me basta con saber que estás ahí, dispuesta y esperando. ¡Ojalá eso te baste a ti también!

Cordialmente,

JILLIAN

Paso la lengua por el interior de la solapa de un sobre y noto el sabor a goma. Lo cierro, escribo con cuidado la dirección de destino en el anverso, y echo la carta en el buzón. No lo es todo, lo sé, pero ya es algo. Eso sí lo sé. Y, para mí, un pequeño paso ya es una gran victoria.

Una hora más tarde, todavía conservo la euforia que me ha dado escribir lo que quería decir, cuando Josie me llama por el interfono y me convence de que me reúna con ella mientras lucha contra la muchedumbre de después de Navidad y trae algunos de los regalos que le han hecho. Cojo mi chaqueta verde, y el gorro y los guantes de pescador, y bajo a encontrarme con ella en el vestíbulo.

—¡Caray, se te ve muy descansada! —le digo. No la he visto en una semana. Ella y Art se habían ido a Nápoles con los niños a pasar las vacaciones.

—Es el sol —responde, sin darle importancia. Coge sus compras y se va hacia la puerta giratoria, que normalmente está siempre girando por la entrada y salida de empleados, pero que hoy está inusualmente quieta.

—¿Cómo han ido las vacaciones? —le pregunto cuando salimos a la calle. El aire invernal se me mete por el cuello como si fuera un enjambre de termitas, así que me subo la cremallera de la chaqueta hasta arriba; pero, aun así, se cuela aire dentro.

—Bien —me contesta, no muy convencida—. No, ha estado muy bien —repite, ahora con más energía.

—¿Y Art? —le pregunto. Un mensajero está a punto de chocar conmigo en la acera, y me aparto justo a tiempo de evitar la colisión.

—Sigue empeñado en lo de San José. —Se le descompone la cara en una triste sonrisa.

—¿Y tú? ¿Cómo estás tú?

—Sigo siéndole fiel. —Deja escapar una risa grotesca que más parece el bramido de una foca moribunda—. Sigo fiel —repite, esta vez más flojito.

—Bueno, eso está muy bien —repongo mientras abro la puerta de Saks, sin que ninguna de las dos logre entrar: salen demasiados turistas. Por fin, entramos, y la calefacción hace que se me calienten las mejillas al instante. Nos quitamos los gorros a la vez, como si hubiéramos sincronizado el gesto.

—Me imagino que sí, que está bien —me contesta. Atravesamos la sección de cosméticos, donde el aire es espeso y huele a perfume—. Bart está en San Francisco.

—¡Ah! —exclamo con sorpresa y tal vez alivio. «¡Que vas a ser feliz dentro de siete años, joder!»—. ¿Para siempre?

Nos subimos a la escalera mecánica y Josie se encoge de

hombros, pero no responde. Se me ocurre por primera vez que tal vez no sea una aventura lo que Josie busca; que, tal vez como yo volví a por Jack, lo que hay es algo real detrás del deseo de Josie, «la necesidad de que la rescaten de su vida actual», aun cuando no haya garantía alguna de que le vaya a salir mejor esta segunda vez. Es la ilusión de que pueda ser más feliz lo que alimenta ese deseo, la certidumbre de que no puede estar peor de lo que está ahora.

«No estés tan segura», pienso, pero digo:

—Lo siento, Jo. De veras.

—Bueno, me habría gustado haber tenido la oportunidad de haber sido infiel, la verdad —me contesta mientras entramos en el departamento de señoras.

—No digas eso —replico.

Me echa una mirada de soslayo y me suelta:

—¿Qué sabrás tú? Tú tienes ese novio tuyo tan majo que se gana tan bien la vida, que te ha puesto ese pedazo de gema en el dedo y cuya familia parece adorarte... —Y deja la frase ahí, como si no se necesitaran más explicaciones.

—Es verdad —le digo—, pero estoy segura de que, en algún momento, Art también tuvo sus puntos fuertes.

«¡Qué curioso, que la vida de los demás siempre parezca tan perfecta desde fuera!»

Su cara no muestra ninguna expresión, y no sé si es porque está intentando recordar qué atributos tenía Art o si es que se ha dado cuenta de que han desaparecido, como un papel que se ha dejado demasiado tiempo expuesto a los elementos y ha acabado por desaparecer.

Antes de que pueda responder, suena mi móvil. Rebusco en el bolso y lo saco. Josie va al mostrador, y yo me coloco el teléfono en la oreja. «¿Será Henry? ¡Por favor, que lo sea!»

La línea hace un sonido que intenta conectar con el otro lado, y yo pregunto «¿Diga? ¿Diga?» dos veces, hasta que por fin oigo a Jack. Se le oye como si estuviera debajo del agua.

—¡Eh!¡Por fin tengo línea! —grita, y entonces lo reconozco. Sólo que se le oye fatal y hay un poco de retraso entre Antigua y Saks, así que lo que oigo es «¡Eh... engo línea!». Suena como los turistas ricos que cambian las consonantes cuando están de vacaciones en el Caribe para que los locales no puedan entenderlos.

—¡Hola! —contesto, mi voz tres decibelios más alta y con el dedo en el otro oído.

—Sólo un segundo —me dice. «Olo un ...gundo»—. He estado hablando con mi madre y quiere organizar una fiesta de compromiso dentro de unas semanas. ¿Te parece bien? «¿Te pa... bien?»

Dudo y me dirijo a la sección de zapatos, desplomándome sobre un sofá de cuero y me quedo mirándome al espejo. ¿Suena bien eso que me acaba de proponer? Toda la pompa y circunstancias de las amigas de Vivian, dando vueltas a nuestro alrededor con sus pañuelos de Hermès y sus canapés de foie-gras, recordándome a la Jillian de mi otra vida en Westchester. ¿De verdad tenemos que convertir nuestra boda en todo este circo? ¿Como si no hubiera bastante con una ceremonia de cuatrocientos invitados, que era justo lo que yo, en primer lugar, nunca quise?

—No —contesto tranquilamente, con un aire de autoridad que me resulta extraño, pero no desagradable. Una pequeña gota de sudor me resbala por el escote—. No, no me parece bien.

—¡No te oigo! —grita Jack, y la línea se llena de ruido estático—. ¿Te parece bien, entonces?

—No —digo más alto, y tres personas se dan la vuelta para mirarme—. No quiero. —Mi confianza va aumentando como un motor al que hayan echado gasolina—. Por favor, dile a tu madre que no quiero.

Pero se corta la comunicación entre mi prometido y yo. Hablo con un agujero negro, con el vacío, y me quedo mirando el móvil, deseando que vuelva a llamar para aclararle el asunto. Sin embargo, el teléfono no vuelve a sonar, ni Jack ni Henry; así que al final Josie me hace gestos desde el mostrador y volvemos a la oficina, con los hombros hundidos y la moral por los suelos, y lo único que podemos hacer es esperar a que la fría brisa traiga consigo un cambio de aires.

HENRY

Lo que más recuerdo de mi marido era la facilidad con que se manejaba en la vida. A veces me quedaba mirándolo cuando se afeitaba en calzoncillos o cuando jugaba con Katie, y deseaba con toda mi fuerza tener al menos una pizca de su confianza en sí mismo. Era como si hubiera decidido, tal vez porque para él el mundo funcionaba de forma matemática, que así era como su vida discurría y, por tanto, todo iba bien. No tenía ninguna necesidad de preocuparse o lamentarse innecesariamente.

No sé si Henry se dio cuenta de lo mucho que nos habíamos alejado. O, a lo mejor, es que tampoco nos habíamos alejado tanto. Tal vez yo no supe hacerlo mejor y, al igual que mi madre, tal vez lo único que supe hacer fue huir en lugar de cobijarme en un refugio con mi marido y esperar a que cayeran los misiles.

Dos semanas antes de volver a mi pasado, Henry entró a hurtadillas una noche en la cocina. Katie estaba durmiendo y yo, en vez de unirme a mi marido en el hogar, me dedicaba a limpiar los armarios. No entiendo por qué sentí la urgencia de limpiarlos en aquel momento, pero la sentí. Tal vez me pareciera una alternativa más sencilla que charlar con Henry. Estaba subida a la escalera de mano, quitando la grasa de alrededor de un tirador, cuando de pronto noté que mi marido estaba detrás de mí.

—Venga —me dijo—. Ven al salón y miremos algo juntos. Lo que te apetezca. Y te doy un masaje en los pies. —Sabía que estaba sonriendo.

—Ahora no puedo —contesté sin siquiera darme la vuelta, y sin dejar de limpiar.

—Jilly —me dijo suavemente, cogiéndose a mi cintura—, eso lo puedes hacer en cualquier otro momento. Ahora que por fin estoy en casa unas cuantas noches, me gustaría que hiciéramos cosas juntos.

Pero yo me limité a contener las lágrimas y seguir frotando. Así que él salió de la cocina y se retiró, me imagino, apático al sofá a hacer *zapping*.

Lo que tendría que haberle dicho a Henry, y ahora me doy cuenta, es que me parecía un extraño. Que sus esfuerzos, que tal vez debería haber apreciado, me parecían los esfuerzos de alguien que habitara mi casa pero no mi hogar. Que su tacto era el de un hombre al que apenas conocía.

No obstante, si ahora echo la vista atrás, me doy cuenta de que Henry seguía intentando guiar el barco. Me quería bajar de una imaginaria escalera de mano para que me fuera con él a un búnker donde esperar a que pasara la tormenta. Puede que quizás hubiéramos perdido el rumbo, y que la noche fuera muy oscura y la tormenta muy dura, pero aún podía cogerme muy fuerte a él para pasar juntos el mal trago. Al final, la tormenta pasaría y Henry y yo quedaríamos dañados pero no rotos, cambiados pero de una sola pieza.

Como muchas otras cosas, son lecciones que aprendes sólo cuando ves la situación con perspectiva. Ahora yo tengo la mía. Y sólo puedo hacer lo que mi tiempo me permite.

25

Jack y yo hemos aceptado la invitación para la exclusivísima fiesta de Fin de Año de *Esquire*. Dado el estado de mi guardarropa, me he atrevido a enfrentarme a los consumidores de Navidad y me he comprado para la ocasión un vestido que no es nada de mi estilo: negro y ajustado, y tan diferente a todo lo que he llevado en mi vida en Westchester que apenas reconozco ese cuerpazo firme que tengo delante en el probador de Bloomingdale.

Cuando me despierto el día de Fin de Año, la habitación está oscura y gris, como si hubiera niebla, aunque sé que me he despertado lo bastante tarde para que el sol esté bien alto. He vuelto a soñar con Henry, como pasa casi cada noche desde Navidad, desde cuando espero que me devuelva la llamada. Es todo lo que puedo hacer para abrirme los ojos y huir de un sueño que más bien parece un recuerdo, aunque sé muy bien que no lo es.

Levanto la persiana de un fuerte tirón y descubro la causa: fuera está nevando. Gruesos copos de nieve han ido acumulándose en el alféizar de la ventana, hasta formar una capa de unos treinta centímetros que bloquea la luz que normalmente entra en la habitación. Recuerdo levemente la tormenta de años pasados. ¿Dónde estaba? Acuden a mi mente sólo algunas partes. Con Henry. De eso sí que me acuerdo.

Me vuelvo a meter en la cama y me cubro con el edredón. Cojo el mando a distancia y enciendo la tele. Hay unas barras rojas en la parte inferior de la pantalla: advertencia de peligro por la tormenta, se aconseja que no salgan de casa, se han cancelado todos los vuelos.

¡Se han cancelado todos los vuelos! Pongo los codos sobre la mesa. «Se supone que Jack llega (miro el reloj) dentro de una hora.» ¡No va a poder volver a casa. Me levanto del todo. «¡Mierda! ¿Y esta noche qué?»

Se me ocurrió que no era una tragedia no pasar la Nochevieja con Jack, pero que sí era muy deprimente tener que pasarla sola. Además, había leído suficientes *Glamour* para creerme el viejo dicho de que a quien beses justo después de las campanadas será a quien beses a lo largo del año. No me atrevía a calcular si eso había sido cierto en mi vida amorosa, pero me parecía que era un buen mantra. Si no besaba a nadie, ¿qué significaría eso? ¿Que todo esto, esto de regresar al pasado, había sido en balde? ¿Que no sólo no iba a acabar con Jack, sino que iba a acabar sola? «No, no, no puede ser.»

Lo llamo al móvil y me salta el contestador.

Cinco minutos más tarde, cuando estoy casi hipnotizada por las barras rojas que aparecen en la pantalla, mi móvil se pone a vibrar encima del edredón. Se va alejando de mí, como si quisiera huir de mí.

—¡Jack! —digo sin aliento—, ¿dónde estás?

—Soy Henry —contesta otra voz—, y estoy en Nueva York.

—¡Mierda! ¡Henry! —se me escapa.

—A mí también me alegra oír tu voz. —Se ríe—. Lamento haberte decepcionado.

—No, no. —Niego con la cabeza e intento centrarme—. Es que pensaba que era otra persona.

—Eso me ha quedado claro —dice con sequedad, aunque no exenta de humor.

Los dos nos quedamos en silencio.

—Oye, perdona que haya tardado tanto en llamarte. Estaba en Vail.

«¿Y no hay operadores de telefonía móvil en Vail o qué?», pienso, pero me reprendo mentalmente por sonar como una novia celosa.

—Tranquilo —le digo—. Sólo quería desearte Feliz Navidad.

—No, en serio, me dejé el móvil en casa, por eso no podía devolverte la llamada. Llegué anoche. —Le oigo abrir la nevera y dar un trago a lo que supongo es zumo de naranja. Seguro que directamente del cartón. Lo sé porque, a pesar de haberle pedido infinidad de veces que usara un vaso, nunca lo hacía, o al menos no cuando creía que yo no lo veía. Pero yo siempre le estaba observando. Siempre vigilaba para acercarme con un trapo y limpiar lo que hubiera quedado fuera del cartón o regañarle cuando usara un vaso y lo dejara encima de la mesa para que yo lo metiera en el lavavajillas. Como si usar un vaso fuera un favor que me concedía, pero meterlo en el (maldito) lavaplatos conllevara demasiado esfuerzo. Cuando nos mudamos juntos, al principio yo hacía algunos comentarios: «¿Podrías hacerme el favor de meter el vaso en el lavavajillas, Henry?» o «De verdad que me pone enferma que bebas a morro, yo también me bebo el zumo, ¿sabes?», pero intentar cambiarlo era como querer alterar el código morse: estaba demasiado implementado y, por tanto, era imposible. Así que dejé de pedírselo e iba metiendo los vasos en el fregadero y luego en el lavavajillas, aunque de lo que tenía ganas era de tirárselos a la cabeza.

—Bueno, ahora que ya estás al teléfono, ¿qué haces esta noche? —me pregunta Henry, y engulle. «Directamente del cartón», pienso, aunque ahora me resulta gracioso, como el dibujo animado de un ratón que, cada vez que vuelve a robar queso, se pilla el rabo con la puerta. Pero le importa una mierda, porque lo único que quiere es comerse el queso.

«Henry, ese pobre ratoncillo loco», muevo la cabeza mientras se me escapa una sonrisa al pensar en eso.

—Bueno, Jack y yo tenemos planes. Pero, esto... se supone que su avión aterriza hoy...

—Eso es imposible —me interrumpe Henry.

Echo un vistazo a la televisión, y las barras rojas de advertencia siguen en la pantalla.

—Es cierto, eso parece —le digo, y noto cómo se me espesa la sangre; de pronto, me pongo nerviosa.

—Bueno, tengo una idea, dijiste algo en tu mensaje de ir a tomar un café, ¿por qué no vienes a mi casa a tomar café y postres? Podemos ver la bajada de la bola iluminada de Times Square.

Me río por la nariz, a pesar de mis nervios. A Henry le encantaba esa estúpida bola. Aunque intentara parecer despreocupado, la verdad es que estaba obsesionado con la bola esa. De hecho, nos pasamos todas las Nocheviejas de nuestra vida de casados mirando cómo esa bola bajaba ante una multitud de juerguistas borrachos. De pronto, me doy cuenta de que Henry está tratando de impresionarme, haciéndose el tipo duro, como que no le interesa mucho la bola, pero sé que está deseando que le diga que sí. «Tú y yo no somos tan diferentes, ¿sabes? Ambos somos expertos en ocultar tan bien nuestros sentimientos que al final acabamos explotando», pienso.

—¿Y qué pasa con Celeste? —le pregunto—. ¿No le importará?

—Bueno, está en Florida —me dice, como si eso lo explicara todo.

Me callo y escucho una vez más a la reportera a la que han encargado la desafortunada tarea de salir a la calle y enfrentarse a los elementos:

—Cojan sus esquís, porque ésa es la única manera de ir hoy a alguna parte —dice, con la nariz roja; labios y ojos son las únicas otras partes del cuerpo que lleva al descubierto.

Ahora tengo claro que Jack no estará aquí a medianoche para recibir el año 2001 a mi lado.

—Vale —le digo a Henry—, me apunto a lo del café y postres. Llegaré hacia las nueve.

Colgamos y me vuelvo a cubrir con el edredón, preguntándome si voy a despertar y cuándo voy a hacerlo, para descubrir que todo esto no ha sido más que un sueño extraño o una pesadilla o incluso una fantasía mía. Pero, después de volver a dormirme, y a despertarme con el timbre del móvil, y después de que Jack me haya confirmado que tiene que alargar sus vacaciones, miro a mi alrededor, sabiendo que no estoy soñando; y entonces me doy cuenta de que esta vida, esta vez, quizá sea para siempre.

No sé cómo lo hacen los carteros, pero el servicio postal de Estados Unidos, como si siguiera su propia filosofía, se las ha apañado para sortear lo que en las noticias han llamado «la peor tormenta de las dos últimas décadas» y traerme el correo del día.

El portero lo tira contra la puerta de mi apartamento, y aterriza en el suelo con un sonido sordo. Paso la mano por el pomo con cuidado, porque me acabo de pasar veinte minutos pintándome las uñas de rosa claro, y meto las cartas con el pie.

Muevo las manos en el aire, hasta que las uñas están secas y a prueba de balas, y entonces cojo la pila de cartas y las miro. La mayor parte son catálogos de empresas que no conozco que me piden que compre sus camas para perros, sus ofertas de decoración navideña, sus ofertas de calzoncillos de invierno.

Cojo la única carta que no es un catálogo, paso los dedos por debajo y abro el sobre con un ¡crack! Dentro hay una tarjeta de felicitación navideña que no me suena de nada. Copos de nieve recortados a mano y purpurina plateada. Se me queda un poco pegada a las manos cuando abro la tarjeta para leer el interior.

«Para Jillian», pone, escrito con la letra redonda de un niño que todavía no tiene demasiada buena letra. «¡Feliz Año Nuevo! ¡Espero que este año sea muy bueno! Con cariño, de tu hermana, Izzy.»

Debajo, mi madre ha escrito: «Gracias por tu nota. Me basta con saber que estás ahí. Espero que no te moleste la felicitación. A Izzy le hacía ilusión.»

Me quedo tanto tiempo mirando la postal que al final la escritura, la purpurina y los copos de nieve se entremezclan, creando una obra de color que sólo se rompe cuando me seco las lágrimas y respiro hondo. Luego regreso a la habitación y meto la tarjeta en el cajón de los calcetines porque no sé dónde más meterla.

Aunque mi vestido nuevo, corto y *sexy* pide a gritos que me lo ponga, el tiempo no lo permite; llevar eso cuando fuera hay treinta centímetros de nieve no resulta factible. «Además —me digo a mí misma—, esta noche no vas a conquistar a nadie; vas en plan "somos amigos", y los amigos no necesitan que vayas tan *sexy*.»

Me pongo un suéter negro de escote de pico y tejanos. Algo lo bastante inocuo que no llama la atención. Me miro en el espejo mientras me hago la raya y me extiendo máscara sobre las pestañas, me echo colorete y me convenzo a mí misma de que no estoy nerviosa. El sudor de la palma de mis manos y de mis axilas, sin embargo, me dice todo lo contrario, y me aplico una capa extra de desodorante, como si eso pudiera calmar la boca seca que tengo o aplacar mi revuelto estómago.

La nieve por fin ha dejado de caer cuando salgo del edificio. Aunque la tormenta ha remitido, sus estragos son terribles: los coches están tan enterrados en la nieve que parecen una fila de iglús alineados en la calle; los dependientes y los porteros van vestidos como esquimales, y quitan la nieve de delante de sus establecimientos en un vano intento de hacer la acera más transitable; los transeúntes, los pocos que nos hemos aventurado a salir, vamos resbalando y cayéndonos a nuestro paso por la calle. La ciudad está totalmente en silencio: no hay ni coches ni taxis ni autobuses circulando, y tampoco aviones, sólo la calma de la nieve recién caída, rota por el tenue sonido de las palas que intentan apartarla a un lado.

Henry vive a ocho manzanas de mi casa, pero esta noche tardo casi media hora en recorrer la distancia y llego tarde, cansada y sudorosa, con los muslos agotados de andar entre la nieve. Llamo por el interfono de un edificio sencillo de fachada marrón y se abre la puerta del portal. Al pasar, me invade una sensación de *déjà vu*. El olor (una mezcla entre moho y desinfectante) me resulta demasiado familiar y, durante un instante, pierdo el equilibrio, y apoyo mi mano enguantada en la pared para no caerme.

Al final se me pasa el mareo, aunque no la sensación de desconcierto, y subo mi cuerpo por los crujientes peldaños de la escalera hasta su apartamento en la tercera planta. Abre la puerta antes de que llame.

—¡Hola, entra! —Me invita a pasar como si fuera el *maître* de un restaurante.

—Siento llegar un poco tarde —me excuso, aunque mis intestinos están ahora totalmente revueltos y me percato de que una cuenta atrás mucho más interesante que las campanadas es lo que me falta para necesitar ir corriendo al lavabo.

—Con tal de que llegues antes de que bajen la bola... —Se le escapa una risa nerviosa y se aparta el mechón de la frente que le vuelve a caer, como siempre, justo en el mismo sitio de antes—. Estás helada, ¿qué te apetece? Tengo cerveza, vino, agua, ponche...

Me veo reflejada en el espejo del recibidor: llevo la nariz roja como una cereza y el pelo pegado a la cabeza por culpa del gorro de lana. El color me sube a las orejas mientras me retiro una fina película de moco que tenía sobre el labio superior. «Sois amigos —me digo a mí misma—. Además, a Henry le gusta que vayas inmaculada, impecablemente vestida y maquillada. Así que el que vaya así de desaliñada es lo mejor para nuestros propósitos.

Me quito el abrigo, lo cuelgo en el perchero de la entrada y suspiro.«¡Relájate! ¡Relájate de una vez!»

—¡Caray, ponche! —digo, mientras entro en la sala y le echo un vistazo—. Realmente estás en todo.

—Lo confieso —me dice alzando las manos como un ladrón de bancos al que acaban de desarmar—. He bajado a la tienda de la esquina y he cogido lo que les quedaba —se ríe—, la verdad es que no voy a ir precisamente de *gourmet* esta noche. —Se para a contemplarme, ahora que me he quitado las prendas que me protegían del frío—. ¡Estás muy guapa!

—Bueno, me tomaré un ponche —le digo, sin hacer caso al cumplido. «¡Se supone que no te gusta que vaya vestida como un ratoncillo! ¡No es lo tuyo!»—, aunque sea de la tienda de la esquina.

Lo observo trajinar en la cocina americana, descalzo, con los tejanos desteñidos y un suéter azul marino. Luego se vuelve hacia la sala. El apartamento es minimalista, más de lo que yo recordaba, con un sofá de cuero negro, una televisión enorme que está puesta pero con el volumen bajado y una alfombra beis con un estampado diminuto que sólo se ve si estás sentado en el sofá. La pared está forrada con una estantería de obra de color miel en la que hay numerosos tomos de tapa dura, muchos de los cuales sé que son autobiografías de famosos exploradores o historiadores o políticos; o, si no, volúmenes sobre ciencia, tecnología o atlas del mundo. Hay un escritorio de madera bajo la ventana de la sala que está vacío, salvo por el ordenador: no hay fotos enmarcadas, ni correo, ni nada de nada.

«¿Por eso me volví tan ordenada? —pienso—. ¿Por eso me dedicaba a recorrer la casa asegurándome que nada estuviera fuera de lugar, de que nada molestara?» Doy vueltas a mi anillo de compromiso y recuerdo que, cuando nos mudamos a la zona residencial, decidí que tendría una casa como las que salían en las revistas: necesitaba desesperadamente dejar atrás las cicatrices infligidas por mi madre y el desorden de mi vestidor, de mi escritorio y de mi vida en general.

«No —me digo ahora a mí misma—, no fue culpa de Henry que te convirtieras en lo que te convertiste.»

«No es tan sencillo, pero tal vez el hecho de que él fuera tan ordenado fue lo que te atrajo de él.»

Henry se me acerca por detrás:

—Su bebida, señora.

Me doy la vuelta sonriendo y cojo el espumoso ponche que me ofrece en una jarra de cerveza.

—¡Brindemos! —me dice, alzando al mismo tiempo su botella de Amstel.

—¿Por qué? —le pregunto, levantando también mi jarra.

—Por... —Duda y se pone a pensar—. Por la vida, por este momento, por el año 2001. Por cómo hemos llegado hasta aquí y por hasta dónde llegaremos.

Los ojos se me llenan de lágrimas, pero pestañeo un par de veces para que no lo note.

—¡Brindo por ello! —le digo, y doy un trago al ponche que, por cierto, está bastante bueno, tanto como el que yo acabaría haciendo de manera casera para nuestros compromisos navideños.

—¿Qué ha pasado con tu madre? —me pegunta Henry, y se sienta en el sofá.

—Bueno, casi es más interesante lo que ha pasado con mi padre —le contesto, y me siento a su lado—. Resulta que

259

hace mucho que había perdonado a mi madre —me encojo de hombros—; parece ser que siente que también él tiene parte de culpa en todo esto.

—Probablemente tenga razón —suelta Henry, con toda la naturalidad del mundo—. Cuando hay un efecto, antes ha habido una causa.

—Como diría tu padre, el profesor —le digo sonriendo.

—Exacto —me devuelve la sonrisa—, pero, en la mayoría de los casos, es cierto. Eso es lo que me parece más difícil en una relación, cómo... —da un trago a la cerveza mientras busca las palabras adecuadas—, lo difícil que debe de ser cambiar al mismo tiempo que la otra persona. Siempre parece que una persona cambia demasiado y la otra apenas... —Se detiene—. No siempre es fácil. O, al menos, no lo es para mí.

—No, para mí tampoco —le aseguro, preguntándome por qué Henry y yo no nos hemos hablado antes con esta franqueza o, si lo hemos hecho, allá en los días en que empezábamos a salir, cómo pude olvidar esas conversaciones cuando la vida nos empujó en direcciones opuestas.

—Pero tú te vas a casar con Jack —me dice—, con él debe de ser distinto.

—Lo es —le respondo, aunque mis palabras no suenan muy convincentes.

Pienso en lo que he cedido en cuanto a los planes de boda, a su falta de ambición, y en cómo me he moldeado para convertirme en la versión de mí que él quería que yo fuera. No era todo tan diferente, me daba cuenta ahora igual que me había dado cuenta en el baño de Vivian cuando la imagen de mi propio futuro me sorprendió de tal forma que se me saltaron las lágrimas, por lo que había hecho de mi matrimonio con Henry. Y entonces me vuelve a asaltar el pensamiento de que, si el problema no radica en ellos, es que el problema soy yo, lo que hace que toda esta vuelta, toda esta jodida experiencia, sea inconsecuente porque no era mi historia lo que tenía que cambiar. Era yo.

—¡Eh, casi se me olvida! ¡Los postres! —dice Henry, rompiendo el silencio. Se levanta del sofá, y eso me hace olvidar los mórbidos pensamientos que acabo de tener.

Lo oigo desenvolver algo de papel en la cocina y, un minuto después, regresa con una bandeja de dónuts glaseados, Oreos, Kit Kats y barritas Mars.

—¡Me encanta! —Me río—. ¡Menuda clase!

—Sólo lo mejor se sirve en *chez* Henry —me dice, y coge un cuchillo de postre y hace rebanadas con una barrita Mars que luego se va metiendo en la boca.

Deja el plato en la mesita de centro y se vuelve a sentar a mi lado. Coge el mando a distancia del televisor. Yo cojo una Oreo, con su color tan natural, y la presiono contra mi paladar hasta que se deshace en mi boca, mandando oleadas de edulcorantes artificiales a las partes más remotas de mi garganta. Henry sube el volumen de la retransmisión en Times Square.

—Ya sé que es raro, pero me encanta esto —hace un gesto hacia el televisor mientras coge un Kit Kat—, todo esto, los locos turistas, el confeti, Dick Clark, creo que es algo que he visto cada año desde que era niño.

Me quedo mirando cómo observa el jolgorio. Su nariz recta, su piel aterciopelada y sus labios gruesos, tan parecidos a los de nuestra hija, la pequeña que no es ni una mota, ni una idea en el cerebro de Henry. «¿Cómo iba a serlo? —pienso—. No puede saber lo que nos va a deparar el futuro.» Pero entonces se me ocurre que ahora, en este laberinto entre el pasado y el futuro, tampoco yo puedo saber lo que nos va a deparar el futuro. Lo miro, disimuladamente, sin que se me note mucho, y me duele, me duele físicamente, el ver la nariz recta de mi niña, su piel aterciopelada y sus gruesos labios, y me tengo que controlar para no tocarle la nariz y los labios, como si eso pudiera conectarme con Katie. Como si eso pudiera traerla de vuelta o provocar una serie de incidentes que le permitieran vivir, vibrar, existir.

Henry se percata de que lo estoy mirando, a pesar de mis esfuerzos por que no lo note, e inclina la cabeza.

—¿Estás bien? —me pregunta.

—Sí, claro —le quito importancia con la mano y cojo unos M&M's, pero las lágrimas me delatan.

—No, no lo estás —dice con firmeza.

Me quedo mirándolo un instante demasiado largo. Ahora recuerdo que Henry y yo no siempre habíamos estado alejados, que hubo un tiempo en el que éramos nosotros mismos y nos entregábamos el uno al otro, en el que no habíamos perdido nuestros matices, antes de esforzarnos tanto en convertirnos en lo que creíamos que el otro quería que nos quedamos vacíos. Y no era que al empezar no tuviéramos lo que queríamos, sino que fue algo que los dos dejamos escapar.

Sin embargo, esta noche no puedo explicarle nada de eso a Henry. Ya sé que quiere oírlo, que quiere saber por qué estoy tan deprimida, pero la explicación es tan absurda, tan ridícula, que ni siquiera yo, pese a darme cuenta de lo comprensivo que es mi futuro marido, no puedo soltarla.

Pero me basta saber que él está tan interesado.

Así que, en lugar de contestarle, me excuso y me voy al baño, y para cuando vuelvo ya es casi medianoche.

La brillante bola plateada va bajando y la multitud corea los segundos que faltan para el nuevo año. El frío aire invernal, ahora desprovisto de nieve pero aun así helado, hace círculos con el confeti. Henry me mira y sonríe, tiene la excitación de un niño, y a mí también me sobrecoge la magia del momento, con los ojos bien abiertos y una sonrisa de oreja a oreja.

Faltan cinco segundos y noto cómo Henry se me queda mirando; y, como lo conozco tan bien, sé qué está pensando. Se retira el mechón de la frente y veo que se lo está pensando, que no sabe si acercarse más. Pero entonces ya estamos en el tres, y luego dos, y por fin uno, y en ese mismísimo segundo hay una burbuja entre nosotros, nos miramos fijamente el uno al otro, esperamos que sea el otro el que se acerque. Entonces noto que el momento ha pasado para él; se inclina, me besa en la mejilla y me susurra: «Feliz Año Nuevo, Jilly», tal como haría en los próximos seis años.

Después insiste en acompañarme a casa. Pasamos entre pilas de nieve y juerguistas que, a pesar de la tormenta, llenan las calles con grupitos de borrachos. Tengo la cara helada de frío. Cuando me deja en el portal, corro a refugiarme al calor del vestíbulo y me doy cuenta de que, aunque tengo las mejillas heladas, el lugar donde me ha besado está tan caliente que podría calentarme todo el cuerpo.

Cuando me despierto al día siguiente, hay un mensaje de Jack. Llegará a casa dentro de dos días, Feliz Año, y ¿dónde estás?

Me entierro bajo el edredón hasta que me siento demasiado vaga para seguir en la cama. Me asomo por la ventana y veo que el sol brilla con fuerza y que la nieve se está derritiendo y convirtiéndose en gotas sobre el cristal y en grandes charcos en la calle.

Voy al vestidor, abro el cajón de los calcetines y saco la felicitación de Año Nuevo de Izzy. Rebusco en el cajón de la cocina hasta que encuentro celo y la pego en la puerta de la nevera: un recordatorio de una niña de nueve años que aún no ha encontrado la manera de ocultar sus verdaderos colores.

Me siento en el suelo de la cocina y me quedo mirando la tarjeta, con sus copos de nieve y purpurina. «Así es como debería ser la vida —pienso—: brillante e imperfecta, pero, a pesar de sus taras, llena de promesas de lo que nos puede deparar el futuro. ¿Cómo se me pudo pasar eso por alto?»

26

—Pero ¿qué te cuesta? —me pregunta Jack cuando sale de la ducha y se coloca una toalla alrededor de un vientre firme y moreno—. A ella le hace ilusión montarnos una fiesta, y ya ha empezado a llamar a gente y planearlo. La verdad, Jill... —Se calla y se aproxima a mí. Me besa el cuello como si eso me fuera a convencer.

—Es que no... —le digo, y me lo quito de encima dándole un suave empujón. Él pone cara de dolorido—. Además la boda es dentro de tan sólo tres meses, ¿de verdad crees que a estas alturas necesitamos una fiesta de compromiso?

He leído suficientes revistas para novias para saber que las fiestas de compromiso se hacían para anunciar un compromiso, no porque la madre del novio buscara una actividad para organizar porque estaba aburrida.

—¿Cómo va la novela? —le pregunto, esperando desviar su atención, deseando oír que el propósito de Año Nuevo de Jack es por fin encontrar algo, la escritura o lo que sea, que lo motive. La vida con Jack empieza a parecerme como estar en un bucle: moviéndonos en círculo sin llegar a ninguna parte, y resulta muy difícil no reconocer que su falta de ambición, su conformidad total con lo que ya tiene, forma parte del problema.

Pero él ignora mi pregunta.

—Será algo pequeño, de buen gusto —me insiste, mientras va al armario de la entrada a coger la ropa recién traída de la lavandería.

—No es cuestión de tamaño —le digo, caminando detrás de él. De pronto me fijo en la hora—. ¡Oh, mierda! Tengo que irme.

—Lo hablamos después, ¿vale? —me suelta.

—¿Para qué? Ya me has oído —le contesto, metiendo los brazos en las mangas del abrigo y saliendo por la puerta. Sé que es un acto pequeño, incluso mezquino, el negarme a ir a esa fiesta, pero me parecía que era un buen comienzo: empezar a decir que no, a mejorar siendo una persona propia y no el eco de otra.

—¡Venga, Jill! —Me coge de la cintura y me besa en la boca—. ¡Piénsatelo!

—De verdad, Jack, no hay nada que pensar... —le digo con voz firme—. Tengo demasiadas cosas pendientes, con los planes de boda de tu madre y todo el jaleo que tengo en el trabajo, ¡esto es lo último que necesito!

—¡Piénsatelo! —me repite, mientras corro a coger el ascensor. No respondo, me meto dentro y bajo.

Josie me ha dejado un mensaje de que quiere verme en su despacho a las nueve en punto, y aunque no estoy muy segura de qué se trata, sospecho que al equipo de Coca-Cola no le ha gustado algunas de nuestras ideas para la campaña de primavera. Cualquiera diría que iba a ser más sencillo (crear de nuevo anuncios que ya había visto), pero me he pasado incontables horas, demasiadas, creo, intentando recordar los anuncios de hace seis años, y... ¡no me acuerdo! Hay detalles, como en otras muchas cosas de esta vida, que ocuparon su espacio temporal en mi cerebro pero que ahora se me escapan. Por lo que trabajo solamente con mi propia imaginación, mi propia creatividad y mi propia destreza, y me temo que hoy, mientras entro apresuradamente en el *hall* de mi oficina, ya no basta con eso. He utilizado todo mi talento, todo lo que no utilicé en mis años de maternidad, y simplemente ese talento que creía poseer no era para tanto.

Cuando llamo a la puerta, Josie está mirando por la ventana, de espaldas a mí.

Gira la silla en la que está sentada y me sonríe débilmente. Todavía le queda moreno; pero ahora, debajo de la piel bronceada, se la ve cansada y cenicienta.

—La he cagado en algo, ¿verdad? —le digo antes de que ella me suelte nada—. A los de Coca-Cola no les han gustado nada las nuevas ideas. Jo, lo siento. Siento como si no hiciera más que darles vueltas a esas ideas para no llegar a ninguna parte. —Dejo mi bolso en el suelo y me siento en la silla que hay frente a la suya.

—No me han comentado nada —dice sorprendida—, y la verdad es que creo que lo que se te ha ido ocurriendo es muy bueno. Muy bueno, ¿tú no lo crees así?

—Bueno, creo que a lo mejor he perdido perspectiva, ya sabes, cuando trabajas tanto que te parece que todo es un vacío, y no logras comprender si lo que haces es o no de buena calidad. —Y era verdad. A lo mejor, mis defectos eran sólo imaginados y yo no era más que un barómetro roto que se equivocaba al interpretar los datos.

Josie asiente, y entonces me suelta:

—Bueno, yo estoy contenta y, por lo que sé, ellos también.

—Entonces ¿qué pasa...? —pregunto frunciendo el entrecejo.

—Tengo algo que decirte.

—Dios mío, ¿no estarás embarazada? ¿Es eso? —me coloco una mano sobre la boca.

—No, no, no estoy embarazada. —Se las arregla para soltar una risita irónica y sé que está pensando algo como: «¡Tendría que tener sexo para quedarme embarazada!» Y lo sé porque está pensando lo mismo que yo durante los últimos días de mi matrimonio con Henry.

—Bueno, ya he hecho saber al resto de los socios que lo

267

dejo. —Mira hacia abajo y se arranca una cutícula que tenía medio suelta.

—¿Dejar el qué? —le pregunto, francamente confundida.

—Esto. La agencia. Dejo la empresa.

—¿Por qué? ¿Cómo? —«¡Eso no es lo que sucede en tu vida! ¡Te quedas y haces campañas que ganan trofeos y premios!»

—Bueno —me dice después de aclararse la voz—, me voy a San José. Art ha ganado. —Se encoge de hombros—. Nos vamos.

—Pero, Jo, ¡si te encanta este trabajo! —Me siento más tiesa en la silla.

—Unas veces —me responde—. Otras, no.

La miro durante un instante: nunca se me habría pasado por la cabeza que a Josie no le encantara su trabajo. Sabía que el trabajo la alejaba de sus hijos, de su hogar y de otras cosas que le gustaría disfrutar más, pero nunca se me habría podido ocurrir que lo que obtenía del trabajo no fuera suficiente, que tal vez había caído en este camino y había sido incapaz de corregir su rumbo hasta ahora. Comparado con que la vida te pase por delante y que antes de que te des cuenta tus hijos ya hayan crecido y tu marido se haya convertido en un extraño, ser capaz de montar una campaña publicitaria de órdago no te parece gran cosa.

—No... no sé qué decir —replico al fin—. Me alegro por ti, Jo, si es lo que tú quieres.

—Quién sabe lo que yo quiero —suelta, encogiéndose de hombros y dando un sorbo a su café. Deja una marca de carmín en la taza—. Pero vamos a lo más importante. Te he llamado porque he hablado con los socios y estamos todos de acuerdo en que, aunque todavía no eres oficialmente socia, nos gustaría que te hicieras cargo de la mayoría de mis responsabilidades.

No contesto. Aunque tengo un montón de palabras dándome vueltas en la cabeza, soy incapaz de decir nada. Todo está pasando demasiado rápido: los cambios, los relevos; «no tiene que ocurrir nada de esto, ¡yo no quiero ser socia de DMP! ¡No quiero pasarme aún más horas sobre pruebas, ni tratando con clientes que, para empezar, no saben lo que quieren!». Me muevo en la silla. Porque, por lo que recuerdo, el trabajo era lo que más me gustaba en mi vida anterior; y, ahora, eso tal vez no sea más que un producto de mi imaginación, al igual que todo lo relativo a la persona que fui.

—Me lo pensaré —le respondo. Justo las mismas palabras que Jack había querido oír una hora antes.

—Lo harías genial —me dice, y me ofrece una sincera sonrisa por primera vez desde que iniciamos la conversación.

«Probablemente —pienso para mí—. Pero esto es como me dijo Henry una vez: Quien algo quiere, algo le cuesta. ¿Qué iba a perder ahora que tenía todo lo que yo quería: el anillo, el hombre y el trabajo?»

Meg se encuentra conmigo en Tiffany después del trabajo. Vivian me ha avisado de que sus amigas no están nada contentas con mi espartana lista de bodas, y me ha pedido que por favor añada algunos artículos.

—Cariño, de todas formas te van a comprar algo. ¡Así que es mejor que les digas qué es lo que te gusta! Eso hace que todo sea más fácil para todos —me ha dicho por teléfono ese mismo día, al llamarme a la oficina. «¡Qué curioso!», pienso, «eso es lo que pasó exactamente cuando me casé con Henry». No eché en falta los cubiertos y los candelabros de plata hasta que nos mudamos a Westchester y me convertí en un ama de casa desesperada cuya vajilla era más importante que su manicura.

Jack se ha desentendido hoy de esa tarea, alegando una entrega urgente, y la verdad es que no lo culpo por ello.

Cuando hicimos la primera lista de bodas, estuvo dando vueltas por Crate and Barrel, escrutándolo todo como si fuera un ladrón armado; al cabo de media hora, se dejó caer en un sofá y perdió el interés. De alguna manera, adquirir esas representaciones físicas de nuestra unión parecía algo mucho menos atractivo de lo que los dos nos habíamos imaginado. Cinco minutos después nos fuimos a tomar una copa.

Aunque sólo son las seis de la tarde, el cielo está oscuro y cubierto, y las calles, únicamente iluminadas por las farolas. Las aceras se han vuelto a helar, debido al aire del Ártico que sopla desde el norte, y yo me muevo despacio hacia la tienda, con los brazos un poco separados para no perder el equilibrio.

Meg está en la esquina de la calle Cincuenta y siete con la Quinta Avenida, equipada con un gorro de piel y un abrigo largo que le tapa lo que debe de ser ya una buena barriga.

Me saluda con la mano cuando me ve a media manzana. Justo cuando estoy a punto de devolverle el saludo, oigo el ruido de una frenada, seguido de la bocina de un taxi y del sonido del metal al romperse y, después, los chillidos de la gente a mi alrededor. Todo se ralentiza de una manera que me hubiera gustado en mi antigua vida, y se me pasan por la cabeza imágenes de muchedumbres frenéticas y una farola destrozada. Me pesan las piernas, las botas se clavan en el suelo como anclas y, mientras intento seguir adelante, siento como si nadara en segundos de tiempo. Busco a Meg, pero ya no está ahí; en su lugar hay un taxi incrustado en un buzón, y una multitud alrededor.

Alguien grita: «¡Ya he llamado a una ambulancia!» y, de pronto, mis células se liberan y puedo correr, me meto por entre la gente, olvidándome del resbaladizo y traicionero suelo bajo mis pies.

Meg y otras dos personas yacen en la acera, las tres sangran y ninguna está consciente. Emito un chillido terrible, y me agacho para ayudarla, pero alguien me coge por detrás.

—No la toques —me dice el extraño—. Es mejor no tocarla.

Pasan los minutos y, por fin, pronto, o muy tarde (no tengo ni idea) oigo una sirena que se acerca por la avenida. Los paramédicos salen de la ambulancia y el círculo de gente se abre para que puedan entrar. El personal sanitario empieza a trabajar: toman el pulso a las víctimas, les mueven las extremidades y, en el caso del hombre mayor que está justo al lado de Meg, le aprietan el pecho, y le hacen la respiración artificial hasta que vuelve a respirar.

—¡Está embarazada! —les grito al par de paramédicos que están colocando a Meg en una camilla—. ¡Está embarazada!

Veo la alarma escrita en sus caras.

—¿La conoce? —me pregunta uno.

Sí, asiento, incapaz de hablar, y entonces empiezo a soltar un montón de sollozos, uno tras otro.

—¡Venga con nosotros! —Un fuerte brazo me coge del codo y me empuja dentro de una ambulancia en la que hay demasiada luz y demasiado ruido. Meg, con los ojos cerrados y una fina línea de sangre bajándole por la frente, nos sigue en la camilla. Uno de los enfermeros le pone una máscara de oxígeno, y el otro cierra la puerta de un fuerte golpe que resuena por todo el vehículo.

Luego la sirena sigue sonando, atravesando el aire helado de la noche, y los neumáticos giran debajo de nosotros. Vamos por la avenida, y luego por las calles, a toda velocidad hasta llegar al hospital, esperando con todas nuestras fuerzas que el tiempo pase lo suficientemente despacio como para que podamos deshacer el daño que inevitablemente va a haber.

Regateo con Dios en la sala de espera. Tyler recorre de arriba abajo los pasillos de Urgencias y Jack se ha ido a ver si encuentra café semipotable, por lo que estoy a solas con un atroz sentimiento de culpa.

«¡Por favor, Dios mío, haz que Meg no pierda el bebé. Me casaré con Jack y no me volveré a quejar de nada nunca más. Muchísimas gracias. Con todo mi cariño, Jill.»

«Querido Dios, ya sé que últimamente te he estado pidiendo muchas cosas, y que has sido muy generoso complaciéndome. Pero, si me concedes este último favor (que el bebé siga vivo), haré todo lo que tú quieras. Jill.»

«Dios, ¿estás ahí? Tú pones el precio, el que sea. Pero deja a Meg fuera. Esto es algo entre tú y yo, ella no tiene nada que ver. Si me has vuelto a enviar al pasado para demostrarme algo, ya lo has hecho. Por favor, deja que el bebé viva. Saludos cordiales, Jill.»

Las puertas de la sala de espera se abren y aparece un médico calvo que se levanta la máscara y se acerca a mí pasando entre la gente que llena la sala.

—Usted ha venido con Megan Callahan, ¿verdad?

Asiento y me chupo los labios, esperando el castigo que sé que voy a recibir. Porque algo en mi interior me dice que, si yo no hubiera regresado, «si no hubiera deseado tan jodidamente tanto esta vuelta», nada de esto habría sucedido. Meg no habría estado esperándome delante del puto Tiffany, no la habría atropellado un taxi que hubiera perdido el control por culpa del hielo en la calzada, y su bebé seguiría latiendo dentro de Megan como se suponía que tenía que ocurrir.

Durante un instante, recuerdo que eso se supone que tampoco sucede así, que la otra vez, este bebé no llegó a ser más que una ligera esperanza para Meg y Tyler; pero ahora eso importa poco, porque ésta es la realidad ahora, no entonces. Y esto es, sin lugar a dudas, culpa mía.

Busco a Tyler con la mirada, pero no lo veo por ninguna parte, y el médico continúa.

—Está estable. Se ha dado un golpe muy fuerte en la cabeza, pero ya está consciente y puede hablar.

—¿Y el bebé? —le pregunto, apenas capaz de soltar las palabras.

—El corazón sigue latiendo —asiente, y noto cómo la cara se me distorsiona y las lágrimas se me derraman de los ojos—, pero tenemos que ser cautelosos —continúa con delicadeza—. Tiene que quedarse unos días en observación.
—Se dispone a alejarse, cuando de pronto me dice, por encima del hombro—: Si quiere, puede pasar a verla.

La habitación de Meg está muy silenciosa, salvo por los sonidos que emiten dos monitores de corazón que suenan casi al unísono. Cuando entro, creo que está durmiendo, por lo que voy a marcharme; pero entonces abre los ojos, me mira y sonríe.

—Entra —me invita—, estoy despierta.

—Guapa... —intento decir algo más, pero me atraganto con la ola de emoción que siento. Me acerco a la cama y le estrecho la mano.

—Estoy bien —me dice, y me aprieta la mano más fuerte. —Sólo unos cuantos rasguños y cardenales.

—El bebé... —empiezo.

—Fíjate —me ordena y mueve la cabeza hacia el monitor que tenemos justo al lado—. Mira qué corazón tiene mi bebé. Mira qué fuerte. Mi hijo va a salir bien. —Los ojos de Meg están llenos de esperanza.

—Eso espero. —Yo no parezco muy convencida.

—Yo lo sé. —No me suelta la mano.

—¿Cómo puedes saberlo? —le pregunto, aunque sospecho que no debería haberlo hecho. Al fin y al cabo, sé cómo acaban todos sus embarazos. Los cuatro que ha tenido.

Meg suspira y niega con la cabeza.

—Tengo que hacerlo. Es necesario —le tiembla la voz—. Cuando he tenido abortos... bueno... no sé lo que haría si no pudiera ser madre. De verdad, no sé lo que haría. —Tiene las mejillas surcadas de lágrimas.

Sus palabras resuenan dentro de mí, y algo hace clic, algo que pasé por alto en mi otra vida, cuando no percibía tan bien los detalles. La depresión que tuvo Meg tras su aborto, su obsesión con la fertilidad, su creencia pura en el poder de la maternidad, la forma en que se encerró en sí misma y se alejó de todos nosotros. Mirándola ahora, sé que no se quedó dormida en la autopista de Los Ángeles cuando volvía de noche a casa. No, Meg era demasiado cuidadosa para cometer un error así, y el accidente no había tenido nunca ningún sentido para alguien que la conociera un poco. Pero ahora sí que tenía sentido. Porque lo acababa de oír en la desesperación de su voz. Ese «De verdad, no sé lo que haría» si no pudiera convertirse en madre se convirtió en una frustración que acabó en desesperación mezclada con depresión. Meg, desprovista de esperanza, desistió de seguir viviendo en lugar de encontrarle un nuevo sentido a la vida. Y ahora, esta vez, tiene la oportunidad de cambiar todo eso. Sin embargo, mi regreso ha traído consigo otro nuevo desastre, un desastre que tal vez lleve, después de todo, al mismo resultado.

Meg y yo nos quedamos en silencio, con el sonido de los monitores de fondo asegurándonos que sí, que lleva una vida dentro de su ser que lucha por sobrevivir, lucha por que se la escuche. Le aprieto más la mano y pienso en Katie, y espero que esta vez deje algo más que destrucción a mi paso y, además, el destino un poco alterado.

27

Las horas se convierten en días y los días en semanas, y pronto empiezo a olvidar todos los matices de Katie sin los que antes no podía vivir: la molla de carne regordeta alrededor del cuello, la forma en que juntaba los brazos para abrazarse a mí, sus pies calentitos que besaba una y otra vez cuando se acababa de despertar. A medida que voy olvidando esos detalles, me empiezo a preguntar si no me lo habré imaginado todo. Como si Katie, mi vida con Henry y toda esa insatisfacción no hubieran sido más que algún extraño *flashback* del futuro, un rápido vistazo a lo que me podría suceder si no iba al altar del brazo de mi padre para casarme con Jack.

Una noche de enero, ya tarde, Jack había caído en un profundo sueño; pero yo no lograba dormir. Me levanté, me puse una sudadera y las botas y bajé a la calle, al aire helado de la noche. Las calles estaban casi vacías, lo cual es una aberración para Nueva York, pero la temperatura polar había hecho que la gente se recluyera en sus casas; así que, excepto algún que otro individuo que paseaba su mascota y esperaba pacientemente a que el animal hiciera sus necesidades, estaba sola, con la sombra de las farolas como única compañía.

Tenía las manos heladas (había olvidado coger los guantes) y me refugié en una tienda que abría las 24 horas. Los tubos fluorescentes brillaban, la música de fondo intentaba aliviar su dureza, y yo me dirigí hacia el fondo mientras movía los dedos para favorecer que circulara la sangre. No fui consciente de dónde estaba hasta que llegué a la sección de recién nacidos y, con las manos todavía entumecidas, cogí la loción para bebés, la que le ponía a Katie, y le quité la tapa. La olí y el aroma a lavanda me sobrecogió, la cabeza empezó a darme vueltas y me agarré al aparador para no caer al suelo.

De repente, como si de un *collage* se tratara, recuerdo que le aplicaba a Katie esa loción cada noche después de bañarla, de secarla con la toalla y de que nos riéramos juntas porque se intentaba secar ella sola como un perrito mojado. Recuerdo que le ponía el pijama, que después le leía cuentos y luego me la acercaba tanto que la lavanda, esta lavanda, se me quedaba toda la noche impregnada en el cuello, y sólo desaparecería cuando me despertaba al día siguiente.

«No, a Katie no me la he inventado —pienso cuando vuelvo a recuperar el aliento y las lágrimas empiezan a remitir—. Es tan real como yo. Es tan real como necesito que sea.»

Josie está en mi despacho, analizando conmigo una lista de sus contactos que van a ser mis contactos cuando ella se marche dentro de tres semanas, y entonces aparecen Leigh y Allie. Mi futura sobrina pasa por encima de las pilas de papel y las cajas de cartón que hay desperdigadas por todo el suelo y me da un cálido abrazo.

—¿Me dejas secuestrarte un rato cuando salgas? —me pregunta.

Josie se encoge de hombros y me dedica una sonrisita de complicidad, así que le digo que «por supuesto» y que me reuniré después con ellas en el salón de té del Plaza.

Horas más tarde, antes de salir del trabajo, llamo a Meg,

como hago ahora todos los días para saber qué puedo llevarle y cómo va lo del reposo, que es lo que le han recomendado a las veinte semanas. Con todo tan fuera de control en esta nueva vida, me he prometido que haya una cosa (Meg y su bebé) que no escape a mi control. «No voy a bajar la guardia —pienso cada día, armada con todo lo que sé—. No voy a bajar la guardia.»

Esta noche Meg parece al teléfono como siempre: inquieta pero satisfecha. Tiene todo lo que necesita, su hermosa barriga y sus esperanzas en el futuro y, a veces, cuando voy a llevarle la compra o algún DVD, o sólo a charlar un rato con ella, tengo envidia de mi amiga que está tan próxima a perderlo todo. Porque, a pesar de ese riesgo, está contenta. Eso lo veo cuando se toca la barriga, cómo le brillan los ojos, o cuando habla de nombres para el bebé, aunque yo desearía que no lo hiciera, porque de alguna forma me parece de mal agüero.

Salgo de la oficina y navego entre la muchedumbre hacia el Plaza. El vestíbulo posee ese perfume floral de los productos de limpieza caros, y los huéspedes entran y salen, al ritmo del sonido de la campana del ascensor. Me dirijo al salón de té, pero no veo a Leigh y a Allie por ningún sitio, así que llamo la atención de una camarera, una rubia lánguida de metro noventa que seguro que es aspirante a modelo.

—Perdone, estoy buscando una madre y su hija. A lo mejor han reservado una mesa, se llaman Leigh y Allie.

—¡Oh, sí, claro! Están en la zona reservada.

«¡Qué raro!» Frunzo el ceño y la sigo a través de la estancia. Abre una puerta, se aparta y la sujeta para dejarme pasar.

—¡SORPRESA! —El volumen del saludo me desconcierta, y yo doy un par de pasos hacia atrás aturdida.

Jack sale de entre la multitud y me planta un beso:

—Como sabía que protestarías, lo hemos hecho en secreto —me dice, sonriendo como si fuera la persona más aguda del planeta.

—¿De qué estás hablando? —le suelto, intentando comprender de qué va el asunto—. ¿Es mi cumpleaños? ¿He perdido la noción del tiempo hasta el punto de olvidar mi propio cumpleaños?

—¡Es nuestra fiesta de compromiso! —me anuncia, y me vuelve a besar—. ¡No quería que te preocuparas por nada, así que a mamá y a mí se nos ocurrió que ésta sería la solución perfecta!

Me aparto de él y me escabullo de sus brazos, que tenía sobre mi cintura, como quien quita el alambre de una bolsa de pan de molde.

—¿Esto es una fiesta de compromiso? —le pregunto con incredulidad, tratando de contener mi irritación, sabedora de que los invitados me están mirando—. ¡Yo te pedí específicamente que no hicieras esto!

—¡No, yo te pedí a ti que te lo pensaras... y tú no me respondiste! —contesta Jack—. Venga, mujer. ¡Será divertido! —añade, o no detectando o ignorando totalmente mi rencor. Se da la vuelta hacia los más de cien invitados—. Allí no falta nadie.

Miro a mi alrededor, y casi toda la gente a la que veo son amigas del club de Vivian, con su carísima ropa. Veo a Josie al fondo, tomándose sola una copa, y a mi padre, incómodo, al lado del buffet, entablando conversaciones triviales; pero aquí no hay nadie más con quien yo pueda compartir la supuesta alegría de mi compromiso matrimonial. Meg no está aquí. Ni Henry. Nada es distinto aquí y ahora de como lo era antes: las personas a las que más necesito no están, y las que hay no hacen nada para ayudarme a llegar adonde yo quiero. Nombres diferentes, caras distintas, pero el resultado final es el mismo.

De pronto, todo esto me parece demasiado: la fiesta, mi vida con Jack, toda esta gente que se parece tanto a la persona que seré dentro de siete años, la persona a la que tanto llegué a odiar y de la que en vano he intentado escapar. «No tiene por qué ser así —me oigo decir a mí misma—. Siempre hay más de una elección, sea cual sea el camino que elijas. Zapatos planos en lugar de tacones. Educar a Katie en lugar de criarla. Gris en lugar de blanco y negro.» Noto la mano de Jack en la espalda, y me sube una oleada de rabia. «Le dije qué era lo que quería y, aun así, no me ha escuchado. Al final he encontrado mi propia voz, he dejado de intentar parecerme a lo que pensaba que él quería y, aun así, tampoco ha servido de mucho.»

Me doy la vuelta y salgo corriendo de la habitación, atravieso el precioso salón de té y bajo los escalones de entrada al hotel. Oigo a Jack gritando detrás de mí, atravesando el vestíbulo; pero se para cuando llego a la acera, sin ganas de perseguirme adondequiera que yo huya. Entonces oigo otra voz, me giro y me encuentro con mi padre, que casi me ha alcanzado.

—No hagas esto —me dice, entre jadeos—. No huyas porque creas que no tienes elección. Tú eres mejor que eso. Te lo tendría que haber dicho hace años, pero hablar nunca se me ha dado bien. Tú eres mejor que eso.

Niego con la cabeza.

—Yo no soy como ella. No me voy porque no tenga elección. Me voy porque sé que hay otras opciones.

Se detiene y veo que algo lo ha conmocionado, luego me dirige una sonrisa del que sabe, y su cara preocupada se vuelve amable. Mira a Jack y me da un abrazo.

—Entonces, vete —me anima, y me separa de Jack—. Vete a donde sea que te lleven esas opciones.

Asiento y corro por la calle, por las avenidas, sin aliento, sudorosa y fría a la vez. Corro y corro y sigo corriendo como siempre he hecho; sólo que ahora, por una vez, hay algo dentro de mí que sabe que hay algo hacia lo que corro, no de lo que escapo.

28

Camino por las calles sin rumbo, sin saber adónde ir, ni qué hacer. No puedo irme a casa: no podría enfrentarme a Jack y su pasividad. Alzaría las manos y diría: «¡Caray, nena!, no es para tanto, ¿por qué no te calmas?», e intentaría arreglarlo todo besándome o distrayéndome, o simulando que no es cómplice del deterioro de nuestra relación. Como si, por inclinarse hacia mí y verme hablar, estuviera realmente escuchando quién era y quién necesitaba ser. «Tal vez por eso nunca me presionó con el fin de que conociera a mi madre, quizá sencillamente no me quería lo suficiente para saber qué era lo mejor para mí, aunque, para empezar, yo tampoco supiera qué era lo mejor para mí. Y tal vez fuera por eso mismo por lo que no lo apreté más en cuanto a su falta de ambición; quizá yo tampoco lo amaba lo suficiente. Quizá fuera todo más simple de lo que parecía, como una de las soluciones matemáticas a la vida de Hen.» Esa idea hace que algo se remueva dentro de mí y, por primera vez en siete años, sea como si nuestra separación por fin tuviera sentido. Ésta no era una relación por la que mereciera la pena luchar, sino un escalón hacia algo mejor.

Sigo dando vueltas hasta que me encuentro ante la casa de Henry, donde quizá debería haber estado todo este tiempo. Porque, ahora, con el aire gélido en las orejas y las ruinas de mi relación sobre los hombros, no puedo ignorar que todo esto, esto de volver al pasado e intentar deshacerlo, no ha sido más que un horrible, ruinoso e irreversible error. No porque las cosas salgan diferentes; aunque sí, eso también. Sino porque lo que yo necesitaba cambiar en el futuro de siete años más tarde no tenía nada que ver con Jack o con Katie o mi madre o incluso Henry. Ahora que los patrones de mi vida futura se me han vuelto a presentar en el pasado, lo que está claro es que la única persona que, de hecho, tiene que cambiar soy yo.

Llego a su cubo de basura y vomito dentro. Dos peatones cuchichean entre sí al pasar a mi lado. Pero, por una vez, creo que por primera vez, ignoro esos cuchicheos y esos prejuicios y todo lo que implican. En lugar de eso, intento detener las oleadas de remordimientos que ahora se manifiestan en arcadas.

«¿Cómo no se me ocurrió anticipar el final de todo esto? —Vomito una vez más, soltando sólo bilis porque tengo el estómago completamente vacío—. ¿Cómo me pude concentrar tanto en reinventar mi persona y mi vida y nunca se me ocurrió reflexionar sobre lo mucho que tenía que perder? Quien algo quiere, algo le cuesta. Katie. Katie. Katie.» No puedo sacarme el nombre de la cabeza, donde da vueltas y se repite como una mala canción pop.

Llamo tres veces al interfono de Henry, sin respuesta. O está dormido o está con Celeste, pienso mientras se me cae el alma a los pies. Me siento en el escalón de entrada e intento pensar en mi otra vida, en qué era lo que la hacía tan horrenda que me había hecho saltar al pasado sin posibilidad de retorno.

Me viene un recuerdo de cuando estaba embarazada de Katie.

Me había despertado con náuseas y llamé al trabajo para decir que no iba. Henry, antes de marcharse a la oficina, se metió un momento en la tienda de la esquina y me trajo Saltines y Ginger ale.

Cuando volvió, me puso una cataplasma fría en la frente, y me dio un masaje y me dijo:

—¿Y si te tomas libre el resto de la semana? Te estás agotando.

—¿Y si me tomo libre el resto de mi vida? —le contesté—. No necesitamos el dinero.

—¿Quieres dejar el trabajo? —Se le notaba la sorpresa. Me giré para ver qué cara ponía.

—¿Te importaría?

—Esto... no... no —me dijo—. Con tal de que tú te sientas realizada.

—¿Y por qué no iba a sentirme realizada? —le pregunté con sencillez—. Creo que me gustaría mucho ser mamá a jornada completa. —Incluso mientras lo decía, sabía que una parte de mí no se lo creía del todo y, para empezar, no estaba segura de por qué lo había sugerido. Pero eso Henry no podía haberlo sabido. La verdad es que lo había dicho con tanta convicción y tantas ganas que ni el más astuto de los maridos podría haber sospechado nada tras algo tan opaco.

—Bueno, pues hazlo —me dijo Henry y me dio un beso en la frente—. Deja el trabajo. Haz lo que te haga más feliz.

Desde el escalón de entrada al apartamento vacío de mi futuro marido, me llevo una plancha por el recuerdo: primero porque Henry no me obligó a dejar el trabajo, y segundo, por lo equivocada que he estado todos estos años. El tiempo te hace esas jugarretas. Oscurece algunas de las cosas buenas y quita algunas de las malas, de forma que se entremezclan y ya no es fácil distinguir cuál es cuál o con qué quedarte a medida que vagas por el tiempo.

Me seco los mocos, me limpio la máscara de mis entumecidas mejillas y me levanto. Sigue siendo de noche, aunque sé que falta poco para que amanezca, y que tengo que darme prisa, tengo que continuar. No sé cómo ni siquiera adónde, pero tengo que intentarlo, debo regresar a casa.

29

El tren con destino a Westchester va casi vacío. Es demasiado pronto para los que vienen de trabajar, y nadie necesita dirigirse a las zonas residenciales antes de las siete de la mañana. Oigo el ronroneo de las ruedas y el sonido de la locomotora, e intento dormir un rato, aunque sin éxito.

En la estación, cojo un taxi. Pasamos por las silenciosas calles, con sus hileras de árboles, sus casas unifamiliares y sus garajes llenos de minicaravanas y todoterrenos. Recuerdo la primera vez que vimos el que sería nuestro hogar. El tipo de la inmobiliaria no parecía muy entusiasmado con la casa, pero en cuanto vi el cuarto para niños de color rosa y la cocina de granito, me decidí. Mis tacones resonaban sobre el suelo de madera, Henry me seguía detrás, me di la vuelta y le dije: «Ésta es. Tiene que ser ésta.» Él no estaba tan seguro, pero quería lo que a mí me hiciera feliz, así que pagamos la señal y nos mudamos un mes después. «Ha sido culpa de los dos —me doy cuenta ahora, mientras miro por la ventanilla del taxi las casas que pasan por delante de mí—. Ninguno de los dos fue el culpable, no se le puede echar la culpa a nadie. Henry sólo quiso complacerme y yo hice lo mismo. Y, al intentarlo, nos pudrimos los dos.»

El taxi me deja en casa de Ainsley, que me abre confundida, todavía en pijama y con una humeante taza de café en la mano. Se estremece por el aire frío que entra por la puerta.

—¡Son las ocho y cuarto de la mañana, Jill! ¿Qué haces

aquí? —Entonces se me queda mirando y ve mi desarreglo del día anterior.

—Necesito que me ayudes. —Paso por delante de ella y me dirijo a la cocina, donde seis años más tarde, Katie diría su primera palabra: «¡mamá!».

Se detiene antes de seguirme. Luego oigo sus zapatillas arrastrándose detrás de mí.

—¿Café? —me pregunta, alzando la cafetera.

—Siéntate, ya me lo sirvo yo —le contesto y me voy hacia los armarios, me cojo una taza, luego abro otro armario para el azúcar, y luego otro cajón más para sacar una cuchara. Lo hago sin ningún esfuerzo, sin pensar, como si se tratase de mi propia cocina.

—¿Pero cómo sabes...? —empieza a preguntar Ainsley, y se calla de repente. Me doy cuenta de que me he puesto en evidencia, sólo he estado en casa de Ainsley dos veces, al menos dos en mi nueva vida, pero eso ahora me trae sin cuidado.

—Mira, necesito que me cuentes una cosa —le digo, y me siento enfrente de ella—. No me preguntes por qué, es demasiado difícil de explicar.

—¿Jack te está engañando con otra? —Se le ponen los ojos como platos—. ¡Yo no sé nada!

—¿Cómo? ¡No! Espera, ¿qué? —Frunzo el ceño—. ¿De qué estás hablando?

—No, nada. Es sólo que... como has aparecido así... me he imaginado que os habíais peleado... que por eso estás aquí. —Mueve la mano de manera desdeñosa y continúa—. Pensé que estabas intentando averiguar algo sucio, no sé.

—No —replico—. No, nada de eso. —Aunque una parte de mí está inquieta ante la idea de una posible infidelidad por parte de Jack. Quiero volver con Henry desesperadamente, pero hay una parte de mí que se aferra a Jack como el papel film, que por mucho que muevas la mano para que se te desprenda, sigue adherido a los dedos. «Tal vez siempre sea así —pienso—. Tal vez una parte de mí siga siempre unida a Jack, sin tener nada que ver con lo mucho que quiera a Henry.»

—No, mira, lo que necesito es encontrar a tu masajista, Garland —le digo. En el tren he llamado a información, pero el spa en el que trabajará en el futuro aún no ha abierto.

Ainsley baja las cejas confusa.

—No sé de qué me hablas. Si no tengo masajista.

—¡Claro que tienes! —chillo y casi se me quiebra la voz—. Garland. Moreno, de brazos enormes. ¡A vosotros os encanta!

—Jill, creo que tal vez deberías tumbarte durante un rato. —Ainsley me coloca la mano en el brazo—. No tienes buen aspecto.

—¡Estoy bien! ¡Estoy bien! Es sólo que tengo que encontrarlo. —Mi voz sube unas cuantas octavas, y noto cómo una lágrima se me escapa del ojo izquierdo. «Garland es mi única oportunidad de arreglar este entuerto.» No se me había ocurrido que tal vez no estuviera a mano para lograrlo.

—Vale, vale. Miremos en la guía —dice Ainsley suavemente, en un tono que en el futuro destinaría a las rabietas de su hijo. Se levanta y saca las páginas amarillas de debajo de un armario, y las sartenes y las ollas de al lado responden con un ruido metálico—. Si necesitas un masaje, ya encontraremos a alguien. He oído que el del club obra milagros.

—¡No! —Niego con la cabeza, y noto cómo empiezo a llorar de manera descontrolada—. Tiene que ser él.

Pone la guía en la mesa y la abre hacia la mitad.

—Maquinaria... eh... masajes. Allá vamos. —Pasa el dedo por encima de los registros—. No veo a nadie llamado Garland, aunque hay un G. Stone, ¿podría tratarse de él? —Me mira con cara esperanzada.

—Tal vez, no lo sé. Probaré a ver. —Arranco la página,

luego cojo las llaves del coche de Ainsley y le doy un beso en la frente. Ella sigue con la boca abierta—. Volveré antes de que te hayas dado cuenta de que me he marchado.

Y entonces salgo corriendo por la puerta como un relámpago; un instante de luz, y luego sólo la electricidad que deja a su paso.

La dirección de G. Stone es una calle que sale de la avenida principal de Westchester, pasado el café donde compro los cafés con leche descremada los días en que Katie juega con otros niños, justo al lado de la tintorería de la señora Kwon. Paro el motor y me quedo mirando la destartalada casa: una fachada de guijarros oscuros cuya madera necesita un repaso. Jamás había reparado en esta casa en los dos años que viví aquí en mi otra vida. Las persianas están bajadas, y la casa parece totalmente inmóvil, como si estuviera descansando y aún no fuera hora de despertarse. Pero, como estoy aquí, abro la puerta del todoterreno de Ainsley (y esta vez sí que oigo el ¡ding!, ¡ding! mientras espera a que la cierre) y, cuando por fin lo hago, al igual que seis meses en el pasado y siete años en el futuro, oigo el silencio.

Las piedras del sendero que lleva hasta la casa están agrietadas. La nieve se ha metido por las rendijas, y hojas heladas crujen bajo mis pies cuando me dirijo a la puerta. Llamo al timbre, y oigo cómo suena dentro de la casa, tal y como me imagino que sucedería en una película de terror, justo antes de que la heroína se encuentre con el asesino. Oigo pasos y, cuando la puerta se abre, es él, Garland: un salvador más que un asesino. Mi voz lucha por salir, pero tengo la boca demasiado seca para hacerlo.

—¿Puedo ayudarla en algo? —me pregunta. Me temo que lo he despertado. Su pelo negro y brillante está ahora pegado a un lado de la cabeza, y lleva una gastada bata burdeos atada a la cintura.

—Sí —suelto por fin—. Yo... no sé cómo explicarlo... pero... tú me has hecho una cosa... —Me detengo, a ver si recuerda algo. «¿No me conoces? ¿No sabes qué es lo que me has hecho?»

Busco en su rostro como un montañero perdido lo haría en un mapa, pero es como un lienzo en blanco. Es evidente que no me conoce. Pues claro, me digo a mí misma, «¡eso será dentro de siete años! ¡Cómo iba a acordarse!».

—Bueno, necesito que me ayudes —sigo—. Es la forma más fácil de explicarlo.

Garland inclina la cabeza hacia un lado, recordándome a un Cocker Spaniel a la espera de un hueso, aunque parece que se ha apiadado de mí y me hace un gesto para que entre. Una tetera silba dentro.

—¿Té? —me pregunta.

—No —niego con la cabeza. Me pide que me siente en la sala, mientras sale un momento y regresa con una taza humeante que huele a paja trillada.

—Cuéntame: cuál es el problema, Jillian.

—¡Sabes cómo me llamo...! ¿Cómo sabes mi nombre? —Me coloco en la punta de la silla. Me siento como si me atravesase un hierro candente.

—No tengo ni idea —me responde, con cara de estar muy confundido—. La verdad, no tengo ni idea. —Parece como si buscara un recuerdo en algún lugar de su cerebro, sin lograr encontrarlo—. ¿Nos conocemos?

—Más o menos —le digo—, aunque no sé cómo explicarlo.

Pero, como es mi única oportunidad, trato de hacerlo. Le cuento lo de mis «¿Y si...?», le hablo de Jack, de Henry, de mi madre y de Katie, y le explico cómo me había vuelto yo misma, deseando cosas que no tenía, lamentando las que tenía, sin apreciar todo lo que había a mi alcance, a mi disposición; y cómo el círculo se cerraba conmigo, con una fuerza de voluntad que hasta yo misma ignoraba que tenía.

Garland asiente mientras voy contando la historia y, cuando he acabado, me dice:

—Pero aún no sé por qué estás aquí. ¿Qué pinto yo en todo esto? —Frunce el ceño—. ¿Y por qué sé tu nombre y te conozco, si estoy seguro de que nunca te había visto antes?

—Bueno, ése es el quid de la cuestión —le digo despacio—. Tú eres el que me envió al pasado.

Garland se me queda mirando como si le hubiera dicho que la tierra es más plana que el papel, que el ratoncito Pérez es real y que Papá Noel viene a visitarnos cada Navidad. Y entonces suelta una risa profunda, incrédulo.

—¡Anda ya! —me dice—. No puede ser que yo te hubiera hecho eso. Vamos... ¿cómo iba a...? —Niega con la cabeza y vuelve a reírse.

—No lo sé —confieso, intentando contener tanto el pánico como la incipiente rabia—. Pero lo hiciste. Desbloqueaste mi Chi y algo pasó. Lo siguiente que supe es que estaba en mi antiguo apartamento, con mi antiguo novio, en mi vida de siete años antes.

Él deja de reír y se me queda mirando muy serio:

—¿Te desbloqueé el Chi? ¿Yo?

—Sí —asiento—. Eso es lo que me dijiste.

Se pone en pie y empieza a caminar por la sala, murmurando para sus adentros. De pronto se para, y se vuelve hacia mí.

—He estado leyendo sobre el tema... —Se detiene, luego sigue—. He estado leyendo sobre la conexión mente-cuerpo-espíritu, Chis y auras, todo eso... —Mueve las manos en un círculo, como si fuera la explicación de todo eso, pero yo sigo mirándolo estupefacta, así que continúa—. Siempre he creído que la mente influye en nuestro cuerpo y espíritu de manera muy fuerte, de forma que los humanos no llegamos a comprender, así que he empezado a investigar...

—¿Y eso qué tiene que ver conmigo? —Me pongo de pie para que se centre y no divague.

290

—He empezado a jugar con los puntos de presión de algunos clientes, ya sabes, para ayudarles a liberar toxinas, su mente, y, bueno, sus Chis...

Me cubro la cara con las manos.

—Lo siento, Garland, pero todavía no sé qué tiene que ver todo eso conmigo. Yo sólo... sólo quiero volver a la normalidad, a mi vida de antes. Necesito que me lleves ahí.

Se sienta en el sofá que tengo delante.

—Oh, Jillian, eso no funciona así. No puedes volver si no has cambiado. Todo está conectado. Todo forma parte de un círculo cerrado. —Y vuelve a agitar las manos.

—¡Envíame de vuelta! —grito histérica, mientras las lágrimas me surcan las mejillas—. ¡Sólo ayúdame a volver!

Garland echa la cabeza hacia atrás automáticamente, como si mis gritos tuvieran fuerza física. Resopla.

—No puedo prometerte nada —dice, y se levanta para preparar una camilla de masaje plegable que tiene a un lado, junto a un aparador de cristal y porcelana en el que hay velas de color musgo, púrpura y dorado. En el aparador, hay dos estantes completamente vacíos.

—Todo depende de ti. Al final, sólo depende de ti, de lo que estés pensando, de lo que más te importe, de dónde quieres acabar cuando todo esté desbloqueado y libre.

Asiento y me limpio las húmedas mejillas, luego me subo a la camilla y pongo la cabeza sobre la almohadilla en forma de rosquilla, como hacía hace tanto tiempo. Garland me retira el pelo de la zona del cuello, y oigo que intenta sacarme todo el aire del pecho, así que hago lo mismo. Me pasa los dedos por la cabeza y por entre el pelo y, aunque cada célula de mi cuerpo desea relajarse, sólo parecen rebelarse y responder con más tensión y ansiedad, como un suflé de queso que pudiera explotar en cualquier momento.

Pienso en Katie y mi cuerpo se estremece, pero no dejo de pensar en ella, en sus besos de mariposa, en su dulce aliento cuando se queda dormida al caer la noche. Pienso en

Henry y en cómo nos equivocamos los dos, cómo nos volvimos los dos una versión de lo que creíamos que el otro quería, sin siquiera saber quiénes éramos y hasta dónde podíamos llegar. Pienso en mi madre, que debió de haberse creído que ya había aguantado demasiado, y en mi padre, que más tarde estuvo de acuerdo en que tal vez sí que podría haberle puesto un brazo alrededor cuando vio cómo se le arqueaba la espalda, y entonces noto las manos de Garland encima de mí, amasando mi dolor, liberándome del pasado.

Sé que está muy cerca, porque siento su respiración en el cuello y me susurra, igual que aquel día hace ya toda una vida:

—Tienes el Chi bloqueado. Voy a intentar desbloquearlo, pero vas a notar presión.

Aprieta la zona de debajo de mis omoplatos, y un auténtico estallido de fuegos artificiales se produce en mi interior. Veo círculos rojos con los ojos cerrados, y mi respiración se vuelve tranquila y rítmica. Siento dolor, me muevo. Me muerdo el labio inferior y pienso en Henry y en Katie. ¿Y si no me hubiera casado con Henry? ¿Y si Katie no hubiera nacido? Pienso en eso ahora, mientras los dedos de Garland me liberan, y veo las cosas de otra manera: no como si hubiera perdido la oportunidad de una vida con Jack, sino como si perdiera la oportunidad de tener esta vida. Esta vida. La que debería haber elegido desde el principio.

«¿Y si no me hubiera casado con Henry? —me pregunto a mí misma una vez más, y la respuesta me llega clara como un afilado cristal—. ¿Y si no me hubiera casado con Henry?» De pronto, todo se vuelve negro.

30

Las sábanas sobre las que estoy no me resultan familiares, están muy tiesas, como ropa de cama nueva que habría que lavar para que se suavizase un poco, y la almohada está empapada de sudor. Tengo saliva reseca en la comisura de los labios, y la garganta seca y áspera. Me noto el pulso en las sienes, tan fuerte que me resuena en los oídos.

Me giro hacia mi lado de la cama y me incorporo con sumo cuidado, retirándome el pelo enmarañado de delante de los ojos. La habitación me resulta extraña, distinta, aunque es agradable y recuerda levemente al que era mi hogar. Ya no están las gruesas cortinas de seda, en su lugar hay una persiana sencilla de madera oscura. Tampoco están las alfombras de elaborados dibujos que compré sólo porque leí lo que decían de ellas en *Metropolitan Home*, sino una sencilla moqueta de color crema. Hay un montón de ropa sucia en una esquina, lo suficientemente escondida para que no haga daño a la vista, pero ahí está, pidiendo a gritos que alguien la lave.

«¡Katie!»

Tiro un antifaz para dormir encima de la colcha, salgo de la habitación y voy a la habitación de Katie. Pero, en lugar de su cuarto, me encuentro una desordenada oficina: un escritorio lleno de papeles y dosieres, y una cinta para correr que parece servir más para colocar ropa encima que para hacer ejercicio. Mis manos rebuscan entre los documentos: papel de cartas con mi nombre y el de Josie de soltera en el membrete, tarjetas de visita con más de lo mismo, cartas de presentación a clientes cuyas empresas ni siquiera me suenan, una foto de Meg con un niño al que nunca había visto antes. Muevo la cabeza airadamente porque nada de esto tiene sentido. «¿Dónde está Katie? ¿DÓNDE ESTÁ?» Corro a la cocina y casi me muero del susto al cruzar la puerta.

—¡Dios mío! —grito—. ¡Casi me matas de un ataque al corazón! —Me pongo las manos sobre el pecho.

Henry está bebiendo zumo directamente del cartón y, al verme, hace un gesto de volverlo a dejar corriendo en la nevera, como un niño al que su madre hubiera sorprendido hojeando una revista porno. Cierra la puerta del frigorífico de un golpe.

—Buenos días a ti también, gracias. —Se queda ahí mirándome—. ¡Hum!, tal vez podrías ponerte algo de ropa. No es que a mí me importe, pero, ya sabes, los vecinos... —Hace un gesto hacia la ventana. Yo miro hacia abajo y me doy cuenta, tal y como hice seis meses y siete años antes, de que estoy desnuda.

Ni caso.

—¡Katie! ¿Dónde está Katie? —Me invade el pánico y poco puedo hacer para evitarlo. Noto cómo se adueña de mí, corre por mis venas y se apodera de mi corazón.

—Está con tu madre. Dios, Jill, ¿qué te pasa?

—¿Qué quieres decir con que está con mi madre? ¿Por qué diablos está con mi madre? —Me doy la vuelta para buscar pistas de dónde puede estar Katie, como si así pudiera encontrar todas las piezas que faltan. Voy al salón (un salón nuevo, menos ostentoso que el de antes, sin lámparas de diseño ni sofás hechos a medida, pero, aun así, un salón muy agradable), y cojo un calcetín rosa desparejado que Katie ha debido de perder en algún momento y nadie ha visto hasta ahora.

—Está con tu madre porque es lunes —me explica Henry muy despacio—. Siempre se queda con ella los lunes.

Le estoy oyendo, pero parezco no comprenderlo.

—¿Y esto? ¿Qué es esto? —Le acerco a Henry el calcetín y lo muevo bajo sus narices, mientras mi voz sube unas cuantas octavas hasta alcanzar un timbre nuevo, desconocido para mí.

—¡Eh!, es el calcetín de Katie —contesta él, asombrado.

—¡Sí! ¡Su calcetín! —chillo y empiezo a sollozar.

Los ojos de Henry se abren como platos, se me acerca y me abraza. Huelo el champú de menta y la espuma de afeitar mentolada que utiliza, olores que antes me eran tan familiares que ya ni siquiera los notaba.

—Jillian, siéntate. Está claro que no te encuentras bien. —Me ayuda a sentarme en el sofá, donde nos quedamos los dos, yo desnuda, él con su traje planchado, listo para ir a trabajar.

Abro la boca para que me entre más aire, y Henry me acaricia la espalda hasta que mis pulmones por fin responden.

—¿Pero está bien? ¿Katie está bien? —Me limpio los mocos con el dorso de la mano y miro a Henry. Sólo entonces me doy cuenta de que llevo en el dedo mi alianza de oro macizo. Le doy vueltas con el pulgar, hacia un lado y hacia el otro, para confirmar su existencia.

—Pues claro que está bien. ¿Por qué no iba a estarlo? Como te fuiste a dormir tarde y no te encontrabas bien, no te he despertado cuando ha venido tu madre esta mañana temprano a recogerla.

Asiento, aunque no comprendo nada. Viajar al pasado es fluido: ya anticipas los acontecimientos que te vas a encontrar, al menos inicialmente. Volver es diferente, porque hay cosas que te han pasado y sólo quedan lagunas por rellenar.

—Mira —dice Henry—, voy a llamar a Josie y decirle que no puedes ir a recogerla al aeropuerto. Le enviaremos un coche.

—¿Cómo? Un momento, ¿por qué tengo que recoger a Josie hoy en el aeropuerto?

Henry se me queda mirando, empieza a hablar, se para y me vuelve a mirar.

—Para tu presentación. Llevas meses trabajando en eso. —Resopla y continúa diciendo—: Jill, creo que deberíamos llamar a un médico. —Se levanta con la intención de coger el teléfono.

—No, déjalo. —Tiro de él hasta que se vuelve a sentar—. Sólo estoy un poco mareada. Dame un minuto. —Me muerdo el interior de los carrillos y hago un esfuerzo por parecer calmada. Fuerzo una sonrisa—. ¿Ves? Ya estoy mejor.

Henry se me queda mirando nada convencido, de repente llaman a la puerta y los dos damos un brinco.

—¡Mierda! —suelta—. Ya vienen a buscarme.

—¿Que vienen a buscarte? ¿Para qué? —La voz me sale más aguda de lo que pretendía, dado que intento aparentar tranquilidad. Aunque esté dispuesta a sincerarme con Henry, también sé que un «acabo de regresar de hace siete años» no es la mejor manera de empezar.

—Pues para ir al trabajo. Como cada día, Tyler viene a buscarme para irnos juntos en tren. —La cara de Henry pasa de la confusión a la alarma—. Pero hoy no voy a ir. Espera, voy a abrir.

—No, no, vete. —Muevo la mano frenéticamente—. Estoy bien, sólo un poco grogui. De verdad.

—No, no lo estás —asevera, moviendo la cabeza.

Inspiro con fuerza mientras intento asimilarlo todo. Katie. Tyler. Henry. He regresado, pero hay algo que no es igual, está claro que algo ha cambiado. Algo que me resulta agradable, seguro, y que se parece mucho a lo que yo llamo hogar.

—Bueno, no —contesto, mirando a Henry fijamente a los ojos—. Sólo necesito estar sola para aclarar un poco las ideas.

Vuelven a llamar a la puerta, esta vez con más insistencia, y le veo dudar.

—¡Vete! —le ordeno con firmeza—. No te lo pienses más y vete. —Y como ve que se lo digo con sinceridad, me hace caso. Me da un beso antes de marcharse y prometerme que me llamará cuando haga una pausa en el trabajo.

—Intentaré llegar para acostarla —me dice antes de irse, aunque yo ya sé que probablemente no lo hará, y también sé que no me lo voy a tomar como un desaire.

Me paso la lengua por los labios y saboreo los restos del café amargo de Henry. Lo veo bajar por la acera hacia el coche de Tyler, una minicaravana, el tipo de coche que sólo te compras si tienes varios críos, y veo a Henry girándose hacia una ventanilla, abrir la puerta y desaparecer dentro. Con una mano temblorosa, lo saludo; él me sonríe y hace lo mismo. Bajo la persiana veneciana, me dirijo a las profundidades de la casa, mi casa, y empiezo a redibujar las líneas de mi vida rota.

Encuentro la habitación de Katie en lo que antes era un lugar para trastos, detrás de la cocina, y huele a pan de plátano. Me siento en la mecedora, la misma en la que me sentaba cuando le daba el pecho y luego le cantaba nanas para que se durmiera. Despacio, se me cierran los párpados, mientras me envuelve una sensación de seguridad que es como si me cubriesen con una manta recién sacada de la secadora.

Cierro los ojos y me mezo adelante y atrás, y me abandono a un dulce sueño, uno de recuerdos agradables del pasado, pero también con grandes expectativas para el futuro. Porque sé que Henry irá a Nueva York y trabajará igual que siempre, pero esta noche, cuando vuelva a casa, yo, la versión completa de mi persona, le estaré esperando. Aquí y ahora. Entonces y antes. Siempre.

Supongo que tendría que haber advertido las señales. Pero nunca se me ha dado muy bien eso de percibir señales, nunca. Henry se había llevado a Katie a desayunar fuera de casa para que pudiera salir a correr, cuando por fin me di cuenta de que algo no encajaba.

La casa estaba tranquila, aunque no tan limpia como a mí me habría gustado. Recuerdo que eso mismo pensaba mientras me dirigía al baño de la primera planta. Los calcetines sucios de Henry asomaban por debajo del sofá, el periódico de la mañana estaba tirado de cualquier manera sobre la alfombra, y encima de la mesa de centro había un envoltorio de la piruleta que Katie se había tomado la noche anterior como postre. («¡Azúcar! ¡Se le pudrirán los dientes desde dentro!») Pero me había resistido a la manía de limpiar, limpiar y limpiar, y en lugar de eso me concentraba en la tarea que tenía entre manos. Era así como vivía ahora mi vida. Nunca tendría el impecable hogar que me habría gustado, ni satisfaría esa necesidad mía de tener una casa de revista, pero aceptaba ese contratiempo y miraba hacia el futuro. Saber que podía dominar mi obsesión por la limpieza era suficiente para controlarla. Al menos, casi siempre. Al igual que una adicta, a veces recaía, pero nunca era tan grave para no convencerme de que podía superarlo; eso no me impedía disfrutar de mi vida, ni de la suerte que tenía, y me recordaba lo fácil que era perder pie otra vez, con o sin Garland y con mi Chi bloqueado o sin bloquear.

Llegué al baño justo antes de que me diera otra arcada, y saqué la barrita de plástico blanco del armarito del baño. Quité el orinal de Katie de encima de la tapa de la taza, me acuclillé e hice pis encima de la barrita tal y como indicaban las instrucciones. Llevaba unos meses haciendo eso mismo; pero, por ahora, nada.

Esta vez, a diferencia de lo que sucedió con Katie, había sido idea mía la de ir a por otro niño, y me sentía muy poderosa, de una forma que no me era nada familiar, por ser yo la que había tomado la decisión. Era algo que últimamente intentaba hacer más, escuchar mis necesidades y satisfacerlas. Cuando Katie cumplió los dos años, me di cuenta de que las dos estábamos bien, que habíamos salido ambas bien paradas de toda esa confrontación madre-hija, y también me di cuenta de que quería volver a intentarlo, sólo que esta vez sin mis dudas, sin mis reproches y sin mi absurda necesidad de perfección.

Acabé de orinar y dejé la barrita de plástico en el lavabo. Me entretuve depilándome las cejas mientras esperaba. Y, enseguida, ahí estaba. Ahí. Literalmente, la señal de mi futuro. Aunque lo estaba esperando, me quedé pasmada, sin aliento, casi. Y más sorprendente que la señal en forma de cruz era mi inclinación inicial hacia el pánico, mis ganas de salir corriendo inmediatamente de allí.

Pero no. Tomé aire y lo eché, recordando todo lo que me había pasado, cómo me había adentrado en un terreno pantanoso, y cómo por poco pierdo casi todo lo que me importaba, y entonces pensé en Katie y en mi inquebrantable amor por ella, y en cómo volvía a sentir que ese mismo amor crecía en mi interior.

Me miré al espejo y vi que tenía las mejillas encendidas. Enseguida noté cómo se me iba ralentizando el pulso, me puse las manos encima del abdomen y me miré a mí misma, tan cambiada y no obstante la misma, y no pude por menos que sonreír.

Sí, ahora podía decir que estaba en casa.

Agradecimientos

Si existe algo parecido al paraíso editorial, es Shaye Areheart Books, y aún no me puedo creer la suerte que tuve de ir a parar allí. La mayoría de los escritores se conformaría con tener un editor estupendo. Yo tuve la suerte de tener dos editoras, ambas mucho mejores de lo que me merezco. Siempre estaré agradecida a Sally Kim, quien con su amabilidad, agudeza y dedicación ha mimado este libro mucho más de lo que atañe a sus responsabilidades; y a Shaye Areheart, que me concedió más apoyo, sabiduría y mimo del que con toda probabilidad permite su agenda. El equipo editorial que tuve en Shaye Areheart Books (Kira Walton, Annsley Rosner, Rowena Yow, Karin Schulze, Sarah Knight y Anne Berry, entre otras) era mucho mejor de lo que jamás me hubiese imaginado: todas poseen la tríada perfecta de inteligencia, talento e ingenio.

La mayoría de los escritores se darían por satisfechos si tuvieran un agente que aboga por ellos; yo tengo una que va mucho más lejos: Elisabeth Weed, aunque ya se lo haya dicho personalmente un millón de veces, es genial, y cada día de mi vida le estoy agradecida por haber contestado al correo electrónico que le envié presentándome. ¡Pronto conquistaremos el mundo! (Sí, lectores, ella sabe que lo digo en broma, siempre estamos de guasa.)

A Michelle Winn y Andrea Mazur: gracias por vuestra amistad y por hablar conmigo sin parar sobre vuestros propios «¿Y si...?». Habéis hecho que este libro sea mejor, y hacéis que mi vida también lo sea.

A Amy Stanton, Melissa Brecher y Paula Pontes: gracias por nuestras noches de «sólo chicas», que hacen que no pierda el juicio, y por recordarme que el lugar de donde vienes es tan importante como el sitio adonde vas.

A Laura Dave: gracias por el epígrafe perfecto.

A mis amigos de FLX: gracias por ofrecerme vuestra compañía durante los días solitarios en mi despacho, y por compartir conmigo mis logros, a medida que llegaban.

A Randy y Tamara Winn, Barbara y Barry Scotch, Matthew Scotch, Molly Scotch, Linda Childers, Debra Netschert, Larramie, Rachel Weingarten, Jennifer Lancaster, Sarah Self, Meryl Poster y Kate Schumaecker: gracias por todas las formas en las que me habéis ofrecido apoyo, ayuda, críticas, vuestros ánimos y también vuestro consuelo durante todos estos años. Estoy en deuda con todos vosotros.

A mis padres: gracias por estar tan orgullosos de mi éxito, y porque sé que estaríais igual de orgullosos si nadie hubiera querido publicarme nada. Y gracias por las muchísimas veces en las que inesperadamente habéis tenido que hacerme de canguro, porque seguro que no os lo he agradecido lo suficiente.

A mi marido, Adam: gracias por tu buen humor y tu sonrisa socarrona cuando te conté de qué trataba la novela; gracias por no importarte que la gente pudiera confundir esta obra de ficción con nuestra vida; gracias por poner a veces los platos en el lavavajillas y por recoger, de vez en cuando, los calcetines que dejas tirados por la casa.

Y, por último, a Campbell y Amelia: gracias por brindarme una felicidad extrema y un amor tan pleno como jamás había podido imaginar. Puede que haya escrito un libro sobre «¿Y si...?», pero gracias a vosotros tengo todas las respuestas.